SŁOWA UZNANIA
dla Kii Abdullah

Kia Abdullah, pisząc swoje thrillery prawnicze, sprawia, że John Grisham wydaje się przy niej poczciwą ciotką.

– Sunday Times Crime Club

Kia Abdullah snuje opowieść umiejętnie i z dużą wrażliwością. Prowadząc fabułę od jednego do drugiego nagłego zwrotu akcji, buduje po drodze napięcie. Wyjątkowa książka wyjątkowej autorki, przy czym o obu można powiedzieć, że są odważne. Powieść napisana ze sporą dozą empatii dla ludzkiej natury szokuje i pozbawia tchu.

– Chris Whitaker, autor bestsellera *We Begin at the End*

W żywy sposób analizuje problemy kształtujące (i deformujące) społeczeństwo [...]. Brutalnie szczery, mocny dramat.

– Adele Parks, „Platinum"

Dzięki wnikliwemu spojrzeniu na życie swoich bohaterów Kia Abdullah daje czytelnikom znacznie więcej niż tylko thriller sądowy.

**– Christina Dalcher,
autorka bestsellera „Sunday Timesa" *VOX***

Genialny styl i opis przebiegu rozprawy sądowej [...]. Przewracałem każdą kolejną stronę z duszą na ramieniu [...]. Książka trafiła w moje ręce przypadkiem, ale bardzo się cieszę, że miałem okazję ją przeczytać. Kia Abdullah robi research, pisze mądrze i ma wiele współczucia dla swoich bohaterów. Każdy czytelnik może być pewien, że zostanie uraczony doskonałą historią.

– „Daily Record"

Wspaniały thriller prawniczy, który trzyma w napięciu od pierwszej do ostatniej strony.

– „Guardian"

Historia bardzo na czasie i bardzo życiowa.

– „Observer"

KIA ABDULLAH

NAJBLIŻSZA RODZINA

PRZEŁOŻYŁA Z ANGIELSKIEGO
Urszula Gardner

TYTUŁ ORYGINAŁU:
Next of Kin

Redaktorka prowadząca: Marta Budnik
Wydawczynie: Justyna Żebrowska, Agata Garbowska-Karolczuk
Redakcja: Anna Płaskoń-Sokołowska
Korekta: Anna Brzezińska
Projekt okładki: Łukasz Werpachowski
Zdjęcie na okładce: © Jane Morley / Trevillion Images
DTP: Maciej Grycz

Wydanie I
Białystok 2023
ISBN 978-83-8321-171-8

Grupa Wydawnictwo Kobiece | www.WydawnictwoKobiece.pl

Mojej drugiej siostrzyczce,
Foridzie

CZĘŚĆ I

ROZDZIAŁ 1

Czuć zazdrość o własną siostrę – z jednej strony dziwne, a z drugiej całkowicie naturalne. Bardzo możliwe, że przy tym też nieuniknione. Bo czy kobiet nie uczy się, by ze sobą rywalizowały? Obserwują się więc wzajemnie, oceniają, krytykują i ustalają porządek dziobania. Samo to czyni rodzoną siostrę pierwszą rywalką.

Takie myśli chodziły po głowie Leili Syed, gdy się przyglądała, jak mężczyzna, za którego wyszła, nachyla się ku jej siostrze. Yasmin zapaliła papierosa i zaciągnęła się dymem, głośnym „ach" dając upust przyjemności. Choć patrzyła na nich z przeciwnego krańca ogrodu, wyraźnie widziała, w jakiej pozostają zażyłości. Uczucie zżerającej ją zazdrości jeszcze się nasiliło. Ale była to dobra zazdrość. Zdrowa zazdrość. Dzięki niej uzmysławiała sobie od nowa, jak atrakcyjny jest Will, znów dostrzegała jego łobuzerski urok, doceniała jego niekonwencjonalne, mroczne poczucie humoru i wręcz namacalnie czuła tę jego magnetyczną pewność siebie, tę dumę, która tylko czasami przeradzała się w zadufanie.

Tak naprawdę nie mogła winić męża o to, że Yasmin go fascynowała. Jej siostrę charakteryzowała kobieca miękkość, której mężczyźni nie byli w stanie się oprzeć. Te falujące długie ciemne włosy, to łagodne spojrzenie jelonka Bambi. Można było odnieść wrażenie, że każda część jej ciała obli się w kontraście do ostrych kątów, z których zdawała się zbudowana Leila, zaczynając od mocno zarysowanej linii szczęki, a kończąc na ustach zaciśniętych w wąską kreskę. Leila była w pełni świadoma podziału ról w ich siostrzanej relacji – z Yasmin jako ośrodkiem grawitacji i nią samą wirującą na orbicie.

Poprawiła się na krzesełku ogrodowym, odklejając uda od twardego zielonego plastiku. W powietrzu panowała iście tropikalna wilgoć, przez którą czuła się ociężale. Było niezwykle parno jak na Londyn, w dodatku najstarsi ludzie nie pamiętali tak upalnego lipca. Wszędzie tam, gdzie występowały tłumy, prędzej czy później ktoś mdlał, a napór rozgrzanych ciał i kipiące temperamenty tylko przydawały miastu atmosfery anarchii.

Rozbrzmiał śmiech, na co Leila przymknęła oczy, by przez chwilę rozkoszować się tym dźwiękiem. Co za nieoczekiwana radość: usłyszeć, jak jej siostra się śmieje. Co za szkoda, że nie da się tego momentu zarejestrować wraz ze wszystkimi towarzyszącymi mu doznaniami: ciepłem na powiekach, ledwie wyczuwalnym zapachem kwiatów glicynii, sączącymi się z oddali odgłosami jakiegoś przyjęcia, wnoszącymi nieco życia w ten wieczór, nie na tyle natarczywymi jednak, aby zakłócały spokój. Wyczuwszy ruch obok siebie, otworzyła oczy. To jej szwagier Andrew zatrzymał się na widok pary kulącej się jedno koło drugiego niczym nastolatkowie na wagarach. Kiedy unosząc brwi, rzucił jej spojrzenie, odpowiedziała porozumiewawczym uśmiechem. Przysiadł niedaleko, dwoma palcami trzymając butelkę piwa za szyjkę. Przez pewien czas milczeli.

– To naprawdę jej pomaga. – Andrew pierwszy przerwał ciszę. – Bycie tutaj.

– Cieszę się – odparła z uśmiechem bez choćby krzty wesołości.

– Jestem ci wdzięczny, wiesz? Za wszystko, co dla niej robisz. Co robisz dla nas.

Leila uczyniła nieznaczny gest, nie podnosząc dłoni z podłokietnika.

– Drobiazg.

Andrew popatrzył na nią z melancholijną zadumą.

– O, nie. To coś znacznie więcej…

– W końcu jesteśmy siostrami – powiedziała, w ostatniej chwili powstrzymując się od wzruszenia ramionami.

– Wiem, ale mimo wszystko. – Uniósł i przechylił w jej kierunku butelkę w niemym toaście.

Leila dotknęła szyjki bokiem kieliszka i upiła łyk czerwonego wina o głębokim smaku. Powiodła spojrzeniem ponad trawnikiem, który w zapadającym zmierzchu zdawał się niebieskozielony, i zauważyła, że Will strąca coś z ramienia Yasmin: muchę, pająka czy innego małego drapieżcę. Przy okazji poruszył ramiączko biustonosza, które zsuwając się, przykuło jego wzrok. Dwa czerwone ogniki to rozjarzały się mocniej, to znikały przelotnie, aż jeden z tandemu zgasł zupełnie.

Yasmin obróciła się i podeszła do Leili.

– Will jest przezabawny – oznajmiła, kręcąc głową z niedowierzaniem, jakby było coś skandalizującego w jego zuchwałości.

– Yhm. Właśnie dlatego za niego wyszłam – powiedziała Leila takim tonem, że nie było wiadomo, czy ironizuje, czy jest przepełniona goryczą.

Yasmin na moment zamarła, po czym sięgnęła po butelkę z winem. Nalała sobie do kieliszka hojnie, aż gruba kropla prysnęła na idealnie biały obrus, nie zaproponowała jednak dolewki siostrze. O dziwo, zamiast się rozzłościć, Leila poczuła się uspokojona tym przejawem egoizmu, oznaczał on bowiem, że Yasmin czuje się tu bezpiecznie – nie musi się pilnować na każdym kroku i może sobie pozwolić na odprężenie. To oznaczało, że Leila wywiązała się ze swojego zadania znakomicie.

Gdy ich matka zmarła przed dwiema dekadami, zaledwie rok po ich ojcu, Leila, która miała wtedy prawie osiemnaście lat, zrobiła wszystko, aby chronić młodszą siostrę, podówczas jedenastolatkę. Zrezygnowała z miejsca na uniwersytecie w St. Andrews, decydując się pozostać w stolicy i pójść na londyńską politechnikę. Popołudniami pracowała w sklepie sieci Marks & Spencer, a w weekendy stała za ladą podrzędnej smażalni ryb, wszystkie zarobione pieniądze przeznaczając na ich wspólne utrzymanie. Za swój największy sukces uważała to, że Yasmin wyrosła na osobę szczęśliwą, pewną siebie i dobrze przystosowaną do życia w społeczeństwie. Niestety sprawy wzięły w łeb, kiedy los postanowił wtrącić swoje trzy grosze.

– Tak tutaj ładnie – powiedziała Yasmin, przeciągając ramiona i ziewając leniwie. Wskazała palcem oranżerię. – Boże, chciałabym taką mieć.

– Jeżeli tego właśnie pragniesz, możemy sobie sprawić taką samą – zareagował błyskawicznie Andrew, marszcząc czoło.

Yasmin zbyła jego słowa machnięciem ręki.

– Przecież wiesz, że nas nie stać! – rzuciła nieco za ostrym tonem.

Andrew się zjeżył, ale nic nie powiedział. Wstał za to i ruszył w stronę Willa. Ich mężów nie połączyła nić porozumienia, choć nie można było twierdzić, że nie czynili w tym kierunku żadnych starań.

Leila zerknęła na Yasmin z ukosa.

– Dobrze wiesz, że zawsze możesz pracować dla mnie. Przydałaby mi się asystentka.

Yasmin przewróciła oczami.

– Mówiłam ci już wcześniej. Nie ma mowy, żebym była twoją sekretarką, Leila.

– Jak zwykle przemawia przez ciebie nadmierna duma.

– To nie duma, tylko... – Yasmin się wyprostowała, jakby przymierzała się do ataku. – Nie chcę mieć wobec ciebie długu wdzięczności.

– Nie miałabyś żadnego długu. Otrzymywałabyś wynagrodzenie, ale wykonywałabyś za nie określoną pracę. Nikt nie mówi o dobroczynności. Mamy system szkoleń. Gdybyś zechciała, mogłabyś pójść na studia wieczorowe i piąć się po szczeblach kariery.

– Lubię swoją pracę – oświadczyła Yasmin hardo.

– Wiem. Ale jesteś sekretarką, odkąd skończyłaś osiemnaście lat. Naprawdę nie chciałabyś od życia czegoś więcej?

– Nie. Lubię swojego szefa. Lubię swoich kolegów i koleżanki. Lubię wracać do domu i spędzać czas z Maksem. Niepotrzebna mi pozycja, tak jak tobie.

Leila zatoczyła łuk ręką z kieliszkiem.

– Dopiero co powiedziałaś, że pragniesz, aby cię było stać na więcej.

– Na tym właśnie polega twój problem, Leila. Wszystko bierzesz tak dosłownie. Tymczasem ja nie chcę twojej oranżerii, nie chcę twojego życia.

Leila zamilkła. W tle słychać było śmiech Willa i Andrew, ale zdawał się wymuszony, sztywny. Tak śmieją się dalecy znajomi.

Yasmin westchnęła.

– Przepraszam – powiedziała z nutą rozdrażnienia.

Gdy Leila nie zareagowała, stuknęła ją w ramię. Kiedy i to nie przyniosło zamierzonego efektu, pochyliła się i objęła siostrę. W końcu zaczęła śpiewać *Father and Son* głosem podszytym udawaną powagą. Dla ojca, który poucza syna, jak powinien przeżyć swoje życie, zarezerwowała bas.

Leila usiłowała się oswobodzić z objęć młodszej siostry, ale zdradził ją uśmiech błąkający się na jej ustach. Yasmin zawsze śpiewała ten utwór, gdy Leila zachowywała się apodyktycznie.

– Dobra, rozumiem. – Przytknęła dłoń do ust Yasmin, lecz ta tylko odwróciła głowę i śpiewała dalej. – Małpa z ciebie – rzuciła Leila, ale śmiała się już na całego, niezdolna się obronić przed wesołością siostry.

W końcu Yasmin przestała śpiewać.

– Nie jestem małpą – zaprzeczyła rzeczowo.

Wciąż się uśmiechając, Leila wyciągnęła rękę i poprawiła kosmyk jej włosów.

– Oczywiście, że nią nie jesteś – potwierdziła z czułością.

Zapadło między nimi zgodne milczenie, a Leila zanotowała w pamięci, aby poprosić o wycenę oranżerii. W przeszłości pożyczyła Andrew nieco pieniędzy, aby mógł się z żoną przeprowadzić do tej dzielnicy. Niewykluczone, że będzie mogła mu pożyczyć jeszcze trochę. Może gdy Yasmin zyska odrobinę więcej przestrzeni, wróci do któregoś swojego hobby, na przykład robienia wielkich kolaży z kartek wyrwanych z kolorowych czasopism. Kiedyś udało jej się nawet kilka z nich sprzedać.

Will zgasił papierosa i zaczął iść w stronę żony oraz szwagierki. Andrew ruszył za nim, patrząc znacząco na zegarek, aby zmusić Yasmin do wstania.

– Powinniśmy się zbierać – powiedziała, podnosząc się ze swojego miejsca. – Jutro wcześnie zaczynam, a Maks na pewno będzie marudził. Ostatnią noc w większości przepłakał.

Wolnym krokiem weszli do środka, gdzie mimo zamkniętych drzwi tarasowych wciąż czuło się wilgoć. Leila patrzyła, jak jej siostra i szwagier się krzątają: ona bierze na ręce śpiącego Maksa, zgarbiona pod ciężarem torby na drugim ramieniu, on wrzuca do siatki wszystkie książeczki i zabawki, które miały dotrzymywać towarzystwa trzylatkowi. Yasmin wielokrotnie w przeszłości narzekała, że Maks nie ma kuzyna, z którym mógłby się bawić. Za każdym razem Leila wybuchała uprzejmym śmiechem i odpowiadała: „Jeszcze nie", jakby ta decyzja należała do niej.

– Dzięki za kolację – powiedziała Yasmin, spoglądając nad ramieniem siostry, aby się upewnić, że wszystko spakowali.

Cmoknęły się na pożegnanie, po czym młodzi rodzice wyszli, kierując się do domu stojącego tuż za rogiem. Zamykając drzwi, Leila poczuła ulgę, jaka nachodzi człowieka po wyjściu gości, nawet gdy są to najbliższe mu osoby.

– Jestem wykończony – oznajmił Will, padając na sofę, z której uniosło się kilka strzępków kurzu. Przyciągnął żonę do siebie i posadził ją sobie na kolanach. – A ty dobrze się czujesz?

Skinęła głową.

Musnął ustami jej odsłonięty jasnobrązowy bark.

– Mogę zostać?

Zesztywniała. Ich relacja była skomplikowana.

– Dziś nie.

– Jesteś pewna?

– Tak.

– No dobrze – zgodził się niechętnie. – Rozumiem aluzję.

Pocałował ją w koniuszek obojczyka i delikatnie odstawił na podłogę.

Przysłuchiwała się, jak jego kroki cichną w korytarzu, jak otwiera i zamyka drzwi. Z pięciorga osób tak szybko została jedna.

„Na tym polega wartość posiadania własnej rodziny. Człowiek nigdy nie musi być sam", pomyślała Leila.

Gdy poczuła znajomy, stary ból, znużona zwiesiła głowę. Jak długo jeszcze to potrwa?

Może gdyby była bardziej otwarta wobec Yasmin, ból nieco by zelżał. Jej siostra wiedziała o pierwszym poronieniu, lecz o trzech następnych już nie. Leila pragnęła się jej zwierzyć, ale wiedziała, że Yasmin ma własne ciężkie przeżycia. Nie zamierzała do nich dokładać swoich. Kiedy w lutym rozeszli się z Willem, zbagatelizowała sprawę w rozmowie z siostrą. „To tylko przejściowe – zapewniła. – Żebyśmy mogli przemyśleć swoje priorytety i żebyśmy przestali traktować to drugie jak coś danego z góry raz na zawsze".

Towarzyszący rozstaniu bałagan – zostawanie Willa na noc, wspólne wyjścia – czynił sprawę pozornie mniej poważną, ot, zwykły wybój na drodze dziewięcioletniego małżeństwa. Tak naprawdę jednak Leila nie sądziła, aby znów się zeszli, i czasami myśl o tym, że zestarzeje się sama, wprawiała ją w panikę.

Yasmin powiedziała jej raz, że rodzic, który traci dziecko, nie ma nawet swojej nazwy w słowniku. „Wdowa", „wdowiec", „sierota" – żaden z tych wyrazów nie pasował. Była to prawda, ale przynajmniej ktoś taki miał prawo do żałoby. To dawało jakiś punkt zaczepienia. Co mógł uczynić rodzic, którego dziecko nigdy się nie urodziło?

„Nie można mieć wszystkiego", powiedziała sobie w duchu po raz tysięczny.

Prowadziła firmę, cieszyła się zdobytą reputacją, miała wygodny dom i wygodne życie, pozostawała w bliskiej relacji z siostrą, za którą dałaby się pokroić, i wciąż była żoną człowieka, którego kochała. To musiało – musiało! – jej wystarczyć.

Przez otwarte okno wpadał lekki wiatr, lecz nawet on nie schłodził powietrza. Leila dotknęła chusteczką miejsca nad górną wargą, uważając, aby nie rozmazać makijażu. Dopiero wyszła spod prysznica, ale pot już zaczął się zbierać w miseczkach jej biustonosza, sprawiając, że poczuła się tak, jakby nie myła się od wczoraj. Tego dnia miał paść kolejny rekord temperatury, choć londyńczycy już teraz ledwo sobie radzili. Oczywiście były lody i przejażdżki łódką po sztucznym jeziorze w Hyde Parku, co z tego jednak, skoro jazda metrem przypominała gotowanie się na wolnym ogniu. Dlatego Leila wolała pojechać do pracy samochodem – jej dom w Mile End od biura w Canary Wharf dzieliło niecałe pięć kilometrów.

Złapała buty, wkładając dwa palce w piętkę każdego czółenka, po czym umieściła je w plastikowej torbie, ścieniałej od częstego użytkowania i ciągłego gniecenia. Wygładziła białą bluzkę i szarą wąską spódnicę, po czym zeszła na dół do kuchni. Było to jej ulubione pomieszczenie w całym trzypiętrowym domu wybudowanym jeszcze w okresie georgiańskim: rozłożystym i przestronnym, z czerwonej cegły i z odsłoniętymi belkami konstrukcyjnymi, które pamiętały tysiąc siedemset trzydziesty rok. Leila rozpoczęła swój dzień jak każdy dotąd – wypiła szklankę świeżo wyciśniętego soku z pomarańczy, sprawdziła maile i po raz enty upomniała się, aby wreszcie użyć aplikacji medytacyjnej Headspace, która zainstalowana czekała na ekranie głównym.

Leila prowadziła firmę architektoniczną i choć uważała się za osobę zdyscyplinowaną, czas nierzadko przeciekał jej przez palce. Zdarzało się, że cały dzień zdążył minąć błyskawicznie, pomiędzy jednym a drugim rzutem oka na zegar. Czuła, że dziś też tak będzie. Jej partner biznesowy, Robert Gardner, ubiegał się o duży projekt, który miał wynieść ich firmę na wyższy poziom, do naprawdę dużej ligi. Jej nagrodą za ciężką pracę, odkąd sięgała pamięcią, było właśnie to: bezpieczeństwo finansowe oraz gwarancja ochrony przed biedą i wynikającym z niej wstydem. Samo wspomnienie tamtych pierwszych lat powodowało ucisk na dnie jej żołądka. Zdarzało się, że jakaś scena z przeszłości stawała jej przed oczami, chwilowo pozbawiając ją tchu. Leila upychająca w majtkach zwitki papieru toaletowego, żeby zaoszczędzić na tampony dla Yasmin, czy piorąca zaciekle swoje biustonosze, by Yasmin nigdy się nie zorientowała, że dostaje je w spadku po starszej siostrze. Obiecała sobie, że to się nigdy, przenigdy nie powtórzy; pracowała dniami i nocami, aby znaleźć się w tym miejscu, w którym była teraz. Ten projekt dla Mercers Bank miał być ukoronowaniem jej wszystkich wysiłków. Przełknęła nawet dumę i pozwoliła Robertowi zrobić tę prezentację, wiedziała bowiem doskonale, że ktoś taki jak on – biały mężczyzna z dobrej rodziny – z natury rzeczy ma większe szanse na sukces. Jej pozostało czekanie za linią boiska, by się przekonać, czy wszystko, co mu przygotowała, przyniesie oczekiwany rezultat.

Dopiła sok i właśnie napełniała szklankę wodą, gdy zawibrowała jej komórka leżąca na blacie. Imię Andrew na wyświetlaczu sprawiło, że poczuła ukłucie niepokoju. Mąż Yasmin rzadko, o ile w ogóle, kontaktował się z nią telefonicznie.

– Leila, jesteś w domu? – zapytał zdyszany.

– Tak. Co się stało?

– Ogromnie cię przepraszam, ale zadzwonili do mnie z biura i okazuje się, że cała nasza sieć padła. Czy jest szansa, abyś odwiozła Maksa do żłobka? Masz po drodze.

Leila odruchowo zerknęła na zegar, ale przedtem zdążyła odpowiedzieć:

– Oczywiście.

– Możesz odmówić – dodał Andrew z wyczuwalnym napięciem w głosie. Firma hostingowa, w której pracował, ostatnimi czasy cienko przędła. Taka awaria mogła być dla niej gwoździem do trumny.

– Będę za pięć minut – obiecała.

– Naprawdę mi przykro – przeprosił ponownie. – Wiem, że jesteśmy ciężarem, odkąd się tu wprowadziliśmy.

– Skądże – zaprzeczyła, choć oboje wiedzieli, że Andrew ma rację. Odkąd zamieszkali w pobliżu, wiecznie po nią dzwonili, jakby fakt, że nie ma dziecka, oznaczał, że marzy tylko o tym, by zajmować się ich synem.

Cieszyła się, że Will jednak nie został na noc. Mimo że przepadał za Maksem, z pewnością nie oszczędziłby jej tyrady o tym, jak to Yasmin wykorzystuje Leilę, sugerując, że powinna odmówić szwagrowi dla zasady.

Zabrała czółenka, kluczyki, komórkę i torbę, po czym ruszyła do samochodu, czując, jak z każdym krokiem poci się coraz bardziej. Usiadłszy za kierownicą skromnego mini coopera, odłożyła torebkę na fotel pasażera i włączyła się do ruchu. Tredegar Square był zadrzewioną okolicą we wschodnim Londynie, gdzie mieszkali nuworysze: właściciele niewielkich firm, paru piłkarzy, pewna aktorka, która zdobyła popularność, grając w sitcomie jeszcze w latach dziewięćdziesiątych.

Leila przepadała za tym miejscem, było wolne od snobizmu lepszych dzielnic.

Skręciła za róg i zatrzymała się przed domem siostry, schludnym budyneczkiem w stylu dworku z pseudotudorowską fasadą. Andrew czekał na podjeździe, przechadzając się nerwowo tam i z powrotem.

Zaparkowała za jego toyotą.

– Wszystko dobrze? – zapytała, wysiadając.

– Tak. – Wbił czubek buta w trawnik, wgniatając kępkę trawy. – Przepraszam, że ci to robię.

– Nic nie szkodzi – zapewniła, zaglądając do samochodu szwagra, gdzie na tylnym siedzeniu spał spokojnie Maks. Brązowe włoski kleiły się do spoconego czoła chłopca.

Sięgnęła po fotelik i niemal od razu puściła uchwyt, taki był nagrzany. Balast ciążył jej w ręku, zatem Andrew wziął go od niej i jakby to było piórko, przełożył go sobie przez muskularne przedramię. Następnie zanurkował do wnętrza jej wozu i z pewnym trudem przypiął fotelik. Pochylił się jeszcze, ucałował głowę chłopca i musnął opuszkami jego policzek.

– Gorąco dzisiaj – zauważył.

– Wiem – rzuciła Leila. – Nic mu nie będzie.

Andrew cofnął się z grymasem na twarzy.

– Powiedziałam, że nic mu nie będzie. Zabieraj się do pracy.

– Leila…

– Tak, wiem. Jest ci przykro. – Klepnęła go w ramię. – Praca czeka.

– Dziękuję.

Kiwnęła zdawkowo głową, wsiadła do auta i odjechała, w lusterku wstecznym widząc, że Andrew odprowadza ją przeciągłym spojrzeniem. Skierowała się na południe, w stronę biura położonego na nabrzeżu Canary Wharf, po drodze włączając klimatyzację. Pędziła właśnie po Burdett Road, gdy odezwała się jej komórka. Odebrała ją jednym ruchem palca, włączając zestaw głośnomówiący, aby nawet na moment nie odrywać wzroku od jezdni, mimo że w przeszłości pokonała tę trasę tysiąckrotnie.

– Leila? – Telefonowała Suki, jej asystentka w Syed & Gardner. – Mamy problem.

– Co się stało?

– Chodzi o Roberta. Powinien już wyjść na spotkanie w Mercers Bank, ale zapodział gdzieś plany.

– Jak to: zapodział? – spytała ostro Leila. – Nie zabrał ich do domu?

– Nie. Przysięga, że zostawił je na biurku, a teraz nie może ich znaleźć.

– Muszą być gdzieś w biurze.

– Wszędzie szukaliśmy, ale bez efektu.

Leila rzuciła okiem na deskę rozdzielczą, by sprawdzić, która godzina. Było osiem po ósmej, co oznaczało, że jeśli Robert nie wyjdzie bezzwłocznie, najprawdopodobniej się spóźni.

– W swoim gabinecie mam wersje robocze. Nie są idealne, ale będą musiały wystarczyć.

– No tak, tylko że twój gabinet jest zamknięty, a my nigdzie nie możemy znaleźć zapasowego klucza. – W głosie Suki pojawiła się panika.

– Ochrona powinna go mieć.

– Czekamy, aż kogoś przyślą, ale jeśli to się przeciągnie, zabraknie czasu.

– Nie możecie wydrukować tych planów w punkcie naprzeciwko?

– Otwierają go dopiero o dziewiątej.

Leila zaklęła. Ponownie sprawdziła godzinę i przeliczyła coś w myślach.

– Będę na miejscu za dziesięć minut, co da Robertowi pół godziny na dotarcie do Mercers Bank. Dopilnuj, żeby taksówka na niego czekała i żeby był gotów wyjść w każdej chwili.

– Dobrze. Dziękuję. – Suki wyraźnie ulżyło. – Już mu mówię, że jedziesz.

Leila jechała do biura z maksymalną dozwoloną prędkością, cała zgrzana z powodu zdenerwowania i upału. Po dziesięciu minutach zatrzymała samochód na prywatnym parkingu. Wyjęła czółenka z plastikowej torby, wsunęła je szybko na stopy, po czym złapała kluczyki i pobiegła na górę.

Widząc ją, Robert wypadł ze swojego gabinetu.

– Leila...

Przerwała mu uniesieniem dłoni.

– Nie teraz, Robercie. Musisz już iść. – Otworzyła drzwi swojego gabinetu, przetasowała stertę planów i wyciągnęła z niej trzy wydruki. Wręczyła je Robertowi razem ze swoim iPadem. – Wiem, że prosili o papierową wersję, ale przynajmniej pokaż im tę ostatnią. Chcę, by wiedzieli, że pozbyliśmy się tego portyku.

– Mógłbym przysiąc, że zostawiłem je na biurku.

– Nic się nie stało – uspokoiła go i popchnęła w kierunku drzwi. – Idź już!

Odwróciwszy się do niej, posłał jej ten swój charakterystyczny uśmiech – na poły Franka Sinatry, na poły statecznego męża stanu.

– Powodzenia! – rzuciła do niego, gdy drzwi windy otworzyły się przed nim.

Wróciła do biura i opadła na skórzaną sofę, wciąż drżąc na całym ciele od adrenaliny.

Wszystko będzie dobrze, pocieszyła się w duchu. Tyle się naszarpałam, niemożliwe, żeby mój wysiłek i poświęcenia poszły na marne.

Przyłożyła dłonie do chłodnej czarnej tapicerki, jakby to mogło jej pomóc się uspokoić, przywrócić równowagę na wzburzonym morzu emocji. Odpoczywała przez chwilę, wsłuchując się w miarowe, kojące tykanie dużego zegara na ścianie. Po jakiejś minucie wstała, przywdziewając maskę opanowania.

Wtedy rozległo się pukanie do drzwi.

– Kawy? – Suki uniosła porcelanowy kubek z logo Syed & Gardner.

– Jesteś nieoceniona – podziękowała asystentce, z wdzięcznością przyjmując od niej kubek i stawiając go na biurku.

Włączyła wentylator na maksimum, aby rozrzedzić gęstniejące gorące powietrze, i zaczęła się przygotowywać na kolejny intensywny dzień.

ROZDZIAŁ 2

Leila uszczypnęła skórę między brwiami, mając nadzieję, że w ten sposób zmniejszy ból głowy. Za oczami ją łupało, i to od paru godzin. Gdy rzuciła okiem na zegarek, była już za pięć wpół do dwunastej, co oznaczało, że znowu nie będzie miała czasu na lunch. Zbierając skoroszyty ze stołu konferencyjnego, zerknęła na budynek stojący po drugiej stronie ulicy, utrzymany w stylu brutalistycznym, który sekretnie podziwiała. Zdarzyło jej się tam zawędrować i zagubić w rozlicznych korytarzach. Kiedy indziej zachwycała się bryłą budowli z zewnątrz, napawając oczy misternymi frontonami czy oknami dioklecjańskimi, a raz nawet – było to w ubiegłym roku – naraziła się na reprymendę z ust strażnika, gdy zapuściła się do pewnej komnaty w Zimbabwe House, aby przyjrzeć się dokładniej jej oknom. Instynktownie porzuciła zwykłą dla siebie powagę i naśladując młodszą siostrę, zaczęła trzepotać rzęsami, po czym głosem o ton bardziej piskliwym niż normalnie przeprosiła za swoje roztargnienie. W strażniku zaszła momentalna przemiana – jakby nigdy nic odprowadził ją do wyjścia i grzecznie pożegnał. Leila nie potrafiła uwierzyć, że ta metoda faktycznie działa. Uśmiechnęła się na wspomnienie tamtego przypadku, podnosząc z blatu ostatni skoroszyt.

Kiedy wróciła do gabinetu, zastała na biurku kanapkę, batonik śniadaniowy z płatkami zbożowymi oraz owocowy koktajl – wszystko ułożone schludnie obok klawiatury.

– Nie zasługuję na ciebie! – zawołała do Suki przez uchylone drzwi.

Suki rozpromieniła się i uniosła rękę w pełnym zakłopotania geście.

Leila odpakowała kanapkę, powoli, metodycznie, po czym ugryzła pierwszy kęs miękkiego białego pieczywa. W tej samej chwili rozdzwoniła się jej komórka, przełknęła więc szybko i odebrała.

Głos Andrew był pełen niepokoju.

– Leila? Skontaktowali się ze mną ze żłobka. Ponoć Maks nie dotarł tam dziś rano.

Przez moment nie rozumiała, o czym szwagier mówi, ale nagle znaczenie jego słów uderzyło ją z całą przerażającą mocą. Poczuła się tak, jakby ktoś zacisnął na jej głowie kleszcze. W uszach zaczęła jej dudnić krew.

– Leila? – Andrew załamał się głos, całkiem jakby mężczyzna przejrzał ją na wylot i domyślił się, co zrobiła. – Gdzie jest Maks?

Nie odpowiedziała. Wyszła z gabinetu jak w transie, ściskając w dłoni komórkę, z której wciąż dobiegał zaniepokojony głos jej szwagra. Czuła, jak narasta w niej panika. Skierowała się prosto do windy. Nie krzyczała ani nie płakała – milczenie wymuszał pulsujący w niej wciąż szok. Zjechała na parter i przecięła hol, stukając obcasami po wypolerowanej posadzce. Dopiero na widok samochodu smażącego się w słońcu na pustym parkingu wydała z siebie cichy skowyt. Rożek bladoniebieskiego kocyka sięgał szczytu oparcia tylnego siedzenia niczym ręka wyciągnięta w geście jałmużny.

Gwałtownie się cofnęła pod wpływem nieznanego impulsu – instynktu samozachowawczego, wyparcia, woli przetrwania. Moment później władzę nad jej członkami znowu przejął umysł kierujący się logiką. Zmusiła się, aby podejść bliżej i otworzyć drzwi samochodu. Przez cały ten czas bezwiednie skamlała. Krzyknęła dopiero wtedy, gdy zobaczyła wiotkie ciałko Maksa. Jej krzyk przypominał raczej dzikie, potępieńcze wycie – tak głośne, na jakie było ją stać. Nie tylko dała upust swojemu przerażeniu, ale też wołała o pomoc, wiedziała bowiem, że nie podoła temu sama. Nie potrafiła stawić czoła horrorowi, z którym stanęła oko w oko.

Podbiegł do niej ochroniarz. Widząc Maksa w foteliku, odciągnął ją od samochodu, kazał swojemu koledze wezwać pogotowie, a sam zaczął sprawdzać, czy chłopiec daje oznaki życia.

Leila obserwowała jego wysiłki jakby zza całunu mgły czy gazy, choć wszystkie szczegóły były dla niej aż nadto jasne. Pociemniały od potu loczek włosów przyklejony do czoła dziecka; głęboki głos ratownika medycznego; obsceniczny blask bijący od felg, jakby było co świętować.

Szok odebrał jej mowę – kiedy ratownicy zapytali ją, czy jest krewną dziecka, mogła tylko skinąć głową. Wpakowali ją do karetki, gdzie usiadła na stalowej ławce, lecz z nagła przeczulona na wszelkie bodźce, natychmiast oderwała uda od zimnego metalu. Całą drogę pokonała, wspierając się o podłogę ambulansu na samych czubkach palców, spięta w sobie. Nie potrafiła oderwać oczu od ciała Maksa, któremu ratownicy zaczęli podawać jakieś płyny. Chłopiec kołysał się na wszystkie strony w rytm jazdy, podskakując na każdym wyboju i na każdej dziurze. Aby temu zapobiec, Leila sięgnęła do niego ręką, lecz ratownicy ją odtrącili.

Kiedy znaleźli się na terenie szpitala, przy karetce zakłębił się tłum medyków, z których żaden nie zwracał uwagi na powtarzane przez nią pytanie: „Czy on oddycha?". Przed oczami wciąż miała nieruchomą klatkę piersiową siostrzeńca.

– Leila?

Odwróciła się i ujrzała Andrew stojącego na końcu korytarza. Podszedł do niej zdecydowanym krokiem, a ona wpadła mu w ramiona i zwiotczała w nich, tak że musiał ją podtrzymać. Uczepiła się jego koszuli, wilgotnej w jej zaciśniętej pięści. Miała ochotę na niego krzyczeć, obwiniać go, przedstawiać jego jako sprawcę. Przecież gdyby nie poprosił jej o przysługę, nie wiozłaby Maksa. Nie popełniłaby błędu, skręcając automatycznie w swoją przecznicę. Cisza w aucie nie oznaczałaby, że zostawia dziecko w nagrzanym jak piekarnik wnętrzu na ponad trzy godziny...

Andrew złapał ją za nadgarstek i przytrzymał, dopóki nie rozluźniła chwytu na materiale. Nie odsunął jej jednak od siebie, stał dalej, wstrząsany jej szlochem.

– Ciii... – szeptał kojąco. – Ciii.

Ale gdy złapał w garść pukiel jej włosów, na skórze głowy poczuła siłę naprężających się mięśni jego bicepsa. Pragnęła, by ją uderzył. Żeby wziął potężny zamach i spoliczkował ją, odbierając jej przytomność albo wzrok czy słuch, pozbawił choć jednego zmysłu, ponieważ to wszystko ją przerastało, było zbyt przytłaczające. Tymczasem on tylko ją trzymał, podczas gdy oboje się przyglądali, jak wszyscy ci ludzie próbują ratować Maksa. Ale w osłupienie wprawiła ją nie tyle ta nerwowa krzątanina, ile jej nagły koniec. Za przeszklonymi drzwiami ustał wszelki ruch – wtedy zrozumiała, że nie ma już kogo ratować.

Lekarz, który wyszedł na korytarz, pociągnął ich za sobą do rogu.

– Przykro mi – powiedział cichym głosem, który rozdarł jej uszy niczym ryk. Prowadzili reanimację przez godzinę, co zdaniem Leili było kłamstwem, dałaby sobie głowę uciąć, że wszystko trwało zaledwie parę sekund. Podali mu płyny, obłożyli go lodem, chłodzili jego ciało wentylatorami – robili wszystko, aby obniżyć temperaturę ciała, na próżno jednak. Maksa nie udało się uratować.

Andrew zamarł w kompletnym bezruchu, nie mrugał nawet oczami, zupełnie jakby ta wiadomość zniszczyła połączenia w jego mózgu.

– Będzie jeszcze okazja, aby się pożegnać – rzekł łagodnie lekarz – lecz mogą go państwo teraz zobaczyć. Poproszę pielęgniarkę, żeby państwa zaprowadziła…

A potem uciekł, pozostawiając ich sam na sam z ich własną żałobą.

Andrew odwrócił się i przycisnął czoło do ściany. Leila patrzyła na jego podskakującą grdykę, kiedy starał się zapanować nad płaczem. W pewnym momencie obnażył zęby, jakby chciał przekuć swój ból w bardziej zrozumiały gniew, ale nagle opuściły go wszystkie siły i padł jak kupa szmat na podłogę. Jego ciałem wstrząsały dreszcze, lecz płacz nadal nie znajdował ujścia. Tama żalu jeszcze nie puściła. W końcu wydał z siebie jakiś dźwięk: wciągnął powietrze do płuc z chrypieniem, przez które Leila aż się wzdrygnęła. Wyciągnęła rękę do szwagra, aby go pocieszyć, on jednak się szarpnął, robiąc unik.

Trwali tak – Andrew na podłodze pod ścianą, Leila w pobliżu, lecz osobno – dopóki nie pojawiła się pielęgniarka, by zaprowadzić ich do Maksa. Za przeszklonymi drzwiami panowała dźwięcząca w uszach cisza, jaką czasem się słyszy po ustaniu wycia syren. Leila podeszła ostrożnie do łóżka, na którym leżał chłopiec. Ogarnęła wzrokiem łagodny łuk jego żuchwy, atramentowo czarne rzęsy odcinające się na tle bladych policzków, rozjaśnione słońcem rozrzucone na poduszce włosy. Pragnęła go ucałować, musnąć palcem jego skórę, przytulić do piersi i załkać. Wyciągnęła rękę, aby dotknąć Maksa, lecz Andrew ją powstrzymał.

– Nie – powiedział, stanowczo chwytając ją za ramię.

W tym krótkim jednosylabowym wyrazie Leila usłyszała wszystko to, czego dotąd nie wypowiedział na głos. „Zostawiłaś Maksa. Zabiłaś go. Zabiłaś mojego syna". Przytłaczająca prawda tych słów wycisnęła powietrze z jej płuc. Leila przymknęła oczy, niezdolna przyjąć do wiadomości cierpienia tego mężczyzny, ponieważ wtedy musiałaby się pogodzić z tym, co jeszcze straci. Wolała nie myśleć, jak zareaguje Yasmin ani jaki rozmiar przybierze jej ból. Uklęknęła i wsparła łokcie o kolana, aby opanować mdłości. Stojący obok Andrew nie zaoferował jej swojego ramienia. Wpatrywał się w syna, równie nieruchomy jak martwy Maks.

Yasmin z westchnieniem zadowolenia pozbyła się czółenek ze stóp. Rozmasowała sobie podbicie, żałując przy tym, że przed wyjściem z domu włożyła rajstopy.

– Ja mógłbym to zrobić – powiedział Jason tonem tak obojętnym, że trudno było go podejrzewać o dwuznaczność.

Przez jedną szaloną chwilę zastanawiała się, czyby mu na to nie pozwolić. Oczami wyobraźni zobaczyła, jak prostuje zgrabną nogę, opiera piętę o jego kolano i pozwala, by męskie dłonie błądziły po jej skórze. W rzeczywistości tylko przewróciła oczami.

– Co za wspaniałomyślność, dziękuję ci bardzo – odparła znacząco.

Uśmiechnął się szerzej, przy czym kącik ust mu zadrgał.

– Świetnie sobie poradziłaś – stwierdził. – Wszystko przebiegło bardzo sprawnie dziś rano.

Yasmin odchyliła się na oparcie, odsłaniając szyję, i leniwie się przeciągnęła.

– Dzięki. Wymagało to ode mnie trochę magii.

Spoglądał na nią tak, jakby była smacznym kąskiem, co sprawiło jej przyjemność. Lubiła udawać, że jego awanse są niemile widziane, ale tak naprawdę pomagały jej sobie przypomnieć, kim kiedyś była – przed małżeństwem, przed macierzyństwem, przed niekończącymi się rozmowami, gdzie najlepiej zamieszkać, żeby dziecko poszło do dobrego przedszkola. Oczywiście, że czuła wyrzuty sumienia i doskonale wiedziała, co ludzie myślą o kobietach, które dopuszczają się zdrady, była jednak pewna, że nie tylko ją powoli zaczyna dusić rodzinne życie.

– Pójdziesz ze mną na drinka wieczorem? – zapytał.

Popatrzyła mu w oczy. Jason reprezentował wszystko to, czego brakowało jej życiu z Andrew. Ależ byłoby fajnie wybrać się po pracy do baru, zapomnieć choć na moment o tym piekielnym upale. Już miała się zgodzić, gdy nagle odezwało się w niej sumienie. Wprawdzie to Andrew powinien tego dnia odebrać Maksa ze żłobka, ale nie mogła zostawić mu na głowie całej reszty. Położenie dziecka spać z każdym dniem stawało się trudniejsze, a praca wystarczająco stresowała Andrew. Uśmiechnęła się bezwiednie na myśl o Maksie ubranym w piżamkę w wozy strażackie. Niepotrzebnie dała się kusić Jasonowi.

– Nie dam rady – odparła lodowato. Podniosła się i z powrotem włożyła buty. – Wyskoczę na lunch, zanim rozkręci się popołudniowy młyn.

Do drzwi wyjściowych szła sztywno wyprostowana, wiedząc, że Jason odprowadza ją wzrokiem.

Znalazłszy się na zewnątrz, zerknęła na swoją komórkę i ze zdziwieniem stwierdziła, że ma nieodebrane połączenia od męża. Oddzwoniła do niego natychmiast, lecz została przekierowana na pocztę głosową. Pomyślała, że może chodzić o Maksa. Ostatnio raz czy dwa zdarzyło mu się zachorować i oczywiście to zawsze ona musiała urywać się z pracy. Zatrzymała się przed Pret A Manger, by ponownie spróbować skontaktować się z Andrew. Tym razem na szczęście odebrał.

– Wszystko w porządku? – zapytała, upychając w torbie lekki sweter. Bóg jeden wiedział, po co w ogóle go ze sobą zabrała. Gdy milczenie po drugiej stronie się przedłużało, rzuciła zaniepokojona: – Andrew?

– Yasmin. – Głos miał dziwnie szorstki. – Przyjedź do szpitala Royal London.

Zatchnęła się.

– Dlaczego? Czy coś się stało Maksowi?

Jej mąż głośno wciągnął powietrze do płuc.

– Wszystko ci wyjaśnię, jak już tu będziesz.

Yasmin ogarnęła panika.

– O co chodzi? Czy z Maksem wszystko dobrze?

– Już tak. Po prostu przyjedź do szpitala i wyślij mi esemesa, jak będziesz na miejscu.

– Ale…

– Wybacz, muszę już iść – uciął Andrew i szybko się rozłączył.

Yasmin nakazała sobie spokój, wiedziała bowiem, że matki mają tendencję do wpadania w panikę, zwykły guz jest dla nich niczym wstrząśnienie mózgu, a każde draśnięcie traktują jako potencjalne wrota dla sepsy, przez co bywają na SOR-ze częściej, niżby wypadało.

Andrew był rozsądnym mężczyzną, mogła na nim polegać. Skoro mówił, że z Maksem już wszystko dobrze, na pewno nie kłamał. Yasmin wysłała szefowi krótkiego esemesa z przeprosinami, po czym skierowała się na stację metra. Przez całą drogę do szpitala ściskała w ręku komórkę, jakby to była cuma między nią i rzeczywistością.

Brzęczenie jarzeniówek i ciche skrzypienie gumowych podeszew skłoniło Leilę do zastanowienia się, czy trafili na oddział psychiatryczny. Wystrój był więcej niż surowy, a powietrze stało w miejscu od braku wietrzenia, ale tablica nad drzwiami wyraźnie głosiła: SOR. Leila gwałtownie zacisnęła spocone palce na spódnicy, chcąc za wszelką cenę utrzymać się na powierzchni. Każda jej żyła pulsowała winą. Jej umysł wciąż na nowo odtwarzał odrażające sceny: Maks zwiotczały w foteliku, jej własne przeraźliwe wycie, przenikliwe dźwięki syren. Ten dzień, te niedające się wyprzeć z pamięci godziny pozostaną z nią chyba na zawsze, tak samo jak przywołany przez nie gdzieś z głębi smutek, czarny niczym smoła.

Siedząc obok szwagra, po dziecięcemu rozpaczliwie tęskniła do Willa. Na razie jeszcze do niego nie zadzwoniła, choć powinna. Strachem napawała ją konieczność wyznania mu prawdy. Jej mąż przepadał za Maksem. Nie mając własnego dziecka, przelał wszystkie uczucia na tego chłopca, obdarowując go kosztownymi prezentami, jak miniaturowy tweedowy garnitur marki Liberty czy gigantyczny Tygrysek (obie rzeczy podarował siostrzeńcowi żony z okazji jego pierwszych urodzin, a wielgachna maskotka w dalszym ciągu stała obok łóżeczka Maksa).

Leila darzyła swojego męża szczególnie żarliwą miłością w tych rzadkich dla niego chwilach, gdy opuszczał gardę. Przez większość czasu bowiem starannie pielęgnował image skandalizującego prowokatora, wiecznie opanowanego felietonisty o ostrym piórze, który jednak w momentach spędzanych z Maksem pozwalał, by górę wzięło nad nim pierwotne pragnienie. Było to poznać po sposobie, w jaki patrzył na Leilę – pełnym smutku, przepraszającym – albo po tym, jak nocami wtulał twarz w jej ramię, próbując się powstrzymać od płaczu. Nie, nie mogła do niego zadzwonić. Miała obok siebie Andrew i to musiało jej wystarczyć.

Obróciła się do niego na długiej stalowej ławce i wyrwała go z otępienia, kładąc mu delikatnie dłoń na kolanie.

– Proszę, powiedz coś…

Nawet nie podniósł na nią wzroku.

– Co tu można powiedzieć?

Leilę ogarnęła czarna rozpacz. Jej szwagier siedział tak spokojnie, jakby niechcący upuściła jego komórkę i rozbiła wyświetlacz. Chciała go zapytać, jak się czuje, ale nie wiedziała, czy znajdzie słowa, które oddałyby ciężar tego pytania. „Wszystko dobrze?" – brzmiało daremnie i pusto. Andrew odchylił głowę i oparł potylicę o jaskrawobiałą ścianę, przygniatając sterczące z tyłu jasne włosy. Wciąż na niego patrząc, Leila usłyszała ciche, pośpieszne kroki na korytarzu. Gdy nagle się zorientowała, kto zmierza w ich stronę, zerwała się na równe nogi.

Yasmin zamarła w rozsuwanych drzwiach i powiodła po nich spojrzeniem.

– Nie – powiedziała na bezdechu. Z jej twarzą stało się coś dziwnego; zapadła się w sobie, ale zaraz znów się wygładziła, jakby Yasmin zabroniła sobie się poddać. – Gdzie Maks? – spytała łamiącym się głosem.

Andrew na moment przymknął oczy, jakby zbierał siły na to, co miało nadejść. Ze świstem wypuścił powietrze z płuc. Podszedł do żony, zamknął ją w objęciach i złożył brodę na jej głowie, jak gdyby chciał ją przytrzymać w miejscu. Yasmin zaczęła się wyrywać, ale jej nie puścił.

– Maks nie żyje – oznajmił ledwie słyszalnie.

Zapadło milczenie. Chwila ciszy przed burzą. A później rozległ się wrzask tak dziki, że Leila aż zrobiła krok do tyłu. Zdawało się, że trwa długie minuty – przeciągły ryk gniewu i bólu. Yasmin w końcu wyrwała się mężowi, a gdy próbował ją ponownie przyciągnąć do siebie, odepchnęła go z taką siłą, że zatoczył się na ścianę. Potem zgięła się wpół niczym szmaciana lalka, która nagle straciła podparcie. Przycisnęła obie dłonie do uszu i zawyła z rozpaczy.

Leila przyglądała się siostrze w osłupieniu. Dotąd sądziła, że sama zaznała, czym jest cierpienie matki, lecz jej udręka była mroczną otchłanią, podczas gdy ten zwierzęcy pokaz żalu ocierał się o coś niepoznanego, jakiś głębszy poziom męczarni. Stłumiła w sobie pragnienie, by pocieszyć Yasmin, domyślała się bowiem, jak zareaguje jej siostra, dowiedziawszy się prawdy. Zresztą Andrew poprosił ją, aby nic nie mówiła, obiecał, że to załatwi. Teraz zbliżył się do Yasmin ostrożnie, ale ona zrobiła unik, wciąż niegotowa na konfrontację.

Odwróciła się do ściany i garściami szarpnęła włosy.

– Nie! – krzyknęła. Ta pojedyncza nuta rozpaczy jeszcze długo rozbrzmiewała echem w korytarzu.

Andrew rzucił Leili przerażone spojrzenie, jakby stali na krawędzi urwiska, a on właśnie stracił grunt pod nogami. Wcześniej, gdy go zapytała, czy powinni na wszelki wypadek poprosić personel o środki uspokajające, odmówił. Chciał, aby Yasmin zrozumiała, że jest w stanie to przetrwać, że oni oboje w nią wierzą.

Yasmin płakała jeszcze przez długi czas, skulona w pozycji embrionalnej na metalowej ławce. Nie dopuszczała do siebie ani męża, ani siostry. Wreszcie, wydawało się po wielu godzinach, podniosła na nich wzrok.

– Jak? – zapytała cicho złamanym głosem.

– Przeze mnie – powiedziała Leila, zanim cała odwaga ją opuściła. Była niczym zwierzę pochwycone w sidła odwiecznego mechanizmu „walcz lub uciekaj".

Yasmin zamrugała.

– Przez ciebie? Jak to?

– Pozwól, że ja to wyjaśnię. – Andrew nie chciał jej obecności tutaj, ale ona nalegała. Gdyby odeszła, tylko pogorszyłaby sprawę, a ich następne spotkanie byłoby jeszcze trudniejsze. Tymczasem usiadł obok żony i delikatnym gestem położył jej dłoń na kolanie. – To moja wina – zaczął. – Rano dostałem telefon z pracy. Zawiezienie Maksa do żłobka zabrałoby mi za dużo czasu, więc poprosiłem Leilę o pomoc.

Yasmin nadal nie rozumiała.

– Zdarzył się wypadek?

Andrew skinął głową.

– W pewnym sensie tak...

Leila musiała się zmuszać do milczenia. Obiecała szwagrowi, że pozwoli mu wszystko wyjaśnić w ten jego łagodny, wyważony sposób, uznał bowiem, że dzięki temu Yasmin lepiej to zniesie.

– Przeniosłem fotelik Maksa do mini coopera Leili – kontynuował. – Spał twardo, nie wydając najmniejszego dźwięku. – Urwał na sekundę. – Leila jeździ tą trasą codziennie. Gdyby musiała pojechać jakoś inaczej, na pewno by pamiętała, ale była to jej zwykła trasa.

Wszelki kolor odpłynął z twarzy Yasmin.

– Co się stało?

– Maks spał, nie robił żadnego hałasu i Leila... – Wyciągnął rękę, żeby ująć dłoń żony. – Leila o nim zapomniała.

– Zapomniała? – powtórzyła szeptem Yasmin.

– Tak mi przykro – wtrąciła Leila, nie mogąc dłużej wytrzymać. – Był tak cicho. Nie widziałam go w lusterku i... i zapomniałam, że w ogóle tam jest.

Yasmin wpatrywała się w nią szeroko otwartymi oczami.

– Zapomniałaś? – Poruszyła ustami, przez chwilę nie znajdując więcej słów. – Ale ty przecież o niczym nie zapominasz.

Udręka Leili sięgnęła zenitu.

– Ty... ty nigdy o niczym nie zapominasz! – W głosie Yasmin pojawiły się nutki histerii. – Przy każdej okazji ustawiasz alarmy!

– Zapomniałam o Maksie. Kompletnie zapomniałam.

– Nie. – Yasmin zaczęła dyszeć, jakby miała problemy z oddychaniem.

Andrew pociągnął ją za rękę, chcąc, by została tutaj, z nim. Spojrzenie Yasmin pobiegło najpierw do jego twarzy, a potem do Leili.

– Co się stało? – zapytała ponownie.

Andrew starł jej łzy kłykciami.

– Gorąc – rzucił zwięźle.

Z oczu Yasmin wylewało się cierpienie.

– Moje dziecko... spłonęło?

– Nie – zaprzeczył prędko. – Nie, kochanie, nie. Maks nie spłonął. Niczego nie poczuł. Po prostu zasnął i... i się nie obudził.

Yasmin zaczęła wyć. Chrapliwie, głosem przeżartym cierpieniem.

Leila poczuła, jak pęka jej serce; miała wrażenie, że spada niczym kamień, zaczęło nawet kręcić jej się od tego w głowie. Zrobiła krok w stronę siostry, lecz ta odskoczyła.

– Nie. Nie mogę.

Leila stała jak wmurowana w podłogę.

Yasmin potrząsnęła głową.

– Nie mogę na ciebie patrzeć. Nie mogę koło ciebie być.

Leila przełknęła to, co jeszcze przed chwilą chciała powiedzieć. Egoizmem byłoby próbować wyznać swoją winę.

– Po prostu odejdź. – W głosie Yasmin nie było jadu, tylko czysta rozpacz. – Idź stąd, Leila.

Przez moment zawieszona w czyśćcu, rzuciła szwagrowi pytające spojrzenie. Andrew potaknął lekko. Nie mając wyjścia, przytłoczona ciężarem żalu, skierowała się ku wyjściu z korytarza, cicho stukając obcasami po miękkiej wykładzinie.

Leila przycisnęła puszkę coli do czoła, starając się ochłodzić. Była pierwsza po południu, na oddziale było lepko i duszno pomimo wentylatorów ustawionych na pełną moc. Gdy powiew zwiał z blatu recepcji kartkę papieru, przyglądała się jej ospale, jakby niezdolna się po nią schylić. Recepcjonistka, przysadzista kobieta o podwójnym podbródku, obeszła ladę i podniosła zgubę, pojękując przy tym z wysiłku.

Nagle drzwi po lewej się otworzyły i Leila wytężyła wzrok. Gdzie podziała się Yasmin? Czy zaprowadzono ją do Maksa? Samą czy razem z mężem? Czy Andrew dobrze się nią zaopiekował? A może siostra potrzebowała jej pomocy?

Przycisnęła dłonie do twarzy. Jej serce nie zwolniło ani na moment, odkąd Andrew zatelefonował do niej przed południem, ale teraz, gdy poziom adrenaliny zaczął wreszcie opadać, ogarnęło ją ogromne zmęczenie. Ciężar tego, co uczyniła, był zbyt wielki, aby mogła go udźwignąć. Przed oczami wciąż miała Maksa, którym – gdy leżał w karetce niemy i nieżywy – miotało na wszystkie strony. Maks umarł i to była jej wina. Ta świadomość uwolniła w jej wnętrzu jakąś gorycz, w której dopiero po chwili rozpoznała żółć. Omal się nie udławiła podchodzącą jej do gardła treścią, ale w ostatniej chwili zdołała nad nią zapanować. Przełykając, poczuła w ustach ohydny posmak. Zakręciło jej się w głowie i znowu dostała mdłości, pochyliła się więc i dotknęła czołem kolan. Podczas gdy jej ciało raz po raz chciało ją zawieść, robiła wszystko, by odzyskać równy oddech. Mlaszczące dźwięki nadal jednak nie ustawały. Spanikowana pognała do najbliższej łazienki i zawisła nad muszlą. Znów się zakrztusiła, ale nie zwymiotowała. Obejmując oburącz porcelitowy sedes, przełykała i przełykała, krzywiąc się na ohydny smak i chemiczny odór, aż w końcu nudności ustąpiły. Dowlekła się do umywalki i przepłukała usta zimną wodą, która w tym upale płynęła z rur letnia. Odczekała, aż dłonie przestaną jej się trząść, otarła usta papierowym ręcznikiem, na próbę zaczerpnęła tchu i wciąż na niepewnych nogach opuściła zacisze łazienki.

– Pani Syed?

Gdy podniosła oczy, zobaczyła, że na korytarzu czeka na nią jakiś mężczyzna. Był po czterdziestce, miał szerokie barki i twarz, która nosiła ślady uprawiania sportu kontaktowego, takiego jak rugby czy boks.

– Tak? – odezwała się niepewnie.

– Jestem z policji. Nazywam się sierżant Christopher Shepherd. – Okazał jej odznakę i identyfikator, przyczepione do taniego czarnego portfela.

Leila popatrzyła na nie pustym wzrokiem.

– Prowadzę dochodzenie w sprawie Maksa.

Poczuła ukłucie niepokoju. Jak człowiek powinien się zachować w takim momencie? Czy lepiej stosować się do norm towarzyskich („Dzień dobry, miło pana poznać, dziękuję za przybycie")? A może powinna zgrywać uległą? Lub przeciwnie – stanąć na pozycji obronnej? Czy wolno jej było powiedzieć to, co myśli („To moja wina. Zrobiłam to. Proszę mi pomóc")?

– Mogę zająć pani chwilę? – zapytał.

Leila skinęła głową.

– Oczywiście, sierżancie. – Głos jej drżał, co bez wątpienia nie uszło jego uwagi.

– Może pani do mnie mówić Shep – zaproponował.

– Shep – powtórzyła i natychmiast uznała, że ten skrót jej się nie podoba.

– Jak mi się zdaje, pani ostatnia widziała Maksa żywego?

Serce zatrzepotało jej w piersi.

– Tak.

– Zechce pani pojechać ze mną na komisariat, żeby złożyć zeznania?

Leila się zawahała.

– A nie mogę tego zrobić tutaj?

– Wolelibyśmy spisać pani zeznania na komisariacie – oznajmił sierżant miło, aczkolwiek nie nazbyt miło.

Zerknęła ponad jego ramieniem na rozsuwane drzwi.

– Chciałabym powiedzieć bliskim, dokąd idę...

– Już o to zadbaliśmy – zapewnił.

W tym momencie Leila dostrzegła drugiego policjanta, który dodał:

– Chcemy tylko porozmawiać.

Zgodziła się niechętnie i podążyła za nim do nieoznakowanego niebieskiego sedana. Otworzył jej tylne drzwi, a ona wślizgnęła się do środka, dystyngowanie łącząc nogi. Podczas jazdy czuła dziwny spokój, jak gdyby znajdowała się znów w macicy albo jakby sierżant wyciszył wszystkie odgłosy życia. Nawet ruch uliczny wydawał jej się nienaturalnie cichy i powolny, zaś przebłyski słońca zza wieżowców kazały jej mrużyć oczy, otwierać, mrużyć ponownie. Czy ci, którzy przeżyli wojnę, mieli podobne odczucia? Wracając do obcego kraju, gdzie wszystko było nie tak?".

Kiedy tak siedziała w bezruchu, w jej głowie pojawiło się znienacka pytanie. „Czy powinnam się załamać? Czy powinnam jaśniej okazywać swój szok?"

Przechwyciła spojrzenie sierżanta w lusterku i momentalnie uciekła wzrokiem. To, co zobaczyła, wprawiło ją w panikę: jawne, nietajone podejrzenie.

Dotarli pod komisariat Bethnal Green, który okazał się ponurym budynkiem z ciemnej cegły, ozdobionym dwiema sflaczałymi flagami. Sierżant ruszył przodem i choć przepuścił ją w drzwiach, w jego geście nie było nic z szarmanckości – ot, zwykła kurtuazja. Minęli surowy w wystroju korytarz i dostali się do niewielkiego pokoju przesłuchań. Z panującej w środku duchoty przebijał się owocowy zapach jagód na skraju przejrzałości. Leila zajęła wskazane miejsce i przycisnęła dłonie do spódnicy, żałując, że nadal obficie się poci.

Sierżant odbębnił formalności, ale jego głos dobiegał do niej jak z oddali albo jakby Shep mówił przez megafon. W końcu, nachylając się nad dzielącym ich stołem z rękawami podwiniętymi do łokcia, zapytał:

– Pani Syed, czy może pani określić relację, jaka łączyła panią z Maksem Hanssonem?

– Jestem jego ciotką – odparła Leila. – Maks to syn mojej siostry.

Skinął sztywno głową, być może chcąc, aby poczuła się swobodniej.

– Proszę opowiedzieć mi ze wszystkimi szczegółami, co wydarzyło się dziś w godzinach przedpołudniowych.

Leila milczała. Jak niby miała pochwycić urywki tego dnia i połączyć je w logiczny ciąg, aby przedstawić temu nieznajomemu funkcjonariuszowi spójną narrację?

– Pani Syed? – ponaglił ją.

W końcu przeszła do tego, co robiła rano. Rozpoczęła od szklanki po soku, którą odstawiła do zlewu i zalała wodą, aby było ją łatwiej umyć, kiedy wróci z pracy. Powiedziała o telefonie od szwagra: Andrew poprosił ją o pomoc.

– Jest informatykiem – wyjaśniła. – Zdarza się, że ma nagłą sytuację. Zazwyczaj nie stanowi to problemu, bo Yasmin, moja siostra, jest na miejscu, ale akurat dzisiaj musiała wyjść wcześniej ze względu na konferencję. Zgodziłam się pomóc i podjechałam za róg, pod ich dom.

Sierżant zmarszczył czoło.

– Prowadzi pani własne biuro architektoniczne, prawda?

– Tak.

Zerknąwszy na kartkę przed sobą, uniósł jedną brew.

– To pani czuwała nad renowacją synagogi w Whitechapel? Jestem pod wrażeniem.

– Dziękuję. – Skinęła głową z wdzięcznością.

– Domyślam się, jak wyczerpująca jest pani praca.

– Owszem.

– Musi pani zostawać do późna?

– Czasami.

– Z pewnością ma pani więcej obowiązków niż informatyk?

– Czasami.

– Jakie to uczucie zostać poproszoną o pomoc w opiece nad dzieckiem, mimo że jest pani nie mniej zajęta niż jego ojciec?

Leila obserwowała go spod oka, czując, jak chłód zakrada się w górę jej kręgosłupa.

– Nie przeszkadzało mi to. Chętnie zaofiarowałam się z pomocą.

– Ach tak?

– Tak.

Sierżant prychnął, jakby chciał powiedzieć: „To znaczy, że jest pani lepszym człowiekiem niż ja".

– Jak często pani pomagała siostrze i szwagrowi?

Leila rozluźniła palce, które do tej pory zaciskała na krawędzi krzesła.

– Raz w tygodniu albo coś koło tego.

– Niemało.

– Jak już mówiłam, nie przeszkadza mi to.

Przechylił lekko głowę.

– A ile razy odwoziła pani Maksa do żłobka?

– Nigdy wcześniej.

Podrapał się długopisem po brodzie.

– No dobrze. Co było potem? Jak już pani zabrała Maksa i z nim odjechała?

Leila opowiedziała mu o drodze do biura, o telefonie Suki i o tym, że ponieważ fotelik Maksa był zamocowany tyłem do kierunku jazdy, nie mogła widzieć chłopca.

– Jak długo trwała rozmowa przez telefon?

– Pięć minut.

– A o czym była?

Opowiedziała sierżantowi o zapodzianych planach.

– Czyli śpieszyła się pani?

– Tak. To znaczy nie. Niezbyt. Przecież byłam zaledwie parę minut od biura.

– Co innego, gdyby musiała się pani zatrzymać pod żłobkiem.

Leila zamrugała.

– O tym nie myślałam. Ja... zapomniałam, że wiozę Maksa.

Sierżant aż się pochylił.

– Przepraszam, czy mogłaby pani powtórzyć ostatnie zdanie? Szwagier powierza pani swoje dziecko, a pani zwyczajnie zapomina, że je wiezie?

– Nie widziałam go – powiedziała Leila dobitnie. – A Maks spał. Zaprzątały mnie inne sprawy. To był wypadek.

Gdy sierżant nie zareagował, przyglądając się jej zimnym wzrokiem, wybuchnęła:

– Chyba nie sądzi pan, że zrobiłam to umyślnie!

– Sądzę, że się pani śpieszyła. Pamiętała pani, że wiezie Maksa, ale miała nadzieję, że podskoczy do biura i rozwiąże sytuację kryzysową... i zapomniała pani o chłopcu dopiero później.

Twarz Leili stężała w masce przerażenia.

– To nie było tak! Nigdy nie zostawiłabym Maksa w samochodzie!

– Ale właśnie to pani zrobiła – powiedział ozięble.

Leila się zawahała.

– Nieintencjonalnie. Nigdy nie zostawiłam siostrzeńca celowo. Nigdzie. Ani na sekundę.

– Ten żłobek. Nie jest położony po drodze do pani biura, zgadza się? Znajduje się pięć minut drogi za nim.

Leila pokręciła głową.

– Praktycznie leży na trasie.

– Niezupełnie.

– Ja...

– Nie uważa pani, że w razie kryzysu najłatwiej byłoby zaparkować pod biurem, pobiec na górę, uporać się z problemem i wrócić do samochodu?

– Nie tak było.

– Pani Syed, czy zostawiła pani Maksa w swoim aucie umyślnie?

Na kark Leili wystąpił pot.

– Nie.

Sierżant przyglądał się jej z natężeniem.

– Czy panią i siostrę łączy dobra relacja?

Poczuła się zdezorientowana nagłą zmianą tematu, ale odparła:

– Tak.

– O ile mi wiadomo, wychowywała ją pani od jedenastego do osiemnastego roku życia. Zechce pani wyjaśnić, jak do tego doszło?

– A co to ma wspólnego z Maksem? – rzuciła zaczepnie. Nie widziała powodu, dla którego powinna dzielić się rodzinną traumą z tym nieprzychylnym nieznajomym.

– Po prostu próbuję nakreślić sobie obraz sytuacji.

Leila poczuła ucisk w gardle na wspomnienie tamtych lat. Często słyszała opowieści innych ludzi o szczęśliwym dzieciństwie – jej było na swój sposób szczęśliwe, ale potem ojciec zmarł na rozległy zawał serca. Matka, z natury słaba psychicznie, całkowicie się załamała. Gdy Leila budziła się rano, zastawała ją w kuchni gapiącą się w ścianę. Starała się jej jakoś pomóc, zaciągnęła ją do lekarza rodzinnego, do szpitala i znowu do lekarza rodzinnego, po czym usłyszała, że nie ma pieniędzy na leczenie. Ani sąsiedzi, ani tak zwani wujkowie i ciotki nie okazali swojego wsparcia. Jedyne, co potrafili, to nazywać cierpiącą kobietę wariatką, dziwaczką, ekscentryczką, świruską – ale nikt ani myślał pomóc.

Pewnego dnia, kiedy Leila wróciła do domu, znalazła matkę w wannie, w lodowatej wodzie, z wciąż otwartymi oczami i włosami unoszącymi się na powierzchni wody niczym wodorosty. Musiała zatkać sobie usta pięścią, aby nie zacząć krzyczeć. Zapędziła Yasmin do ich wspólnego pokoju i kazała jej tam zostać. Do tej pory pamiętała policjantów, którzy się zjawili – zachowywali się miło, ale oficjalnie. Dziewczynkom nie pozwolono zostać w domu, w jednej chwili straciły wszystko, co znały. Leila była wściekła na matkę, która i tak nic nie robiła, ale wystarczyłoby, gdyby pozostała przy życiu.

Nie zapomniała opiekunów, do których trafiły. Było to starsze małżeństwo – emerytowana krawcowa i jej mrukliwy mąż. Mieli dwupiętrowy domek w Gants Hill na obrzeżach Londynu, wypełniony po brzegi bibelotami i obwieszony zasłonkami w kwiatowy wzór. Czego tam nie było: stare szachownice, kamertony, cały zestaw zlewek szklanych, od najmniejszej do największej, plastikowy model mózgu złożony z wyjmowanych elementów, tak że dało się wyodrębnić płaty czołowe, skroniowe, ciemieniowe i potyliczne, a także móżdżek i pień mózgu. W powietrzu unosił się zapach stęchlizny, jakby wnętrza w ogóle nie były wietrzone, a gdy słońce padało pod odpowiednim kątem, również tuman kurzu, który nigdy nie osiadał. Staruszkowie traktowali dziewczynki dobrze, ale im brakowało ciepła domu rodzinnego.

Natychmiast po osiągnięciu pełnoletności Leila wystąpiła do sądu o prawo opieki nad młodszą siostrą, po czym wynajęła dwupokojowe mieszkanko w tej samej dzielnicy, niedaleko ronda. Snobistyczna nazwa ulicy – Frinton Mews – stała w jawnej sprzeczności z rzeczywistością. Okolica była zapuszczona, wszędzie walały się śmieci, a z okien mieszkania rozciągał się paskudny widok wprost na buczący na okrągło transformator.

Ile z tego powinna wyznać detektywowi? Czy mężczyzna ten w ogóle był w stanie zrozumieć towarzyszący jej ciągły stres, strach przed przekroczeniem stanu konta, nieustające uczucie przytłoczenia i codzienne doświadczanie biedy – zwłaszcza że teraz miał przed sobą jej aktualną wersję, ubranej w kosztowną bluzkę właścicielki firmy odnoszącej sukcesy.

– Moi rodzice zmarli – powiedziała więc tylko. – Nie chciałam, żeby siostra żyła w rodzinie zastępczej, dlatego wystąpiłam o prawną opiekę nad nią.

– Czyli przepadły pani najlepsze lata życia, tak?

– Można tak powiedzieć.

– Zatem irytowało panią, że po tym, jak poświęciła się pani dla siostry, musiała pani dalej się poświęcać dla jej dziecka?

Leila wpatrywała się w niego przez chwilę, zanim odpowiedziała:

– Ani trochę. Kochałam Maksa najbardziej na świecie, moja siostra może to potwierdzić.

– Ach tak?

– Tak – prychnęła.

W tym samym momencie piknęła jej komórka, informując o nadejściu esemesa. Leila odruchowo zerknęła na wyświetlacz, gdzie widniał podgląd wiadomości.

KONTAKTOWAŁAŚ SIĘ Z PRAWNIKIEM? – pytał ją Andrew.

W sekundzie rozbolał ją brzuch, a ona straciła złudzenie, że to tylko zwykła rozmowa. Skoro w sprawę miał być zaangażowany prawnik, oznaczało to, że Leila jest podejrzana.

– Coś ważnego? – zainteresował się sierżant.

Wytrzymała jego spojrzenie.

– Chciałabym porozmawiać z moim prawnikiem – oświadczyła.

Uśmiechnął się, jakby wygrał zakład.

– Spodziewałem się tego – odparł. – Proszę tylko się nie oddalać.

Wstał i wyszedł z pokoju przesłuchań, zostawiając Leilę sam na sam z kłębiącymi się w głowie myślami.

Yasmin siedziała w bujanym fotelu, gładząc liliową poduszkę pod włos, tak że na aksamicie pojawiał się ciemniejszy pas. Wydała na mebel małą fortunę, ale idealnie nadawał się do zdjęć na Instagrama i po prostu musiała go mieć. Okazał się nieszczególnie wygodny – rattan był za twardy i węźlasty – zmuszała się więc, aby go używać, tym samym usprawiedliwiając wydatek. Obecnie wybrała go jednak dlatego, że tylko on w całym pokoju miał oparcie. Nie była pewna, czy zdołałaby się utrzymać w pozycji wyprostowanej bez pomocy; obawiała się, że mimowolnie mogłaby się stoczyć na podłogę.

Nic tutaj nie było świadome śmierci Maksa, ani pluszowa pszczoła o sennym spojrzeniu – nazwali ją Maja – ani brzuchaty królik leżący w kącie, z wciąż ciekawsko nastawionymi uszami. Yasmin przyniosła im tę wiadomość niczym wirusa, zarażając kolejno jedno po drugim. Kto by pomyślał, że czyjaś nieobecność może być tak namacalna? Zamiast pustki była nabrzmiała kula.

Wydawało się policzkiem od wszechświata, że nadchodząca noc miała być taka ładna: przez okno wpadał blask księżyca, malując wnętrze srebrzystą poświatą. Dalsza ściana cała była upstrzona odciskami dziecięcych rączek. Najpierw miniaturowej dłoni noworodka, później rozmazanej jednolatka, za którymi znalazły się jeszcze dwie, odciśnięte z okazji drugich i trzecich urodzin. Yasmin nie mogła uwierzyć, że następnych nie będzie.

To jakiś absurd…

Gdy rozległo się pukanie do drzwi, skurczyła się w sobie pod wpływem nagłego bólu. Chciała, by zostawiono ją w spokoju.

Do środka zajrzał Andrew.

– Przyniosłem ci herbatę – powiedział, przekraczając ostrożnie próg.

Przez cały wieczór nad nią czuwał, obrzucając ją nerwowymi spojrzeniami. Niepewien, dlaczego nie szaleje. Nie była na to jeszcze gotowa; zajmowało ją wznoszenie rusztowania, które miało zapobiec zapadnięciu się jej umysłu pod ciężarem faktów. Jeśli tylko pozostanie silna jeszcze przez jakiś czas, zdoła stawić czoło bólowi i pozwoli, aby przegnał ten narkotyczny trans.

Andrew postawił obok niej kubek. Był czarny, solidny; nie jeden z pary z Misiem Paddingtonem, którą dzieliła z Maksem. Ten drobny przejaw troskliwej rozwagi wzbudził w niej falę emocji, aż musiała wbić sobie paznokcie w uda dla jej powstrzymania.

– Dziękuję – powiedziała, wracając spojrzeniem do odcisków dłoni. Podniosła kubek, dmuchnęła kilka razy i odstawiła go z powrotem.

– Potrzebujesz czegoś? – Andrew odezwał się łagodnie, jakby mówił do dziecka.

Popatrzyła na niego tępo.

– Herbatnika? – podsunęła tylko po to, by mógł coś zrobić; aby miał wrażenie, że pomaga.

– Oczywiście.

Wrócił po chwili z dużym talerzem, na którym wyłożył trzy rodzaje herbatników po trzy sztuki w domykającym się kręgu.

Sięgnęła po jeden i zanurzywszy go w herbacie, przyglądała się, jak kawałek się odłamuje i tonie, nie uczyniła jednak żadnego ruchu. Podniosła wzrok na męża, który stał w drzwiach, nadal bojąc się zostawić ją samą.

– Nic mi nie będzie – powiedziała. – Na pewno.

Twarz mu się skurczyła, ale tylko na okamgnienie; ból na niej mignął jak żarówka przy przepięciu.

– Kocham cię.

– Ja ciebie też – odparła, lecz głos miała mechaniczny; odruchowa reakcja na często słyszaną kwestię.

Puk, puk. Kto tam?

Kocham cię. Ja ciebie też.

Andrew zamknął za sobą drzwi, choć po namyśle uchylił je z powrotem na parę centymetrów. Zszedł ciężkim krokiem po schodach do pustego salonu. Ból, nawet gdy ma się małżonka, najlepiej jest przeżywać samemu. Będzie więc cierpiał po swojemu, tak jak i ona.

Leila błądziła palcem po napisie wydłubanym w drewnianym blacie, starając się rozpoznać kształt liter. Wiedziała, jaki wyraz tworzą, ale czuła wewnętrzny przymus powtarzania tego gestu, byle zająć się czymkolwiek.

J-E-A-N.

„Cóż za nieprawdopodobne imię dla aresztowanej kobiety – pomyślała. – Już bardziej by pasowało do gospodyni piekącej ciasteczka i chodzącej w butach na płaskim obcasie. Ciekawe, czy Jean również była zdziwiona, że tu trafiła..."

Gdy sierżant ją tu doprowadził, przekonywała samą siebie, że tylko chce ją nastraszyć. Godziny jednak mijały, a wraz z ich upływem zdała sobie sprawę, że bynajmniej nie był to tylko przejaw bezsilnej agresji. Podobnie jak Jean została posądzona o popełnienie przestępstwa.

Siedziała tam wstrząśnięta, a każda powierzchnia nabierała wymiaru oskarżenia: twardość wąskiej ławki, chropawość ścian. Okno, które na pierwszy rzut oka miało wysmakowane szprosy, okazało się zakratowane. Kto uznał, że człowiek w najgorszym dniu swego życia nie zasługuje na odrobinę komfortu?

Od strony drzwi dobiegł rumor, na co Leila odruchowo się poderwała.

– Przyszedł pani adwokat – poinformował funkcjonariusz ubrany po cywilnemu, wskazując ręką za siebie.

Leila ruszyła za nim do pomieszczenia naprzeciw. Na widok swojej prawniczki poczuła nagłą przejmującą ochotę, by się rozpłakać. Z trudem powstrzymała łzy i wyciągnęła rękę, zszokowana, że ta cała drży.

– Przepraszam – powiedziała. – Nie miałam pojęcia, do kogo powinnam zadzwonić.

Clara Pearson wymieniła z nią uścisk dłoni. Ta elegancka, nadmiernie szczupła kobieta zajmowała się prawem karnym i występowała w sądach wyższej instancji. Poznały się przed rokiem podczas konferencji i od tamtego czasu pozostawały w luźnym kontakcie.

– Musimy porozmawiać – rzuciła Clara, zajmując miejsce.

Leila poczuła ucisk w piersi, rozpoznała bowiem ten ton – ton urzędnika, który przekazuje niemiłe wieści. „Bardzo mi przykro, ale umowa tego nie obejmuje. Proszę wybaczyć, lecz nie kwalifikuje się pani. Żałuję, ale to nieuleczalna choroba".

Clara złączyła palce, tworząc z nich piramidkę.

– Prokurator przyjrzał się twojej sprawie.

– No i? – Leili zaschło w gardle.

– Jesteś oskarżona o zabójstwo.

Szum krwi w uszach Leili zagłuszył wszystkie inne dźwięki.

– Zabójstwo? Zdaniem prokuratora zrobiłam Maksowi krzywdę celowo?

Clara położyła obie dłonie na płask przed sobą.

– Nie, nikt tak nie myśli. Obecne stanowisko prokuratury jest takie, że odpowiadasz za śmicrć swojego siostrzeńca. Zdaję sobie sprawę, że trudno przyswoić taką informację z marszu, dlatego radziłabym ci się skupić na szczegółach. – Nakreśliła palcem kółko na blacie. – „Pozbawienie życia na skutek rażącego zaniedbania", tak dokładnie brzmi oskarżenie. To oznacza, że prokurator będzie się starał udowodnić cztery rzeczy. – Dorysowała kreskę do kółka. – Po pierwsze, że byłaś zobowiązana do dochowania „należytej dbałości" o Maksa. – Wróciła palcem do okręgu i przesunęła palec po blacie, kreśląc drugą kreskę. – Po drugie, że jej nie dochowałaś i że twoje rażące zaniedbanie zasługuje na ściganie z urzędu. Po trzecie, że pozostawienie przez ciebie Maksa w samochodzie doprowadziło do jego śmierci. – Narysowała ostatnią, czwartą kreskę. – I wreszcie że miałaś pełną świadomość, iż twoje działanie doprowadzi do śmierci Maksa. – Zamilkła na chwilę, aby Leila miała czas ułożyć to sobie w głowie. A potem, dotykając pierwszej kreski, podjęła: – Raczej nie uda nam się podważyć tego, że byłaś zobowiązana do dochowania należytej dbałości o siostrzeńca. Co do reszty, jest o co walczyć. Kluczem do sukcesu będzie to... – Postukała w drugą kreskę. – Jeśli sąd uzna, że zostawiłaś Maksa w samochodzie umyślnie, twój postępek zostanie uznany za rażące zaniedbanie. Co innego jednak, jeśli przekonamy sędzię, że zwyczajnie zapomniałaś o małym pasażerze. Czy wtedy należy cię ścigać z urzędu? Nie sądzę.

– Zatem wszystko zależy od tego, czy zostawiłam Maksa celowo czy nie? – W uszach Leili jej własny głos wydawał się dziwnie odległy.

– To kluczowa sprawa, tak.

Milczała przez chwilę. W końcu powiedziała:

– Nigdy bym go nie zostawiła samego umyślnie.

– Wiem. – To krótkie słowo wyrwało się z ust Clary za szybko, aby zdążyła przybrać bardziej czuły ton. Całkiem jakby się śpieszyła, by przejść do następnego punktu. – Zostaniesz oficjalnie postawiona w stan oskarżenia, po czym wyjdziesz warunkowo za poręczeniem. W ciągu dwudziestu ośmiu dni odbędzie się przesłuchanie w sądzie magistrackim, gdzie musisz się stawić, ale nic się nie martw, będę tam przy tobie.

Leila przysłuchiwała się mówiącej Clarze – najpierw sąd magistracki, oświadczenie o winie lub niewinności, ustalenie trybu dalszego postępowania – lecz nie potrafiła dopatrzyć się sensu w wypowiadanych przez nią zdaniach. Wiedziała, musiała wiedzieć, jakie czekają ją konsekwencje, lecz to, jak prędko się wszystko zadziało, jak sprawnie, wywołało w niej prawdziwy szok. Czy prawo ma to do siebie? Zawsze podejrzewa każdego o najgorsze? W ciągu jednego dnia potrafi zniszczyć komuś życie?

– Czy mogę nadal widywać się z siostrą? – zapytała, przerywając Clarze.

Prawniczka się skrzywiła.

– Obawiam się, że nie. Wprawdzie z formalnego punktu widzenia oskarżycielem jest Korona, nie twoja siostra, ale Yasmin będzie kluczowym świadkiem na rozprawie.

Zostaniesz zwolniona z aresztu tylko pod warunkiem, że zrezygnujesz z kontaktów z siostrą.

Leila patrzyła na nią z otwartymi ustami. Nie było takiej możliwości, żeby nie porozmawiała z Yasmin. Musiała prosić ją o przebaczenie po tym okropieństwie, którego się dopuściła.

– Co się stanie, jeśli mimo wszystko się z nią skontaktuję?

– W razie gdy ktoś was zobaczy, możesz trafić do aresztu.

– Na ile jest to prawdopodobne?

Clara przechyliła lekko głowę.

– Będąc twoim adwokatem, muszę ci odradzić próby nawiązania kontaktu z siostrą.

Leila wyczytała prawdę między wierszami. Po prostu musiała zachować dyskrecję.

– Czy masz do mnie jeszcze jakieś pytania? – rzuciła Clara.

Próbowała coś wymyślić, choćby po to, by oddalić w czasie nieuniknione, ostatecznie jednak pokręciła głową.

– Nie.

– Zatem dobrze. – Kobieta zerknęła na zegarek. – Powiem im, że jesteś gotowa.

Leila się wzdrygnęła, słysząc trzask drzwi. Odetchnęła głęboko, mając takie wrażenie, jakby zrzucała zbyt ciasny kostium i znów była w stanie zaczerpnąć powietrza. Nie płakała. Zastanowiła się, co właściwie czuje. Wyrzuty sumienia? Strach? Żal? Przypominało to raczej upadek z dużej wysokości, skok na główkę do nieznanej wody, o dziwo jednak się nie bała. Jeśli już, cieszyło ją, że głębina nie ma dna.

ROZDZIAŁ 3

Leila skrzywiła się, czując roztaczający się w jej pokoju zapach. W powietrzu wisiała dławiąca chemiczna woń przywodząca na myśl szpitalną pościel. Otworzyła okno, ale na zewnątrz było duszno i parno, najmniejszego świeżego powiewu. Powiodła spojrzeniem ponad Tredegar Square, mrużąc oczy przed błyskami przeświecającymi przez drzewa na podobieństwo okruchów szkła. Poczuła się zdezorientowana spokojem tego miejsca, który stał w jawnej sprzeczności z targającą nią paniką. Obudziła się w tym stanie. Nie zaznała ani sekundy błogiej nieświadomości – po przebudzeniu natychmiast przypomniała sobie swoją zbrodnię z zatrważającą klarownością. Zaczerwienione policzki Maksa, bezwład jego kończyn.

„Nie teraz", powiedziała sobie w duchu.

Nie mogła się jeszcze rozpaść. Miała tyle do zrobienia. Musiała powiedzieć Suki, że w tym tygodniu nie pojawi się w biurze. Musiała porozmawiać z Willem, który będzie tu lada chwila. I musiała podjąć próbę nawiązania kontaktu z Yasmin. Dopiero później pozwoli sobie na załamanie.

Zeszła na dół do kuchni i ze zdziwieniem zobaczyła, że nie ma jeszcze nawet ósmej. Trudno jej było uwierzyć, że od pamiętnego telefonu Andrew nie upłynęła doba. Ona miała wrażenie, że od powrotu do domu minionego wieczoru zdążyła przeżyć swoje życie tysiąc razy. Szlochając, padła na łóżko, by śnić same przerażające rzeczy. Głowę miała przepełnioną schwytanymi w stop-klatkę potworami o rozdziawionych szczękach, smokami i gorgonami, a także wszelakimi stworami z dziecięcych koszmarów, jakby jej umysł zastępował jeden horror innym, bardziej znośnym.

Drgnęła, gdy ktoś zadzwonił do drzwi. Po chwili rozległ się chrobot klucza w zamku. Will. Złapała się blatu kuchennego, drżąc z niepokoju.

– Leila? – zawołał jej mąż. – Dostałem twojego esemesa... – Jego kroki zbliżały się z każdą chwilą. – Czy ty...

Stanął jak wryty, kiedy ją zobaczył. Twarz miała nienaturalnie bladą, a jej mokre włosy zostawiły na koszulce ciemniejsze plamy. Will przestąpił przez próg powoli i ostrożnie, jakby jego gwałtowniejszy ruch mógł zaalarmować czającego się w pobliżu drapieżnika.

– Co się stało? – zapytał. Spojrzeniem pobiegł do jej podbrzusza, co weszło mu w nawyk w czasie, gdy przez kilka tygodni była w ciąży. – Czy wszystko dobrze?...

Zawahał się z wyciągnięciem ręki, jakby jego ciało samo przypomniało sobie, że tym razem nie ma żadnego dziecka.

– Chodzi o Maksa.

Pozostał spokojny, tylko w jego oczach pojawiło się podejrzenie.

– Co z nim?

– Zdarzył się wypadek.

– Ale wszystko w porządku?

– Nie... – Głos Leili się załamał. – Nic nie jest w porządku.

Will przemierzył kuchnię dwoma długimi krokami i złapał ją za ramiona.

– Leila, co się stało?

– Maks nie żyje.

Wpatrywał się w nią w milczeniu, nic nie rozumiejąc.

– Maks nie żyje – powtórzył głucho. – Maks... nie żyje? – Rozejrzał się po kuchni, jakby szukał czegoś, co pomoże mu przyswoić tę wiadomość. – To jakiś absurd! – krzyknął, decydując się na wyparcie.

– Ja jestem wszystkiemu winna – wyrzuciła z siebie Leila na jednym wydechu, tak bardzo chciała mieć to wyznanie za sobą.

A potem opowiedziała mu o telefonie Andrew, od którego zamarło jej serce, o gorączkowym biegu do auta i o piekielnym upale wewnątrz, ale zanim zdążyła dojść do połowy, Will odwrócił się do niej plecami. Przycisnął pięść do ust, nie wydał z siebie jednak żadnego dźwięku; o tym, że płacze, świadczyło tylko ciche sapanie.

Przyglądała się mężowi bezradnie. Wiedziała, że źle to przyjmie, ale nie miała pojęcia, jak zamanifestuje się jego ból. Wciąż pamiętała jego rozpacz po pierwszym poronieniu, po drugim z gniewu był gotów rozbijać ściany, trzecie spotkało się z pożałowania godną obojętnością, czwarte zaś potraktował stoicko i szybko się z nim pogodził. Teraz, gdy widziała go takiego milczącego i zesztywniałego niczym przerażony żuk, to jej serce krwawiło.

– Jak mogło do tego dojść? – zapytał z twarzą wciąż zwróconą do ściany. – Jak mogło nas to spotkać? Właśnie naszą rodzinę?

Leila otoczyła go ramionami i przytuliła się do jego pleców, on jednak oswobodził się gniewnie. Po chwili obrócił się do niej.

– Dlaczego nie zadzwoniłaś do mnie? – Jego żal przeszedł w rozgoryczenie.

– Nie byłam w stanie, Will. Musiałam jakoś przetrwać tamten dzień.

– Czemu żadne z was nie pomyślało, aby mnie zawiadomić? Ani ty, ani Andrew, ani Yasmin? – Głos miał szorstki z niedowierzania. – Przecież wiesz, ile on dla mnie znaczył.

– Wiem i bardzo cię przepraszam – powiedziała błagalnie. – Byłam w szoku. Nie myślałam trzeźwo.

– Mimo wszystko powinnaś była do mnie zatelefonować.

– Will, daj spokój. Nie o ciebie tutaj chodzi, nie przedstawiaj więc tak tego.

Zrobił taką minę, jakby go uderzyła.

– To był cios poniżej pasa, Leila!

Potrzebowała chwili, żeby się opanować. Ze wszystkich ludzi na świecie to właśnie jej mąż był tym, kto potrafił ją wyprowadzić z równowagi, zatem bała się, że powie coś, czego będzie żałować. Na usta cisnęły jej się słowa: „Bez względu na to, jak bardzo kochałeś Maksa, twój żal jest drugorzędny".

– Wcale tak tego nie przedstawiam... – Musiał odchrząknąć, żeby pozbyć się guli w gardle. – Nie zapominaj, że to jedyne dziecko, jakie kochałem w życiu.

Przez moment milczała, zanim powiedziała:

– Pewnie prędzej czy później zadzwoniłabym do ciebie, ale to nie był koniec.

Niechętnie zrelacjonowała mężowi wypadki minionego dnia: aresztowanie, długie i wyczerpujące przesłuchanie, formalne postawienie zarzutów i poręczenie, za którym wyszła.

– Rozprawa odbędzie się w grudniu – zakończyła.

Will nie odzywał się przez dobrą minutę. Napiął wszystkie mięśnie, jakby sprawdzał, ile ma sił. Mentalnie odłożył na bok swój ból, żeby stawić czoło bezpośredniemu zagrożeniu.

– Zostanę z tobą dzisiaj – oznajmił. – Nie powinnaś być sama.

– Dziękuję – szepnęła zaskoczona tym, jaką ulgę poczuła. Uczyniła najgorszą rzecz z możliwych, a Will mimo to wciąż przy niej był. Trzymał się w ryzach wbrew swojemu przeżywaniu żałoby, aby pomóc jej przetrwać własną. Wyciągnął do niej rękę, a ona – odwzajemniając ten gest lojalności – bardziej niż kiedykolwiek pożałowała, że nie udało im się wspólnie założyć rodziny.

Yasmin okroiła kontur botków z zielonego zamszu, usuwając je ze swojego egzemplarza „Vogue'a". Ponieważ włókienko papieru pozostało przytwierdzone do kartki, pociągnęła delikatnie, aby je rozerwać, przez co jeden z obcasów skaziła mikroskopijna biała ryska. Ułożyła wycinek na podłodze obok kilkunastu innych, które wcześniej spoczęły wachlarzem wokół niej. Wystarczył jeden powiew od strony otwartych drzwi, żeby wycinki się wymieszały, ona jednak o to nie dbała. Wąskie pomieszczenie gospodarcze stanowiło jej zacisze, czuła się w nim bezpiecznie jak w kokonie. Stała tam pralka z opartą o nią deską do prasowania, ale reszta przestrzeni była wolna i Yasmin wykorzystała ją najlepiej, jak umiała. Ścianę nad biurkiem zdobił jej ulubiony kolaż: wręcz ikoniczna oda do macierzyństwa. Był to przypadkowy zbiór różowych kaloszków i sweterków, krzykliwych wstążek i pastelowych śliniaczków. W jednym rogu widniała zołzowata kobieta z megafonem, z jego tuby ulatywał słynny slogan: „Nie ma gorszego wroga sztuki niż wózek w przedpokoju". Yasmin była z siebie taka zadowolona, gdy przyklejała to wszystko do ściany, z gaworzącym radośnie dzieckiem po drugiej stronie drzwi. „Tylko spójrzcie na mnie – myślała wtedy. – Udaje mi się pogodzić jedno z drugim".

Teraz, patrząc na kolaż, miała nadzieję, że wzbudzi w niej jakieś emocje – płacz, gniew, rozpacz, cokolwiek poza tym nijakim stanem szoku. Wstrząs, którego doznała, nadal odbijał się echem w jej wnętrzu, odzierając ją z sił i przyprawiając o mdłości. Wyobraziła sobie, jak zrywa zdjęcia ze ściany w przypływie histerii, lecz sama ta myśl okazała się wyczerpująca.

Wyczuła jakiś ruch za sobą i podniósłszy głowę, spostrzegła, że w drzwiach stoi Andrew. Jej mąż miał twarz pokrytą szczeciną, a spojrzenie tak pełne smutku, że musiała się od niego odwrócić.

– Yasmin – zaczął łagodnie. Opuszkami palców potarł skronie okrężnym ruchem, jakby masując je, chciał się pozbyć bólu głowy. Odczekał chwilę, a gdy nie zareagowała, podszedł bliżej i ukucnął obok niej. – Leila przysłała esemesa. Próbowała się do ciebie dodzwonić, ale jej się nie udało. – Wyjął jej z rąk nożyczki i milczał, dopóki na niego nie spojrzała. – Oskarżyli ją o zabójstwo.

Yasmin zbladła jak płótno.

– Co?

Odłożył nożyczki na podłogę.

– Twierdzą, że zostawiła Maksa w samochodzie umyślnie.

Yasmin wpatrywała się w niego intensywnie.

– Przecież to szaleństwo.

– Wiem. Ale oni tak uważają.

Przez chwilę się nie ruszała. W końcu, zgrzytając zębami, odtrąciła ułożone zdjęcia jednym zamaszystym gestem.

– Jak oni śmią?!

Andrew przyjrzał się jej zdziwiony.

Dała upust frustracji, gdyż poczucie niesprawiedliwości ją przerosło. Opłakiwała swoje dziecko i miała potrzebę bycia wściekłą na siostrę. Miała potrzebę zrzucenia winy na Leilę, tymczasem formalne oskarżenie jej o popełnienie przestępstwa kazało Yasmin wziąć stronę starszej siostry. Zmuszało ją do solidarności, mimo że w żadnym razie nie była na to gotowa. Najpierw bowiem musiała mieć do Leili pretensje, dopiero później będzie jej mogła przebaczyć.

Gdy Andrew sięgnął ku niej, odtrąciła go, tak że klapnął na pośladki.

– Muszę ją nienawidzić. Nie mogę jej ot tak przebaczyć.

– Wiem – rzekł kojącym głosem. – To normalne.

Yasmin zagotowała się z gniewu. Otworzyła usta, lecz wydobył się z nich tylko dziwny, przypominający gwizd dźwięk.

– Nienawidzę jej. Jak ja jej, kurwa, nienawidzę.

– Rozumiem cię. Masz pełne prawo nienawidzić Leili.

– Ona nigdy o niczym nie zapomina. – Ton Yasmin był gorzki, oskarżycielski. – Nigdy. O niczym. Jak mogła zapomnieć o Maksie?

Zgniotła w dłoni śliską kartkę czasopisma.

Andrew przyciągnął ją do siebie bardziej stanowczo i położył rękę na jej karku.

– Nie wiem, skarbie. – Potrząsnął głową, muskając przy tym brodą czubek jej głowy. – Ja po prostu… nie wiem.

Wyrwała się z jego uścisku.

– Naprawdę sądzą, że zostawiła Maksa celowo?

Andrew spojrzał na nią z powagą.

– Śpieszyła się tamtego ranka. Zadzwonili do niej z biura. Możliwe, że chciała tylko wpaść i wypaść.

Yasmin to przetrawiła. Przed oczami stanął jej obraz Leili w ich mieszkanku, gdy z telefonem między policzkiem i ramieniem stała przy desce do prasowania, szykując strój na rozmowę kwalifikacyjną, podczas gdy makaron pyrkał na kuchence. Wiecznie robiła trzy rzeczy naraz, a gdy było inaczej, miała wrażenie, że czas przecieka jej między palcami.

– Byłaby zdolna do czegoś podobnego? – Wpatrzyła się w męża, szukając odpowiedzi w jego oczach.

– Nie wydaje mi się, ale... – Andrew poruszył się nerwowo. – Ale czy sama nie miałaś ochoty zostawić Maksa w aucie, kiedy szłaś zapłacić za paliwo na stacji benzynowej?

Yasmin się zdumiała.

– Nie, nigdy! – odparła z mocą. – A ty?

Pokiwał głową z poczuciem winy.

– Tak.

– Zrobiłeś to?

– Nie, ale byłem temu bliski – przyznał.

Yasmin wypuściła z płuc wstrzymywane powietrze.

– To nie to samo.

Przez chwilę oboje milczeli.

– Uważam, że Leila zrobiła to nieumyślnie – powiedział w końcu Andrew.

Spojrzała na niego tęsknym wzrokiem.

– Gdzie ona teraz jest?

– Nie mam pojęcia.

– W areszcie?

– Nie. Postawili jej zarzuty, ale wypuścili tego samego wieczoru.

Yasmin ogarnął niepokój. Leila została oskarżona o zabójstwo. Wyobraziła ją sobie w celi, odartą z wszelkiej godności, i aż zakręciło się jej od tego w głowie. Jak miała pogodzić te dwie emocje: współczucie dla starszej siostry i wściekłość na nią?

– Czy to się dzieje naprawdę? – Uczepiła się rękawa męża, wbijając mu paznokcie w ciało. – Jak to możliwe, że coś takiego spotkało właśnie nas?

Andrew zaczął coś mówić, lecz słowa uwięzły mu w gardle. Objął ją ponownie ramionami, a potem siedzieli tak niczym dwie kupki nieszczęścia, przepełnieni grozą i żalem.

Sierżant Chris Shepherd poczuł, jak jego koszula przesiąka wilgocią. Kiedy rozłożył ramiona na boki, materiał nieprzyjemnie odkleił się od jego skóry. Było gorąco. Goręcej niż kiedykolwiek w czasie szesnastu lat jego służby w policji. Przez panujący w komisariacie skwar człowiek miał wrażenie, że jest zmuszony wdychać spaliny z silnika odrzutowego. Shep zgarbił się nad notesem w nadziei, że w ten sposób odetnie się od otaczających go dźwięków: pyrkania ekspresu do kawy, skrzypienia pracującej drukarki, klekotania tuzina klawiatur. Najlepiej pracowało mu się w ciszy, ale w budżecie nie było miejsca na osobne biura. Ten zakątek wydziału dochodzeniowo-śledczego został zaprojektowany na otwartym planie: proste szare biurka stłoczone jedno na drugim, byle jakie wyposażenie, rośliny doniczkowe w stanie agonii. Gdyby mógł, nie wychodziłby z domowego biura, gdzie nic nie stało na przeszkodzie, by wyjął baterię z zegara ściennego, kiedy jego tykanie zaczynało mu przeszkadzać. Dla osoby żyjącej samotnie czas nie ma takiego znaczenia.

Gapił się w notes, gładząc jego spiralny grzbiet opuszką kciuka. Preferował notatniki w formacie A4. Ilekroć wpychał taki do teczki, koledzy śmiali się z niego i mówili, żeby przerzucił się na tablet i przestał być takim luddystą.

Przeanalizował po raz kolejny chronologię zdarzeń, którą rozrysował sobie na pustej stronie. O godzinie siódmej pięćdziesiąt osiem minionego dnia Andrew Hansson zatelefonował do Leili Syed. Połączenie trwało dwie minuty. Punktualnie o ósmej Leila podjechała pod jego dom, a on przeniósł fotelik z małym Maksem do jej samochodu, po czym zamocował go pasami. Leila zeznała, że chłopiec spał.

W tym wierszu Shep dodał dopisek: „Już nie żył?". Leila nie sprawdziła, czy dziecko oddychało. Nie miała powodu podejrzewać, że było martwe. Czy to możliwe, że winny śmierci syna był Andrew? Że oddał Maksa pod opiekę szwagierki, aby zatuszować swoją winę? Shep zastanawiał się nad tym przez chwilę, ale w końcu postawił obok dopisku krzyżyk. „Mało prawdopodobne".

Analizował ciąg zdarzeń dalej. Spod domu szwagra Leila miała do pracy kwadrans, do żłobka – dwadzieścia minut. Dokładnie o ósmej osiem odebrała telefon i dowiedziała się, że plany ważnego projektu zaginęły. Dzięki pozycjonowaniu jej komórki wiadomo było, że pod biuro dotarła dziesięć minut później. Tu Shep znów zrobił odręczną notatkę: „Przekroczenie prędkości?". Coś takiego dowodziłoby, że Leila się śpieszyła – zatem większe byłoby prawdopodobieństwo tego, że zdecydowała się zostawić dziecko w samochodzie, podczas gdy sama pobiegła na górę gasić pożar.

Ojciec dziecka, z którym Shep miał dopiero porozmawiać, zadzwonił do Leili ponownie o jedenastej dwadzieścia siedem, aby zapytać ją, gdzie podziewa się Maks. Pogotowie zostało wezwane siedem minut później. Zgon dziecka stwierdzono w szpitalu o dwunastej dwadzieścia pięć.

Zarys ludzkiej tragedii sprowadzał się do tych kilkunastu linijek tekstu na jednej kartce A4. Co jednak tak naprawdę się stało? Kto ponosił za to winę? Shep polizał palec i na następnej stronie napisał kanciastymi literami: „LEILA SYED". Poniżej sporządził listę cech, które uderzyły go w kobiecie już na pierwszy rzut oka. „Spokojna, logiczna, praktyczna". „Zimna, zdystansowana, nieprzenikniona". Jeszcze niżej wypunktował trzy możliwe scenariusze:

1. *Zostawiła go w aucie nieumyślnie.*
2. *Zostawiła go w aucie umyślnie, ale zamierzała jak najszybciej wrócić.*
3. *Zostawiła go w aucie umyślnie i miała zamiar zrobić mu krzywdę.*

Leila twierdziła, że jej działanie nie było celowe. Prokurator przeciwnie – utrzymywał, że działała z rozwagą, ale chciała wrócić do auta z porzuconym w środku dzieckiem. Jeżeli w rzeczywistości Leila Syed chciała wyrządzić Maksowi Hanssonowi krzywdę, zadaniem Shepa było to udowodnić. Dlatego obok trzeciego punktu dopisał: „Motyw?". Z pozoru wydawało się absurdem, aby odnosząca sukcesy kobieta taka jak Leila pragnęła uśmiercić własnego siostrzeńca, lecz Shep dał się raz w przeszłości zwieść pozorom i nie zamierzał powtórzyć tego błędu.

Żałował, że Leila tak szybko poprosiła o adwokata. Zwłaszcza że Clara Pearson okazała się doświadczoną prawniczką, która wiedziała, co robi. Miał z nią do czynienia już wcześniej i działała na niego deprymująco. Pani mecenas była wymuskana, zachowywała się w wystudiowany sposób i trzymała ordery przy piersi. Być może miało to coś wspólnego z kolorem jej skóry – czarna kobieta w świecie prawa nie powinna okazywać emocji. Tak czy owak jej pojawienie się pokrzyżowało szyki sierżantowi.

Przywołał w pamięci obraz Leili siedzącej w pokoju przesłuchań. Z zaczerwienionymi oczami, ale nienagannym makijażem i każdym włosem na swoim miejscu. Czy pod tą fasadą kryła się diablica? Jeśli tak, dlaczego i kiedy to wszystko zaplanowała? Wrócił do pierwszej strony i przyjrzał się krzyżykowi obok imienia ojca dziecka. Może Andrew udzieli odpowiedzi chociaż na część jego pytań.

Zerknął na zegarek. Rodzice nie mieli nawet doby, aby pogodzić się ze śmiercią syna – cóż z tego jednak, skoro musiał się z nimi zobaczyć. Po krótkim wahaniu złapał kluczyki i wyszedł z komisariatu.

Shep jechał Tredegar Terrace, urokliwą uliczką zabudowaną rozłożystymi domami posadowionymi w pewnej odległości od jezdni. Praktycznie każdy z nich miał duże wykuszowe okno, niektóre – elementy stylu tudorowskiego, ale czy oryginalne, czy udawane, tego nie potrafił ocenić. Zaparkował przed domem Hanssonów i przez chwilę mu się przyglądał.

Do drzwi frontowych prowadził szeroki podjazd wysypany żwirem, a po obu jego stronach rósł wysoki żywopłot przesłaniający widok sąsiadom. Sam budynek był dobrze utrzymany, z tylko paroma śladami zaniedbania: tu odpryśnięte drewno na ramie okiennej, tam śniedź na klamce z brązu, rozchwierutane skrzynki na kwiaty, które dawno utraciły prostopadłościenny kształt. W zasadzie niczym się nie różnił od innych przy tej samej ulicy. Shep zauważył, że paskudne kubły na segregowane odpady znalazły schronienie w schludnej drewnianej wiacie. Czy było to dzieło rąk Andrew? Nie wyglądał na majsterkowicza – w okularach i zaprasowanych na kant spodniach był raczej typowym przykładem intelektualisty, czym zdecydowanie różnił się od sierżanta. Shep ze swoimi odstającymi uszami i złamanym nosem przypominał bandziora, nawet gdy się elegancko ubrał. Podchodząc teraz do drzwi, kopnął czubkiem buta kamyk, aby umieścić go w dołku. Zadzwonił i cofnął się o krok, wiedząc doskonale, że przy wzroście ponad stu osiemdziesięciu centymetrów mógłby przytłoczyć swoją sylwetką osobę, która mu otworzy.

Osobą tą okazał się Andrew Hansson, który natychmiast zaczął mrugać, jakby światło słoneczne go oślepiło.

Dla Shepa było jasne, że Andrew nie potrafi go skojarzyć.

– Panie Hansson, jestem sierżant Christopher Shepherd. Wczoraj rozmawialiśmy przez chwilę w szpitalu.

Spojrzenie mężczyzny wyostrzyło się niczym obiektyw aparatu, który chwyta ostrość.

– Tak. Oczywiście – powiedział Hansson z roztargnieniem, otwierając drzwi szerzej.

Wewnątrz panowało ciepło i nieporządek: na ścianach krzywo wisiały obrazki, na podnóżku leżał kłąb ubrań, w jednym rogu stały kaloszki, lewy przechylony na prawego jakby dla oparcia. Ten widok poruszył Shepa; musiał odchrząknąć, zanim znowu się odezwał.

– Panie Hansson, chciałbym z panem chwilę porozmawiać.

– Może mi pan mówić po imieniu, sierżancie. – Andrew zaprowadził Shepa do kuchni i wskazał mu krzesło przy stole. Przez okno widać było tylny ogród, w którym panoszyła się niekoszona trawa. Zbłądziwszy spojrzeniem za oczami gościa, Hansson powiedział: – Proszę wybaczyć. Skończyliśmy zakładać trawnik w czerwcu, a już zdążył porosnąć jak dżungla.

Shep machnął ręką, dając znać, że nie ma za co przepraszać. Andrew zatrzymał się przy wiszącej szafce.

– Napije się pan herbaty?

– Tylko dla towarzystwa – odparł Shep.

Obrana przez niego taktyka rzadko zawodziła. Faktem było, że świadek przy herbacie stawał się bardziej rozmowny, a żeby to osiągnąć, Shep stosował mały szantaż. Rzadko kto odmawiał. Obserwował Andrew, gdy ten parzył napar, ale z rozmową wstrzymał się do czasu, aż gospodarz usiądzie.

– Proszę przyjąć moje wyrazy współczucia – zaczął. – Wiem, że to dla państwa niezwykle trudne. – Na przestrzeni lat Shep wypróbował różne wariacje kondolencji i zdążył dojść do wniosku, że wersja sztampowa w niczym się nie różni od bardziej wyszukanej.

Andrew skinął głową, jakby przyjął jego słowa do wiadomości.

Shep dyskretnie odsunął na bok swoją herbatę.

– Chciałbym ułożyć sobie w głowie obraz tego, co wydarzyło się wczoraj przed południem. – Zgarbił się nad stołem, markując swobodę, lecz tak naprawdę czujnie przyglądał się siedzącemu naprzeciwko mężczyźnie. – Czy mógłby mi pan opowiedzieć, co zaszło, ale własnymi słowami?

– A czy nie powinienem tego zrobić raczej na komisariacie? – zapytał go Andrew.

Shepowi nie umknęło to pytanie. Rodzice zwykle wzdragają się przed wizytą na komisariacie, tymczasem Andrew Hansson wręcz wyrywał się na ochotnika.

– Na tym etapie staramy się zbudować pełen obraz sprawy. Jeśli będą potrzebne dalsze szczegóły, oczywiście zaprosimy pana do nas.

– Rozumiem. – Andrew bezwiednie poprawił koszulę. – No dobrze, zatem, yyy... Dostałem telefon z firmy, że mamy sytuację kryzysową. Nie miałem czasu zawieźć Maksa do żłobka, a moja żona była już w pracy, dlatego zadzwoniłem do Leili, która jest moją szwagierką, i zapytałem, czy może mnie wyręczyć. Żłobek jest praktycznie po drodze do jej pracy, uznałem więc, że nie sprawi jej to kłopotu.

– Czy możemy się tu na moment zatrzymać? – Shep sięgnął po notatnik i otworzył go na stronie z rozpisaną chronologią wydarzeń. – Został pan wezwany do pracy. Kto pana wezwał?

– To nie tak. Nie dzwoni żadna konkretna osoba. Mamy automatyczny system alarmowy połączony z systemem telefonicznym. Można więc powiedzieć, że zostałem powiadomiony o sytuacji kryzysowej.

– Przez kogo?

– Przez nasz serwer. Jeśli zdarzy się awaria, na moim telefonie pojawia się automatycznie wysłany esemes.

– Czyli dostał pan esemesa, tak?

Andrew zakręcił kubkiem.

– Tak. Tylko my mówimy, że ktoś został wypejdżowany.

– Czy mógłbym zobaczyć tego esemesa? Dzięki temu będzie mi łatwiej zrozumieć.

Andrew się zawahał.

– Tak, cóż, ja... – Włożył rękę do kieszeni, by chwilę później pogmerać w swojej komórce i podać ją Shepowi. – Proszę.

Shep zmrużył oczy, raczej dla efektu niż w jakimkolwiek innym celu. W notatniku dopisał godzinę: siódmą pięćdziesiąt cztery.

– Co by się stało, gdyby pan nie zareagował?

– Straciłbym pracę. – Dostrzegłszy minę Shepa, Andrew dodał: – Wiem, to brzmi jak wymówka, ale to szczera prawda. Każda godzina awarii naszego serwera kosztuje klientów dwadzieścia tysięcy funtów.

Wyjaśnił dokładniej, jak to działa, lecz choć mówił naturalnie, czuć było, że to wyuczona wypowiedź.

– Proszę kontynuować.

Andrew się pochylił.

– No więc... ogarnęła mnie lekka panika. Czterdzieści minut jazdy tam i z powrotem dawało trzynaście tysięcy funtów straty za samo podrzucenie dziecka do żłobka.

Shep uniósł brew.

– Nigdy bym w ten sposób o tym nie pomyślał.

– W moim zawodzie to normalne. – Mężczyzna utkwił wzrok w blacie. – Człowiek czasami zapomina o tym, co naprawdę ważne.

Shep dał mu chwilę, zanim przeszedł dalej.

– Czy Maks spał, kiedy wkładał go pan do samochodu?

– Tak.

Zamarł z długopisem nad kartką, chcąc zadać możliwie precyzyjne pytanie.

– Czy to było normalne o tej porze dnia?

– To zależy. Gdy chodzi o trzylatka, mało jest normalnych rzeczy. Każdy dzień przynosi coś nowego.

Shep uśmiechnął się wymuszenie.

– Czy Leila wydała się panu zestresowana?

– Nie.

– Zagniewana, że wyskoczył pan z tą prośbą w ostatniej chwili?

– Nie. Wydawało mi się, że chce pomóc.

– Jak by pan opisał jej zachowanie wczorajszego ranka?

Andrew zastanowił się głębiej.

– Zachowywała się zwyczajnie. Nie była w biegu ani w niedoczasie. Nic nie zwróciło mojej uwagi.

– Czyli po tym, jak odjechała, ruszył pan do pracy. Kiedy pan sobie uświadomił, że Maksa nie ma tam, gdzie powinien być?

Andrew wskazał swoją komórkę.

– Tuż przed jedenastą trzydzieści, kiedy sprawdziłem pocztę głosową. Była to pierwsza przerwa, odkąd uruchomiłem program śledzący, który miał wytropić wirusa na serwerze.

Shep coś zanotował.

– Kto zostawił wiadomość głosową?

– Przedszkolanka, Gina. Powiedziała, że Maksa nikt nie przywiózł. Wpadłem w panikę i natychmiast zadzwoniłem do Leili.

– Wpadł pan w panikę? Dlaczego? Czyżby nie ufał pan szwagierce?

– A zna pan rodzica, który nie spanikuje, dowiadując się, że jego dziecka nie ma tam, gdzie powinno być?

Patrząc Andrew prosto w twarz, Shep zastanawiał się, jak sformułować następne pytanie.

– Czy umie pan podać powód, dla którego pana szwagierka mogłaby chcieć skrzywdzić Maksa?

Andrew zrobił wielkie oczy.

– Nie. Leila kochała Maksa. To był tylko... – Potrząsnął głową, jakby nie mieściło mu się w niej to, co się stało. – To był tragiczny błąd.

Odchrząknął, aby ukryć drżenie głosu.

Shep udał, że sprawdza coś w swoich notatkach. Odezwał się ponownie, dopiero gdy jego zdaniem mężczyzna zdążył wziąć się w garść.

– Cofnijmy się odrobinę. Powiedział pan, że odsłuchał wiadomość tuż przed wpół do dwunastej. Nie był pan wcześniej ciekaw, czy Maks bezpiecznie dotarł do żłobka?

Andrew posłał mu puste spojrzenie, rozchylił lekko usta.

– Ja... Przecież Maks był z Leilą. Nie sądziłem, że mam powody do zmartwienia.

– A co z pańską żoną? Czy żłobek skontaktował się także z nią?

– Zwykle dzwonią tylko do jednego z rodziców. Ponieważ jestem na liście pierwszy… Hansson stoi przed Syed… zazwyczaj dzwonią właśnie do mnie.

– Czy pańska żona skontaktowała się z panem, aby się upewnić, że Maks jest w żłobku?

Andrew się zjeżył.

– Po co miałaby to robić? Ilu ojców sprawdza, co z dziećmi, w czasie godzin pracy?

Shep skinął głową.

– Rozumiem, co pan ma na myśli – powiedział spokojnie. Przez moment panowała między nimi cisza. W końcu Shep zerknął na zegar ścienny. – Czy mógłbym porozmawiać z pańską żoną?

Andrew się zawahał.

– Wolałbym dać jej odpocząć, jeśli nie ma pan nic przeciwko temu.

Shep skrzywił się współczująco. W tym też doszedł do perfekcji przez lata.

– Jej stan psychiczny na pewno jest obecnie bardzo kruchy. Naturalnie mogę wrócić kiedy indziej, w odpowiedniejszej chwili. – Urwał, dając Andrew moment na zastanowienie. – Jeśli jednak pani Syed zechciałaby odpowiedzieć teraz na kilka moich pytań, bardzo by to pomogło w prowadzonym dochodzeniu. Zna swoją siostrę lepiej niż ktokolwiek.

Andrew wyglądał, jakby się zastanawiał.

– Pójdę zobaczyć, co u niej – oznajmił w końcu.

Shep odprowadził go spojrzeniem. Andrew Hansson wyraźnie strzegł prywatności swojej żony. Czy to możliwe, że ona – albo oni oboje – w jakiś sposób skrzywdzili Maksa i zrzucili winę na jej siostrę? Naciągana teoria, lecz widział na służbie już gorsze rzeczy. Zanotował sobie, aby jak najszybciej sprawdzić wstępny raport patologa, czy nie znajdzie się w nim coś, od czego zapaliłaby mu się w głowie czerwona lampka, jak na przykład niewyjaśnione ślady czy niepewny czas zgonu.

Odczekał chwilę, chcąc się przekonać, czy usłyszy na piętrze jakiś ruch, po czym wstał i rozejrzał się po kuchni. Na regale stał cały rząd książek kucharskich. Gospodarze najwyraźniej byli fanami Ricka Steina. Nieczynny kominek robił za wystawkę bibelotów; na obramowaniu znalazł się chiński czajniczek do herbaty, przysadzisty kufel do piwa oraz miedziany wieczny kalendarz, wokół nich stały liczne zdjęcia w ramkach. Oto młoda Yasmin uśmiechająca się słodko przez ramię, z długimi ciemnymi włosami lśniącymi w niewyobrażalny sposób. Czy ktoś taki byłby zdolny do zabicia własnego dziecka? Shep usłyszał własne prychnięcie w odpowiedzi na zadane w duchu pytanie.

– Sierżancie?

W progu stała Yasmin. Miała na sobie czarne legginsy i obszerną szarą koszulkę, która sięgała jej prawie do kolan. Na przodzie widniał napis: „Imperial College London".

Shep uśmiechnął się do niej ciepło.

– Czyżby pani Alma Mater? – zapytał.

Zerknęła w dół.

– Nie. – Gestem wskazała męża, który stał obok niej. – Jego. Ja, yhm, nie chodziłam na uczelnię.

– Przeszła pani szkołę życia, co? – rzucił Shep, ale zaraz skurczył się w sobie.

Yasmin zignorowała jego uwagę i usiadła na krześle. Shep spostrzegł, że cechuje ją swoista miękkość; miała łagodny, hipnotyczny urok. Traktując ją tak, jakby była ze szkła, przerobił z nią ponownie wydarzenia minionego przedpołudnia. Ustalił, co robiła, poczynając od wczesnego śniadania przez rozmowę z Andrew i horror, który czekał na nią w szpitalu. W końcu poruszył temat jej siostry.

– Chciałbym zadać pani parę pytań na temat waszej wzajemnej relacji, czy mogę?

Yasmin skinęła głową, pąsowiejąc na twarzy.

– Jak często pozostawiała pani Maksa pod jej opieką?

Zamyśliła się, jakby coś obliczała.

– Raz na dwa tygodnie. Może raz na tydzień.

– Aż tak często?

Yasmin się zjeżyła.

– Nie uważam, aby to było często. A co, skarżyła się panu?

Shep zignorował jej pytanie.

– Leila nie ma własnych dzieci. Czy pani zdaniem miała wystarczające kwalifikacje, aby zajmować się pani synem raz w tygodniu?

– Zawsze dawaliśmy jej wskazówki.

– I nigdy się pani nie martwiła, kiedy Maks był pod jej opieką?

– Nie.

– Czy Leila kiedykolwiek dała do zrozumienia, że Maks sprawia jej problemy?

– Nie. – Yasmin przyjęła postawę obronną. – Pragnęła mieć dzieci i uznała, że to dobra praktyka.

– Tak powiedziała?

– Może nie dosłownie, ale się domyśliłam.

– Ale dokładnie takie słowa nigdy nie padły z jej ust?

– Oboje z Willem starają się o dziecko, stąd wiem, że moja siostra chce założyć rodzinę. – Zawahała się. – Po prostu na razie im się nie udało.

– Czy to było powodem konfliktu między wami?

Yasmin potarła w palcach płatek ucha.

– Może nie konfliktu, ale zrobiło się między nami nieco niezręcznie.

– W jakim sensie?

– Cóż, kiedy byłam w ciąży, Leila nie potrafiła patrzeć na mnie ani nawet przebywać w mojej obecności. Całkiem jakby czuła fizyczny ból. Później wszystko wróciło do normy, ale przez kilka miesięcy było dziwacznie.

– Czy… jak pani to ujęła… wszystko pozostało w normie?

Yasmin poprawiła się na krześle.

– Czasami dochodziło między nami do tarć. Zdarzało się, że patrzyła na mnie, na nas, gdy śmialiśmy się razem albo huśtaliśmy Maksa na huśtawce, jakoś tak…

– Jak? – podchwycił Shep.

– Zazdrośnie. – Zamilkła i zaraz się poprawiła: – Nie, nie chodzi o zazdrość. Raczej o melancholię. Proszę postarać się zrozumieć. Leila zawsze we wszystkim przodowała. Jest bardzo mądra, pracowita i waleczna. Była pewna, że życie jej się ułoży, nic dziwnego więc, że kiedy nie udało im się mieć dziecka, odebrała to jako… bo ja wiem?… policzek od losu? Myślę, że oglądanie nas we trójkę, z Maksem wprawiało ją w smutek.

– I zazdrość?

Yasmin zesztywniała.

– Nie, to niewłaściwe słowo.

Shep postawił w notatniku ostatnią kropkę.

– Pani Syed, niezwykle mi pani pomogła. – Wygładził krawat i podniósł się z miejsca. – Zdaję sobie sprawę, jak trudna musi być dla pani ta sytuacja.

Yasmin skinęła bezmyślnie, puszczając ten frazes mimo uszu.

– Dziękuję za poświęcony czas. Sam znajdę drogę do wyjścia.

Nie tknął nawet herbaty.

Znalazłszy się z powrotem w samochodzie, włączył klimatyzację na maksimum i nawet nie mrugnął, gdy lodowaty powiew zmroził mu gałki oczne. W czasie jazdy zerkał w lusterko wsteczne i spoglądając na wgłębienie w tylnej kanapie, rozważał, czy można zapomnieć o dziecku. Shep nie był ojcem i być może nigdy się nie dowie, czym jest poczucie ciągłego obowiązku, lecz zwyczajnie nie potrafił sobie wyobrazić, że ktoś mógłby nieumyślnie zapomnieć o dziecku.

Pozostawienie dziecka celowo bardziej przemawiało do jego wyobraźni. Zagoniony rodzic, który wpada do sklepiku na stacji benzynowej po mleko – czy to nie miało więcej sensu? Decyzja podjęta pod wpływem chwili, gdy przejściowo priorytetem jest coś innego?

Shep nadal o tym myślał, gdy parkował samochód pod komisariatem i kierował się do swojego biurka. Na blacie zastał kilkustronicowy czarno-biały dokument: wstępny raport patologa. Złapał go i przebiegł szybko wzrokiem. Według wstępnej diagnozy Maks nie zmarł z przyczyn naturalnych, lecz z przegrzania. Mówiąc naukowo: doznał hipertermii.

Opadł na krzesło. Zatem to jedno było przesądzone. Leila Syed, czy miała taki zamiar, czy nie, zabiła to dziecko.

ROZDZIAŁ 4

Leila przemierzała salon tam i z powrotem, za każdym razem przystając przy oknie, żeby spojrzeć w niebo. To dziwne. Zakładała, że cały świat wie, o co została oskarżona: kierowca, który ją przywiózł do domu po tym, jak zwolniono ją z aresztu, listonosz, który przyniósł wczoraj list, sąsiedzi. Przed wszystkimi się chowała, jakby jakimś sposobem mogli znać prawdę. I dlatego teraz czekała, aż się ściemni, zanim opuści dom. Obrzucając ulicę nerwowym spojrzeniem, czuła ucisk w dołku. Miała świadomość ryzyka wiążącego się z wizytą u Yasmin, ale nie mogła postąpić inaczej. Musiała porozmawiać z siostrą, nawet jeśli spotka się z odrzuceniem.

Odczekała, aż światło reflektorów przejeżdżającego samochodu zgaśnie, po czym pobiegła za róg. Zapukała do drzwi siostry delikatnie – z przyzwyczajenia, na wypadek gdyby Maks spał. Był głośnym dzieckiem, darł się całymi godzinami, jeśli coś go wybudziło z drzemki. A dzwonek zawsze go budził, napędzając błędne koło wyczerpania. Fakt, że nie było dłużej potrzeby martwić się o to, sprawił, że krtań Leili zacisnęła się ze smutku.

Zamek szczęknął i Yasmin wyjrzała przez szparę na zewnątrz. Twarz miała zaniedbaną, a włosy tłuste i przylizane, odsłaniające miejscami skórę głowy. Przez moment wpatrywały się w siebie, a powietrze między nimi zdawało się zaburzać obraz, zupełnie jak na pustyni przy fatamorganie. Leila otworzyła usta, aby coś powiedzieć, ale Yasmin już się odwróciła, zostawiając za sobą uchylone drzwi. Ostrożnie przestąpiła próg. Choć upłynęło niewiele czasu, tragedia wyraźnie odmieniła wnętrze domu. Miejsce przytulności i ciepła zajęło zagracenie i duchota. Leila zzuła buty, opierając się o zawieszone jedna na drugiej i wybrzuszające się kurtki. Potem przeszła w stronę salonu i stanęła w drzwiach. Yasmin wskazała jej sofę, kościsty mebel rodem z Ikei, który kupiła sobie za pierwszą solidną wypłatę, odtąd zamierzając otaczać się wyłącznie stylowymi rzeczami. Leila nie skorzystała z zaproszenia, wiedząc, że do tego, z czym przyszła, będzie potrzebowała całej swojej wysokości.

– Zrobiłaś to? – padło pytanie.

Leila przez moment tylko patrzyła na siostrę.

– O co właściwie mnie pytasz?

– Czy celowo go zostawiłaś?

– Ja nigdy bym nie... Nigdy.

Szczęki Yasmin pozostały mocno zaciśnięte.

– Wiem, że nigdy nie zrobiłabyś mu krzywdy, ale czy zostawiłaś go samego świadomie?

– Nie. W żadnym razie.

Yasmin zbliżyła się do niej.

– Rozmawiałaś przez telefon?

– Tak.

Zaczerpnęła tchu. A później, bez słowa ostrzeżenia, wymierzyła Leili policzek. Ostry dźwięk przeciął powietrze.

To oszołomiło Leilę. Poczuła ból.

– Wybacz mi – powiedziała zadziwiająco spokojnie.

Yasmin wydęła wargi, uwydatniając dołek w brodzie.

– Ty nigdy o niczym nie zapominasz. O wszystkim zawsze pamiętasz... – Głos się jej załamał. – Jak mogłaś zapomnieć o Maksie?

Wyrzuty sumienia Leili sięgnęły zenitu.

– Z kim rozmawiałaś?

– Z Suki z biura – odparła, czerwieniejąc.

Yasmin skinęła głową, jakby rozsypane elementy zaczęły się układać w całość.

– Zostawiłabyś Maksa, gdyby nie to?

Leila nie wiedziała, co odpowiedzieć.

– Nie wiem, Yasmin. Nie umiem powiedzieć, co by się wtedy stało.

– Rozmawialiśmy o tym. – Yasmin wskazała schody. – Z Andrew. Rozmawialiśmy o jakimś systemie po zakupie fotelika. Przeczytałam gdzieś, że powinno się kłaść zabawkę albo parę bucików na fotelu pasażera, żeby nie zapomnieć o dziecku. Pomyślałam nawet, że to świetny pomysł, i podzieliłam się nim z Andrew, ale oczywiście niczego takiego nie robiliśmy. Człowiek nie robi miliona rzeczy, które by chciał czy powinien.

Leila wyciągnęła do niej ręce, aby ją pocieszyć, Yasmin jednak odskoczyła jak oparzona.

– Nie mogę. – Zamachała dłońmi w powietrzu, jakby chciała się otrząsnąć z emocji. – Nie mogę.

Leila postanowiła powiedzieć w końcu to, z czym tu przyszła.

– Yasmin, musisz mi uwierzyć, że nie zrobiłam tego specjalnie.

Jej siostra zaśmiała się szczekliwie.

– Ani mi się waż. Ani się waż mówić mi, że coś muszę. – Wycelowała palcem w Leilę. – Mówiłaś mi, co mam robić, przez całe życie. Traktowałaś mnie jak barana, którym trzeba kierować, aż tu nagle... sama dajesz ciała. Popełniasz najstraszliwszy błąd z możliwych, a krzywda spada na mnie. Krzywda spada na moje dziecko.

– Yasmin, błagam. To było niechcący.

– Naprawdę? Wielka pani prezes, wiecznie taka zajęta! Wiecznie w biegu! Dobrze wiem, że nie znosiłaś się zajmować Maksem. Myślisz, że nie znam tego twojego „telefonicznego" głosu, kiedy starasz się być uprzejma? Wiem, że cenisz sobie swój czas, wiem, że twoim zdaniem to ja, zwykła sekretarka, powinnam opiekować się własnym dzieckiem, zamiast oczekiwać od ciebie, ważnej pani prezes, że mnie wyręczysz!

Leila się skrzywiła. Yasmin to wiedziała. Jakżeby inaczej? Była empatyczna, z łatwością domyśliła się prawdziwych uczuć siostry.

Niskim i martwym głosem zapytała ponownie:

– Wiem, że nie chciałaś wyrządzić mu krzywdy, ale czy zostawiłaś mojego syna w aucie celowo?

Leila bezradnie potrząsnęła głową.

– Kochałam Maksa. Nie zostawiłam go.

Yasmin zaszlochała.

– Czy on był przytomny? Chcę to wiedzieć. Czy mnie wołał? Wiedział, co się dzieje? Odszedł z tego świata, czując strach? Bał się, kiedy umierał? – Głos załamał się jej kompletnie, a ona sama skuliła się w fotelu.

Leila uklęknęła obok niej. Myśl, że jej siostrzeniec był pozostawiony sam sobie w foteliku na tylnym siedzeniu i wołał o pomoc, sprawiła, że serce pękło jej na dwoje. Nienawidziła się w tej chwili. Czuła do siebie wyłącznie nienawiść i wiedziała, że jej siostra musi czuć do niej to samo. Obawiała się, że Yasmin nigdy nie przestanie jej nienawidzić.

– Maks spał – powiedziała. – Przysięgam ci, że spał.

To, że Yasmin nie będzie w stanie dojść prawdy, nie miało znaczenia. Leila mogła udzielić siostrze jedynie takiej odpowiedzi.

Shep lubił tę wieczorną porę, gdy zgiełk ruchu ulicznego za oknem ustawał, przechodząc w miarowy szum, a w komisariacie wciąż unosiło się ciepło ciał osób, które do niedawna siedziały przy swoich biurkach. Spojrzał na ekran i przypatrzył się uważniej rysom Leili. Nagranie z kamery przemysłowej pochodziło z wnętrza budynku; parking był objęty monitoringiem tylko częściowo. Obraz był ziarnisty i w zasadzie nie ujawniał wyrazu twarzy podejrzanej, a jej oczy zostały zredukowane do pogrążonych w cieniu pikseli. Timer u dołu ekranu wskazywał godzinę jedenastą trzydzieści jeden w poniedziałek dwunastego lipca, czyli w dzień śmierci Maksa. Leila nie wyglądała na spanikowaną, gdy mijała główny hol z komórką ściśniętą w dłoni.

– O czym myślisz? – mruknął pod nosem.

Sądząc po mowie jej ciała – wyprostowanych ramionach i wydłużonym kroku – była podenerwowana, ale nie wstrząśnięta, wychodząc z budynku i znikając z pola widzenia kamery.

Kiedy ktoś ci mówi, że zostawiłeś dziecko w samochodzie, raczej gnasz na złamanie karku, prawda?

Shep przewinął nagranie i puścił je od początku jeszcze raz. Winda się otwiera i Leila opuszcza kabinę. Gdy kieruje się prosto do wyjścia, tylko jedno świadczy o jej poruszeniu: lewa pięść przyciśnięta do ust, ale jedynie przelotnie. Poza tym można by przypuszczać, że idzie na kawę.

Shep zdawał sobie sprawę, że ludzie reagują przeróżnie w sytuacji ekstremalnej. Czy jednak opanowanie Leili było tylko niewinną oznaką szoku, czy może świadczyło o czymś mroczniejszym? Przyglądał się jej z natężeniem, szukając podpowiedzi. W kontakcie bezpośrednim sprawiała wrażenie kochającej ciotki, lecz Shep wiedział, że ludzie, którzy budzą zaufanie, często okazują się zwodniczy.

Nie zawsze był takim cynikiem, ale trudno wykonywać tę pracę i nie doświadczyć erozji wiary w człowieka. Shep pozbył się wszelkich złudzeń dzięki przypadkowi Cory, dwuletniej dziewczynki, której przydarzył się poważny wypadek. Gdy wraz z towarzyszącym funkcjonariuszem zjawił się w domu ofiary, wnętrze zrobiło na nim wrażenie schludnego i uporządkowanego. Julia, umiejąca się wysłowić młoda matka, była elegancką szczupłą kobietą o wyrazistych rysach i w ubraniach szytych na miarę. Z miejsca uznał, że ktoś taki nie może być winien przestępstwa. Po czasie umiał już wskazać przejawy manipulacji: to, jak położyła mu dłoń na ramieniu w odpowiednim momencie, to, w jaki sposób płakała, pozwalając tylko paru łzom spaść na swoje policzki, w żadnym razie nie mażąc się nieestetycznie jak inne osierocone matki. Nawet to, jak wykręcała ręce, w pewnym sensie było atrakcyjne.

Wspomniał teraz ostatnie spotkanie z Corą. Przedszkole zawiadomiło policję o nowym siniaku, a on zgłosił się na ochotnika, proponując, że złoży wizytę Julii, chciał bowiem znaleźć się z nią sam na sam. Nie miał wobec niej żadnych niecnych zamiarów, po prostu dobrze się czuł w jej obecności. Powitała go miłym uśmiechem i patrząc znacząco, wpuściła do środka. Stała zbyt blisko niego, wywołując uczucie gorąca na jego karku – był świadom, że jego zachowanie jest nieetyczne, wiedział, że nie powinien się do niej tak zbliżać. Wciąż pamiętał zapach jej perfum, rozgrzewający i zmysłowy, i to, jak rozpaczliwie pragnął sięgnąć ku niej i pocałować ją.

Nie zrobił tego, choć wiedział, że by się nie poskarżyła. Zrobił krok w tył i wpadł plecami na szafkę. Julia nie wybuchnęła śmiechem, posłała mu tylko jeszcze jeden słodki uśmiech. Był nią urzeczony, ślepy na doniesienia przedszkolanek. Miał trzydzieści lat i powinien był być mądrzejszy. Po opuszczeniu domu Julii siedział w samochodzie przez kwadrans, zmuszając się do tego, by odjechać. Gdy w końcu to uczynił, zastanawiał się, czy Julia obserwuje go zza firanki, czy ma nadzieję, że jednak zawróci i ponownie zapuka do jej drzwi.

Trzy tygodnie później Cora nie żyła. Było to szesnaście lat temu, ale ta sprawa miała go prześladować do końca jego dni. Nie zadał pytań, które powinien był zadać. Przyjął za to zaproszenie na kawę i udawał, że są w kawiarni. Rozmawiał z Julią tak jak z dziewczyną na randce – by wywrzeć na niej jak najlepsze wrażenie. Dał się zwieść jej ogładzie i wdziękowi.

Czasami myślał, że to przez tamtą sprawę pozostał kawalerem. Nigdy więcej przed nikim już się tak nie odsłonił. Leila Syed mogła się wydawać kochającą ciotką, ale to nie czyniło jej jeszcze niewinną. Jeśli zamierzyła sobie skrzywdzić to dziecko, Shep doprowadzi do jej ukarania.

Leila siedziała w ciemnej kuchni i patrzyła przez okno. Przyglądała się zwiędłej trawie, która sprawiała wrażenie spalonej nawet teraz, w świetle księżyca. Podlewaniem zajmował się zawsze Will, lecz wyprowadził się przed pięcioma miesiącami i od tamtej pory Leila była zdana tylko na siebie w ich przestronnym domu, który kupili po tym, jak zdobyła pierwszy większy kontrakt. Tacy byli szczęśliwi, biegali od pokoju do pokoju jak dzieci, a Will się huśtał, zaczepiwszy rękami o nadproże. Leila kazała mu przestać, ale ostatecznie tylko wybuchnęła śmiechem, gdy dłonie mu się ześlizgnęły i wylądował na tyłku na podłodze. W euforii decydowali, które pomieszczenie na co przeznaczą: tu gabinet z biblioteką, tam amatorska siłownia, no i oczywiście najbardziej słoneczny pokój dla ich pierworodnego dziecka. Leila traktowała macierzyństwo jako balsam – jeśli uda jej się wychować własne dzieci i zapewnić im miłość, bezpieczeństwo i wygody, których brakowało jej i Yasmin za młodu, może nareszcie jej rany się zagoją. Przy młodszej siostrze dała z siebie wszystko, lecz wcześniejsze złe lata przesłoniły to, co przyszło potem. A widok matki w wannie prześladował ją nieustannie: jej włosy unoszące się na powierzchni wody, przeraźliwa bladość twarzy…

Gdy zyskała prawo opieki nad Yasmin, wynajęła mieszkanie przy Frinton Mews, najtańsze, jakie zdołała znaleźć. Do tej pory pamiętała spędzoną tam pierwszą noc – był środek zimy i musiały na siebie włożyć wszystkie ubrania, jakie miały. Pracowała wtedy popołudniami jako ekspedientka, a w weekendy dorabiała, kelnerując. Do dziś robiło jej się gorąco na wspomnienie wstydu, który jej wtedy towarzyszył. Napychała się frytkami pozostawionymi na talerzu przez klientów, chowała nieopłacone rachunki przed siostrą, musiała nawet dorobić dziurkę w pasku, żeby dżinsy jej nie spadały. Bardzo schudła i stała się koścista.

Łatwiej zrobiło się dopiero wtedy, gdy Yasmin osiągnęła pełnoletność i poszła do pracy w biurze. Dzięki temu udało im się odłożyć nieco grosza, Leila jednak uważała za porażkę to, że nie zapewniła przyszłości swojej siostrze. Dorabiając jako kelnerka, ukończyła studia, a zaraz po dyplomie zaczepiła się w firmie architektonicznej Farrell & White, która poszerzała grono pracowników w ramach programu punktującego różnorodność wśród personelu. Tam trafiła pod skrzydła Eleanor Farrell, surowej z wyglądu i zachowania kobiety, która pchnęła jej karierę na właściwe tory. Leila dochrapała się stanowiska partnera, po czym w wieku dwudziestu ośmiu lat odeszła, aby założyć własną firmę. O dziwo, Eleanor nie forsowała zawartej w umowie klauzuli o zakazie konkurencji, pod warunkiem że Leila nie będzie im podkradać klientów.

W ciągu dziesięciu następnych lat Leila zbudowała od podstaw firmę, która zaczęła odnosić sukcesy. W tym samym czasie Yasmin nie zmieniła pracy ani razu, trzymając się swego szefa, u którego w końcu awansowała na osobistą asystentkę. Szklany sufit nie pozwolił jej się rozwinąć ze względu na brak wykształcenia, Yasmin jednak zdawało się to nie przeszkadzać. Życie okazało się dla niej łaskawe. Poznała rozsądnego mężczyznę, wyszła za mąż i szybko zaszła w ciążę, podczas gdy Leila non stop harowała.

Przez wiele lat próbowała sobie wmówić, że wychowanie Yasmin jej wystarczy, ale tak naprawdę pragnęła założyć własną rodzinę. Brak dziecka odczuwała jako wyrwę, a do tego musiała się tłumaczyć w każdej rozmowie. Ma pani dzieci? Nie? Och, to pewnie nie brakuje pani wolnego czasu! Nawet sobie nie umiem wyobrazić, jak to jest!

Na wieść o ciąży Yasmin ogarnęła ją radość – szczera i czysta radość – lecz zarazem było to jak cios prosto w splot słoneczny, ponieważ ona starała się z Willem o dziecko już od roku. W następnych latach pięć razy próbowali procedury in vitro i przeżyli cztery poronienia. Leżąc w nocy w łóżku,

Leila usiłowała się targować. Zrezygnuję z pracy dla dziecka. Zrezygnuję z pieniędzy dla dziecka. Zrezygnuję z Willa dla dziecka. Rozpaczliwie chciała zostać matką i cierpiała na widok kwitnącej Yasmin, której wszystko przychodziło z taką łatwością. Gryzło ją, że nie może mieć tego samego.

Czy to możliwe, że detektyw wyczuł jej desperację? Czy emanowała z niej niczym odór? Czy ktoś naprawdę mógł myśleć, że doprowadziła do śmierci Maksa celowo? Kierowana szaleńczą zazdrością? Niewykluczone, że była lekko szalona, skoro zrobiła to, co zrobiła. Czyżby zwariowała, nawet nie zdając sobie z tego sprawy?

ROZDZIAŁ 5

Yasmin siedziała w pokoju Maksa, kurczowo trzymając kubek z herbatą, która zdążyła dawno wystygnąć. Powietrze było gęste, oblepiające, przez co miała wrażenie, że siedzi w mokrym płaszczu, oddając wilgoć. Przycisnęła do twarzy kocyk synka i wzięła głęboki wdech, ale ponieważ był świeżo wyprany, pachniał tylko cytrynowym zmiękczaczem do tkanin, przyjemnie, lecz sztucznie. Ta drobna nieżyczliwość losu, ten całkowity brak litości sprawił, że zagotowała się w środku z gniewu. Dlaczego życie tak okrutnie się z nią obchodziło? Rzuciła kocyk na drugą stronę pokoju, ale był tak lekki, że opadł na podłogę bezgłośnie, nie dostarczając jej katharsis, którego pragnęła.

Potrzebowała pomocy i doskonale zdawała sobie sprawę, co będzie, jeśli jej nie poszuka. Nie dając sobie czasu na zastanowienie, wybiegła z pokoju i pośpieszyła na parter, wołając po drodze męża. Rzadko ją słyszał, zamknięty w swoim gabinecie. Zdarzało się, że krzyczała najgłośniej, jak umiała, i czuła narastającą wściekłość, gdy jej nie odpowiadał, choć wiedziała, że nie jest to jego winą.

Zastała go zgarbionego nad laptopem, z potężnym marsem na czole. Kiedy na nią zerknął, była przekonana, że się domyśli, iż coś jest nie tak, że zerwie się na nogi i szybko do niej podejdzie.

On jednak tylko zapytał:

– Wszystko w porządku?

Nijakie zdanie, które ostatnio powtarzał niczym mantrę.

Widząc, że Andrew wraca spojrzeniem do ekranu, przełknęła słowa, które cisnęły się jej na usta. „Nie, nic nie jest w porządku. Potrzebuję pomocy".

– Co robisz? – zapytała, przechodząc na drugą stronę biurka. Odczytała tytuł widniejący na ekranie. *Statystyki dotyczące zgonów niemowląt w autach*. Rysy jej stężały. – Co robisz? – powtórzyła.

Andrew zagryzł wargę.

– Sprawdzałem coś – odparł i wykonał taki ruch, jakby chciał opuścić pokrywę laptopa.

Nie pozwoliła mu jednak na to.

– Co tam wyczytałeś?

Zawahał się.

– Rocznie dziesiątki dzieci są pozostawiane w samochodach przez dorosłych.

Yasmin obrzuciła wzrokiem ekran i wskazała palcem zlepek cyfr.

2019: 52.

– W dwa tysiące dziewiętnastym było to pięćdziesięcioro dwoje dzieci?

– Nie. – Skrzywił się. – Tyle zmarło. W samych Stanach Zjednoczonych.

Przycisnęła pięść do ust, czując nagły chłód na ciele. Ten przerażający fakt nie chciał jej się pomieścić w głowie. Tyle rodzinnych tragedii. Tyle przyszłości wymazanych przez jeden bezsensowny uczynek.

– Pomyślałem, że jej to pomoże – dodał Andrew.

– Jej?

Przewinął stronę do dołu.

– Tutaj jest napisane, że pięćdziesiąt cztery procent dzieci pozostawia się w samochodzie nieumyślnie. Skoro to takie częste, Leila powinna zostać uniewinniona.

Yasmin aż się cofnęła.

– Robisz to dla Leili?

Podniósł na nią spojrzenie.

– Cóż, tak... Ona... – Nagle wyraz jego twarzy się zmienił. Andrew dopiero teraz spostrzegł, że jego żona jest zła. – Według ciebie nie powinienem?

Yasmin sarknęła głośno.

– Andrew, ona zabiła naszego syna.

– Leila wyświadczała mi przysługę – poprawił ją. – To ja powinienem był odwieźć Maksa do żłobka.

Rozsadzała ją frustracja.

– Jakie to ma znaczenie? Jakie znaczenie ma to, czy miałeś, czy nie miałeś go zawieźć? Ona się tego podjęła. Ona powinna była zachować czujność. A rozmawiała sobie przez telefon, Andrew. Rozmawiała przez cholerny telefon!

– Kochanie, my też często dzwonimy do siebie w czasie jazdy.

Energicznie potrząsnęła głową.

– Nie kiedy wieziemy Maksa.

– Kochanie – powtórzył tonem napomnienia.

– Co znowu?! – naskoczyła na niego.

– Wiesz, że to nieprawda.

Zwęziła oczy w szparki.

– Ja nigdy nie korzystam z telefonu, kiedy wiozę nasze dziecko.

Spojrzał na nią błagalnie.

– Nigdy tego nie robię! – powtórzyła z mocą.

– A w ostatni wtorek w drodze do dentysty? – To pytanie było jak policzek.

Yasmin się zawahała, a jej frustracja w końcu znalazła ujście. Pchnęła laptop, który zawisł na krawędzi biurka, a potem przechylił się i spadł na podłogę.

Andrew zerwał się na równe nogi, jakby ktoś go postrzelił.

– Co ty wyprawiasz, do cholery!

– Pierdolony dupek! – Yasmin miała ochotę go uderzyć. – Jak śmiesz mi zarzucać, że narażam naszego syna?

Andrew zacisnął i rozluźnił pięści.

– Niczego takiego nie powiedziałem. Stwierdziłem tylko, że oboje korzystamy z telefonu w czasie jazdy. To wcale nie równa się narażaniu Maksa.

– Właśnie że się równa! – wykrzyknęła. – Równa się!

Zrobił krok do tyłu, jakby przymierzał się do słownego ataku, ale ostatecznie przełknął swój gniew.

– Jak śmiesz mnie tak traktować? – Wycelowała palcem w okno, w stronę domu Leili. – Jak śmiesz bronić ją, a nie mnie?

– Nie to robiłem.

– Właśnie że to! – wrzasnęła przenikliwie. – Twierdzisz, że nie ponosi winy!

– Wcale nie. – Andrew próbował przemówić żonie do rozsądku. – Nic takiego nie mówię. Ja tylko… – urwał i zacisnął szczęki. – To ja miałem zajmować się Maksem. To ja miałem się nim zajmować, a wcisnąłem go jej i... – Wykonał pełen bezradności gest. – Gdybym chciał, gdybym naprawdę chciał, tobym zadzwonił do biura i powiedział, że nie przyjadę. Powiedziałbym, że mam syna pod opieką i że nie mogę przyjechać, ale zamiast tego zadzwoniłem do Leili, bo tak było prościej. Dlatego niesprawiedliwością jest ją obwiniać. Przynajmniej w pewnym sensie.

Yasmin poczuła ukłucie wściekłości.

– Ani mi się waż – powiedziała. – Żadne z was niech się nie waży. Mój syn nie żyje, a wy liczycie na moją wyrozumiałość? Skoro oboje jesteście winni, jeśli o mnie chodzi, oboje możecie iść do diabła!

Andrew zauważalnie się wzdrygnął, a Yasmin poczuła mściwą satysfakcję, widząc, że udało się jej zranić męża, bardzo szybko jednak zadowolenie przeszło w smutek. Zgięła się wpół i padła na kolana, podczas gdy Andrew dalej stał wstrząśnięty jej słowami. Przytknęła głowę do stołowej nogi i złapała się jej oburącz dla podparcia. W takiej pozycji zaczęła wyć – wydawała z siebie głębokie zwierzęce dźwięki przesycone cierpieniem i szałem. Kiedy Andrew podszedł do niej, aby ją pocieszyć, zaczęła opędzać się przed nim wszystkimi kończynami. Nie mówiła przy tym ani słowa, tylko wyła dalej, niezdolna do zapanowania nad przepełniającym ją żalem. Aż dotąd nie miała pojęcia, że ból może być tak silny.

Shep poprawił się na krześle i sięgnął rękami do tyłu, by ustawić oparcie w zwykłej pozycji. Odwróciwszy głowę, odszukał spojrzeniem Melanie, asystentkę zespołu.

– Kto znowu siedział przy moim biurku? – zawołał.

Nie doczekawszy się odpowiedzi, zrobił marsową minę i dalej majstrował przy oparciu. Był w paskudnym nastroju.

Przez cały weekend nie mógł spać, częściowo z powodu psa sąsiadów, który ujadał do bladego świtu, a częściowo przez to, co go uwierało, choć nie umiał sprecyzować, w czym dokładnie rzecz.

Żuł koniuszek ołówka, smakując żywe drewno w ustach. Przestał, poczuwszy chłód ołowiu na języku, i odłożył ołówek na blat. Służył w policji wystarczająco długo, aby wiedzieć, że pewnych rzeczy się nie robi. Mając podejrzanego i mając motyw, nie warto węszyć dalej. A jednak coś go męczyło w związku z rodzicami małego Maksa. Nieraz wracał myślami do swojej wizyty w ich domu minionego tygodnia i usiłował ustalić, o co może chodzić.

Gdy wreszcie skończył walczyć z krzesłem, odchylił się na oparcie i przymknąwszy oczy, wyobraził sobie, że idzie korytarzem. Koledzy śmieli się z niego, ilekroć to robił, żartowali, że zagłębia się w „pałac pamięci" jak nieszczęsny Sherlock Holmes, ale to naprawdę pomagało mu się skoncentrować i przypomnieć sobie o sprawach, które przeoczył na bieżąco. Minął zatem przedpokój Hanssonów i wkroczył do jasno oświetlonego salonu połączonego z kuchnią. Rzucił okiem na ogród, zauważając schludnie wycięte drzwiczki dla kota w prawym dolnym rogu tylnych drzwi. Spróbował sobie przypomnieć, czy zobaczył cokolwiek innego, co by wskazywało na obecność kota w tamtym domu: drapak, miseczkę na wodę czy kuwetę. A może po prostu nie mieli już kota?

Co jeszcze? Obrzucił wzrokiem gzyms kominka i wszystkie pamiątki oraz zdjęcia. Te ostatnie przedstawiały szczęśliwą rodzinę. Na jednej fotografii Yasmin trzymała Maksa na ręku. Chociaż Shep sam nie miał dzieci, obracał się wśród mężczyzn z rodzinami i wiedział dość, aby ocenić wiek chłopca na jakieś dwa lata. Czyli zdjęcie zostało zrobione rok temu.

Otworzył oczy i zmarszczył czoło. Yasmin na zdjęciu miała włosy ścięte na pazia, opadały jej lśniącą kaskadą aż do brody. Gdy ją widział w ubiegłym tygodniu, jej włosy były długie do pasa. Czy to możliwe, aby włosy kobiety urosły jakieś czterdzieści centymetrów w rok? Przebiegł palcami klawiaturę, zanosząc pytanie do wujka Google. Odpowiedź była jednoznaczna: kobiece włosy przyrastają średnio o piętnaście centymetrów rocznie. Nie było mowy, żeby to zdjęcie pochodziło sprzed dwunastu miesięcy, dlaczego jednak chłopiec nie urósł?

Nagle w jego głowie pojawiła się pewna myśl i Shepa ogarnęło przeczucie, które postawiło dęba włosy na jego karku. Złapał za myszkę i otworzył bazę danych Urzędu Stanu Cywilnego, która obejmowała wszystkie urodzenia, zgony i małżeństwa na terenie Anglii i Walii. Wpisał nazwisko matki i datę urodzin. Przewinął stronę w dół, mając nadzieję, że się myli, wtem jednak to zobaczył.

– Jezu Chryste…

Przejrzał wpis, czując się tak, jakby w żołądku miał kamień. Tydzień dopiero się zaczął, a tu od razu coś takiego. Prokurator mu za to nie podziękuje, ale skoro już się tego dowiedział, nie mógł udawać, że tak się nie stało. Przetarł twarz dłonią i złapał za uchwyt torby.

– Wrócę później – zawołał do Melanie, po czym ze stękiem ruszył do samochodu.

Leila szła do biura z przystanku autobusowego, ponieważ jej mini cooper nadal był w posiadaniu policji. Stopy miała spocone, materiał balerinek zdawał się kurczyć pod wpływem wysokiej temperatury. Na mankiecie białej bluzki zauważyła ciemną plamę i natychmiast sobie uświadomiła, jak brudne bywają londyńskie autobusy. Nagle poczuła się tak, jakby całą jej skórę powlekał tłuszcz.

Znalazłszy się w budynku, pomaszerowała prosto do windy i tam dyskretnie zmieniła obuwie. Gdy drzwi rozsunęły się na czwartym piętrze, uniosła wyżej głowę i ruszyła korytarzem w stronę swojego narożnego gabinetu. Wszyscy współpracownicy zamilkli jak jeden mąż; po chwili kilka osób dzielnie próbowało podjąć przerwany wątek, lecz ciąg dalszy ich rozmowy wypadł nienaturalnie.

Leila usiadła za biurkiem, po czym za pomocą guzika opuściła żaluzje, odcinając się w ten sposób od ciekawskich spojrzeń. Osunęła się na krześle i objęła rękami głowę, uważając, aby nie zniszczyć makijażu. Przygotowania do wyjścia zajęły jej dziś wyjątkowo dużo czasu: szczoteczka do tuszowania rzęs omsknęła się na prawy policzek, pozostawiając czarną smugę, a szminka uparcie wylewała się poza kontur ust. Do tego fryzura, zamiast dać się ułożyć, stawała wicherkiem. Leila zamierzała się pojawić w pracy przed wszystkimi, lecz co rusz musiała zaczynać od nowa.

Włączyła komputer. Zwykle to Suki ją logowała, ale dzisiaj najwyraźniej założyła, że szefowa nie przyjdzie. Wezwała asystentkę i poprosiła o kawę, po czym przejrzała nagłówki. Najpierw „Architectural Review" i „Metropolis", a potem „Guardiana". Jej wzrok przyciągnął tytuł na pionowym pasku: *Londyńska architektka oskarżona o zabójstwo siostrzeńca*. Oddech jej się spłycił. Te słowa były takie bezpośrednie, tak bardzo brakowało im zniuansowania. Gapiła się na nie, aż straciły wszelkie znaczenie. W końcu drżącą ręką kliknęła w link.

Artykuł był ubogi w szczegóły, lecz padło w nim zdanie o „promieniach słońca koncentrowanych przez szklany budynek niczym przez soczewkę w środku upalnego lata". Kiedy je przeczytała, poczuła smak żółci w ustach. Sięgnęła po chusteczkę, żeby otrzeć pot z górnej wargi, i aż podskoczyła, gdy rozległo się pukanie do drzwi.

Suki ostrożnie weszła do środka i postawiła kawę przed Leilą. Była utalentowaną i kompetentną kobietą, właściwym człowiekiem na właściwym miejscu, lecz jej potulność bywała irytująca. Teraz zawahała się z wyjściem.

– Masz coś do mnie? – zapytała Leila, podnosząc na nią wzrok.

Suki przestąpiła z nogi na nogę.

– Nie, chciałam się tylko upewnić, że nie potrzebujesz nic więcej.

Leila uśmiechnęła się do niej zdawkowo.

– To na razie wszystko.

Zaczekała, aż asystentka wyjdzie, i zgarbiła się na krześle.

„Czy naprawdę dam radę? – zapytała się w duchu. – Czy zdołam siedzieć tu, zawiadywać firmą i udawać, że nic się nie stało?".

Słysząc, że znów ktoś puka, zazgrzytała zębami ze złości, gotowa kąsać, ale okazało się, że to jej partner. Robert Gardner wszedł do środka i pytającym gestem wskazał fotel.

W odpowiedzi kiwnęła głową.

– Napijesz się kawy?

Pomknął wzrokiem do karafki z whisky, którą Leila trzymała za biurkiem. Sama nie piła, lecz traktowała alkohol jako część scenografii.

Jestem jedną z was – zdawała się sygnalizować w obliczu mężczyzn, którzy odwiedzali jej biuro. – Możecie mi zaufać.

– Nie, dziękuję – odparł, machając ręką.

Skinęła głową dostojnie.

– Miło z twojej strony, że wpadłeś.

Posłał jej szelmowski uśmiech. Często żartowali sobie z tego, że Robert tylko z rzadka pokazuje się w biurze, cedując większość obowiązków na swojego zastępcę Gilesa. Nie żeby był leniwy, po prostu nie przepadał za pracą. Lubił powtarzać, że czterdzieści pięć lat to idealny wiek, aby połowicznie przejść na emeryturę.

– Pomyślałem, że roztropnie będzie zajrzeć. – Postukał palcami dębowy blat biurka, zastanawiając się, jaka powinna być jego następna kwestia. – Jak się czujesz? – zapytał w końcu.

Posłała mu powątpiewające spojrzenie. Robert był jedną z najmniej sentymentalnych osób, jakie znała.

– Naprawdę o to chciałeś zapytać?

Posłusznie pokręcił głową.

– Uważasz, że to dobry pomysł... być tutaj?

– Co przez to rozumiesz?

Podrapał się po karku, wyraźnie skrępowany.

– Mija tydzień od... tego, co się stało. Nie powinnaś odpocząć dłużej?

Ostrość w jego głosie nie uszła jej uwagi.

– To pytanie czy polecenie?

– Nigdy nie mówię ci, co masz robić, Leila. Przecież wiesz.

– Więc o co ci chodzi?

Z westchnieniem zarzucił próby dyplomacji.

– O Mercers Bank. Jestem zdania, że Giles powinien cię wyręczyć przy tym projekcie.

Leila się zdumiała. Giles Salter był pierwszym nabytkiem Roberta po założeniu firmy. Zawsze stał za blisko niej, kiedy patrzył na ekran jej komputera, i pozwalał sobie na lekki ton, mimo że była jego szefową. Na własnej skórze się przekonała, że ilekroć wchodzili do sali konferencyjnej razem i klienci zwracali się w pierwszej kolejności do niego, jakby to on był szefem, nigdy nie wyprowadzał ich z błędu. Na przestrzeni lat Leila często spierała się z Robertem, czy nie powinni pozbyć się Gilesa.

Robert wyczuł jej niepokój.

– Zanim cokolwiek powiesz, wysłuchaj mnie. Wiem, że go nie lubisz, ale to on zarobił dla nas dwa miliony w tym roku, a mamy dopiero lipiec. Klienci go uwielbiają, a on sam haruje jak wół. – Wyczuwając jej protest, uniósł rękę, aby mu nie przerywała. – Z tego, co rozumiem, rozprawa ma się odbyć w grudniu, czyli za pięć miesięcy. Jeśli pozostaniesz przy tym projekcie, co poczniemy w przyszłym roku?

– Znajdziemy wtedy zastępstwo, jeśli zajdzie taka potrzeba.

Robert zacmokał zniecierpliwiony.

– Sama wiesza najlepiej, jak łatwo odstraszyć takiego klienta. Najmniejsza oznaka kłopotów i wypadniemy z gry.

– Do tego czasu podpiszemy kontrakt.

Przechylił głowę.

– Leila, nie bądź naiwna. Urabianie ich może potrwać rok. Jeśli zwąchają, że jesteś zamieszana w sprawę kryminalną, wystawią nas i pójdą do którejś z firm działających na rynku dłużej niż my. Musimy myśleć o naszym biznesie.

– Co w takim razie proponujesz? Mam się opiekować stażystami? A może zacznę piec ciasteczka?

Oparł się łokciami o blat.

– Proponuję, abyś wzięła urlop. Płatny oczywiście.

Pochyliła się w jego stronę i także wsparła łokciami o biurko.

– A jeśli odmówię?

Przyglądał się jej przez chwilę, po czym powiedział powoli:

– Jeśli odmówisz… powołam się na klauzulę o reputacji.

Popatrzyła na niego z niedowierzaniem.

– Nie odważyłbyś się. – Na zewnątrz zachowała opanowanie, ale w środku czuła narastającą panikę. Nie mieściło jej się w głowie, że jej długoletni partner w interesach nagle grozi jej odsunięciem.

– Przede wszystkim bardzo bym tego nie chciał. – Robert wyzywająco zadarł głowę. – Ale odwagi mi nie zabraknie.

– Robercie... – zaczęła spokojnie, wiedząc, że to on jest górą. Zważywszy, jak poważne było oskarżenie oraz że Leila stanie przed sądem, mógłby bez trudu wykazać, że naraziła firmę na utratę dobrego imienia i nie jest godna stanowiska partnera. – Jak możesz w ogóle brać to pod uwagę?

– Leila, szanuję cię bardziej niż kogokolwiek, z kim pracowałem, ale czasami... Czasami człowiek wymaga ochrony przed sobą samym. – Urwał i splótł palce. – Pamiętasz nasz trzeci rok? Gdzie byłbym teraz, gdybyś wtedy nie interweniowała? – Ruchem brody wskazał karafkę. – Czy nie zagroziłaś mi tym samym?

Poczerwieniała na twarzy.

– Czyli co? Chcesz mi teraz odpłacić?

– Nie – rzekł z naciskiem. – Chcę chronić firmę. Proszę cię tylko o to, żebyś skorzystała z urlopu.

Walczyła ze sobą, aby nie dać się ponieść emocjom. Z doświadczenia wiedziała bowiem, że zawsze lepiej zachować pozory dobrych manier, niż zrobić sobie niepotrzebnie wroga.

– Nie pójdę na urlop – oświadczyła. – Mogę pracować zdalnie.

Rozważył jej kontrpropozycję.

– Zgoda. Ale nie będziesz się wychylać?

– Oczywiście, że nie – obiecała z lodowatym uśmiechem.

Robert odetchnął z ulgą.

– Dziękuję. I... naprawdę mi przykro.

– Czyżby?

Wstał i wygładził na sobie spodnie.

– Bardziej, niż myślisz.

Po tych słowach skinął jej głową ponuro, odwrócił się i wyszedł, cicho zamykając za sobą drzwi.

Leila skurczyła się w sobie, nagle tracąc całą dotychczasową twardość. Po raz pierwszy w życiu stanęła przed ścianą i nie wiedziała, co dalej. Jej małżeństwo się rozpadło, jej rodzina pogrążyła się w chaosie, a teraz odebrano jej ostatnią rzecz, której mogła się uczepić, aby nie pójść na dno.

Shep zapukał do drzwi i przywołał na twarz smutny uśmiech. Nasłuchiwał, czy z drugiej strony dolecą jakieś odgłosy, i po około minucie faktycznie rozległy się kroki – zdecydowane, a nawet dziarskie. W progu stanął Andrew Hansson. Shep w jego postawie dopatrzył się znamion złości, skrywanych jednak pod maską kordialności.

– Pan sierżant? – Gospodarz odezwał się uprzejmie, choć pozwolił sobie na nutę zdziwienia, aby zataić gniew.

– Dzień dobry, panie Hansson. – Shep wyciągnął rękę na powitanie i zaraz się poprawił: – Panie Andrew. Bardzo przepraszam za to najście. Czy poświęci mi pan chwilę?

Andrew obejrzał się przez ramię.

– Co mogę dla pana zrobić?

Shep wskazał ręką wnętrze domu.

– Chciałbym tylko zadać panu i pańskiej żonie kilka pytań pomocniczych.

Zamilkł, żeby nie zaalarmować Hanssona. Potrzebował obecności obojga, aby móc porównać ich reakcje.

Andrew otworzył szerzej drzwi.

– Oczywiście.

Shep przekroczył próg i nie czekając na zaproszenie, skierował się do kuchni, gdzie jak wiedział, zobaczy interesujące go zdjęcie. Yasmin stała oparta o kuchenny blat, ubrana w czarne legginsy i zbyt obszerny szary sweter. Obserwując ją spod oka, Shep spostrzegł, że jest ładniejsza od siostry, lecz brak jej aury nieprzeniknioności, która czyniła Leilę tak intrygującą. Zaczekał, aż małżonkowie usiądą, co też zrobili, zajmując miejsca jedno obok drugiego, jakby chcieli dać mu do zrozumienia, że trzymają wspólny front.

Usiadł naprzeciwko nich. A potem obrócił się i pokazał palcem zdjęcie za swoimi plecami.

– Mogę?

Yasmin potaknęła, przy czym jej ładną buzię oszpecił przelotny grymas.

Shep sięgnął po fotografię, zostawiając na gzymsie kominka czysty ślad we wszędobylskim kurzu. Ustawił ramkę na stole bokiem, tak że wszyscy troje ją widzieli, i wskazał na dziecko.

– Kto to?

Przez twarz Yasmin przemknął cień. Objęła się ramionami, jakby nie chciała się rozpaść. Andrew wpatrzył się w zdjęcie, przełknął raz, potem drugi, z twarzą wykrzywioną w dziwnym grymasie.

Shep przyglądał im się, ale nic nie mówił. Pozwolił, by cisza przeciągnęła się ponad miarę.

W końcu Andrew odchrząknął i powiedział:

– To nasz syn, Toby.

Shep poczuł szybsze bicie serca – intuicja go nie zawiodła.

– Co się z nim stało?

Andrew bezgłośnie wciągnął powietrze do płuc.

– Zmarł.

Shep odczekał moment, aby w jego głosie nie dało się wyczuć podejrzliwości, gdy pytał:

– Kiedy?

– Cztery lata temu.

– Ile miał lat?

Andrew poprawił się na krześle.

– Trzy.

– Był w tym samym wieku co Maks?

– Tak.

Shep przeniósł spojrzenie na Yasmin. Oczy miała wbite w drewniany blat, jakby siedziała w kuchni sama.

– W jaki sposób odszedł?

– Wszystko znajduje się w dokumentacji medycznej – wydusił Andrew z pulsującą mu na skroni żyłą.

Shep zmarkotniał, jak gdyby to, że musi drążyć ten temat, sprawiało mu przykrość.

– Wiem to oczywiście, ale jednak chciałbym usłyszeć o wszystkim od was.

Yasmin ani drgnęła. Spojrzenie miała zamglone, może nawet nie słyszała jego pytania.

Andrew ujął w dłonie pustą szklankę z rżniętego kryształu i ścisnął ją mocno, jakby chciał ją zgnieść.

– Toby urodził się w dwa tysiące czternastym roku. Był naszym pierwszym dzieckiem. Jego przyjście na świat uszczęśliwiło nas ogromnie. – Wygiął wargi w gorzko-słodkim uśmiechu. – Mimo że byliśmy bez grosza przy duszy. Mieszkaliśmy na obrzeżach Londynu, w Leyton, w mieszkaniu hulały przeciągi i musieliśmy na okrągło używać grzejnika elektrycznego. Hałas zza okien był nie do opisania. Ale byliśmy szczęśliwi.

Toby był takim ładnym dzieckiem. Wiem, że wszyscy rodzice mówią tak o swoich dzieciach, ale on naprawdę był śliczny. Każdy to powtarzał. Pierwsze dni były zaskakująco łatwe. – Zerknął na żonę. – Yasmin uwielbiała rolę matki. Wręcz... promieniała. Pewnego dnia zauważyliśmy coś dziwnego: zmienioną skórę Toby'ego w miejscach, gdzie dotykało jej ubranko. Ranki się jątrzyły, aż w końcu dowiedzieliśmy się, że nasz syn cierpi na pęcherzowe oddzielanie się naskórka. – Andrew przejechał dłonią po twarzy. – To poważne schorzenie dermatologiczne, inaczej epidermoliza pęcherzowa. Może pan sprawdzić. Nie potrafię... – Potrząsnął głową, niezdolny podać więcej szczegółów. – Zmarł na sepsę w wieku trzech lat. W taki sposób odszedł Toby.

Obserwując go uważnie, Shep poczuł wewnątrz pustkę. Liczył na oznakę wyrzutów sumienia, tymczasem zobaczył tylko czystą rozpacz.

Andrew podjął sam z siebie:

– Gdy moja żona znowu zaszła w ciążę, lekarz powiedział nam, że istnieje dwudziestopięcioprocentowe ryzyko, że nasze drugie dziecko będzie chorować na epidermolizę pęcherzową, ponieważ oboje jesteśmy nosicielami tego genu. Bardzo się baliśmy, ale Maks urodził się... idealny. – Wzruszenie złapało go za gardło.

Yasmin nie zmieniła pozycji, siedziała z rękami opartymi na udach, pozornie nieporuszona.

– Przykro mi, że skłoniłem was do przywołania tych wspomnień – powiedział Shep. Zastanowił się, jak najdelikatniej zadać następne pytanie. – Dlaczego nie napomknęliście o Tobym wcześniej?

Andrew zesztywniał.

– A powinniśmy byli? – Pobiegł spojrzeniem do żony, a potem na powrót wbił wzrok w policjanta. – Przecież wszystko zostało odnotowane.

Shep rozpoznał nutę udręki w jego głosie. Nie był to ton przestępcy, lecz niewinnego człowieka, który się obawia, że niechcący złamał prawo.

– Nie, nic się nie stało – zapewnił. – A czy zechcielibyście udostępnić nam dokumentację medyczną Toby'ego?

Andrew skinął głową i bez słowa podpisał podsunięte mu oświadczenie.

– Muszę pana ostrzec, sierżancie. Jest tam dużo zdjęć i większość z nich… – poszukał odpowiedniego słowa – przeraża.

– Rozumiem – potaknął Shep. – Chodzi mi tylko o potwierdzenie paru faktów.

Rozmowa się urwała i po chwili Shep zdał sobie sprawę, że nadużywa cierpliwości gospodarzy. Zebrał więc papiery i wyrównał stosik.

– Proszę mi wybaczyć to najście. Już zostawiam was samych.

Andrew wstał i poprowadził detektywa do wyjścia.

W progu Shep przystanął i wskazując w stronę kuchni, zapytał:

– Czy z pańską żoną wszystko dobrze?

– Tak. – Odpowiedź nadeszła błyskawicznie. Andrew otworzył drzwi i zaczekał, aż Shep wyjdzie na zewnątrz. – Żegnam, sierżancie.

Wracając do swojego samochodu, Shep skrzywił się z powodu gorąca. Sięgnął do przepoconego kołnierzyka i szarpnął, żeby poluzować krawat. Przepełniał go smutek. Yasmin Syed i Andrew Hansson stracili obu synów – i jak się zdawało, nie było w tym ich winy. Trudno mu było uwierzyć w takie okrucieństwo losu. Już w samochodzie przymknął oczy, poddając się kojącemu szumowi klimatyzacji.

„Nic się nie stanie, jeśli odpocznę przez chwilę albo dwie", pomyślał.

Leila wykładała produkty na taśmę: opakowanie ravioli tylko do podgrzania, mrożone warzywa na patelnię, zielone papryczki chili, jaskrawoczerwony sos pomidorowy. Ustawiła wszystko tak, by boki były równolegle do siebie. Cały dzień musiała ze sobą walczyć, żeby wszystkiego nie poprawiać; ręce same jej latały. Po rozmowie z Robertem wróciła do domu, gdzie snuła się bez celu jak zerwana z cumy łódź unosząca się na falach. Czuła ociężałość, która groziła jej zatonięciem, gdyby się zatrzymała. Wybrała się na przebieżkę w trzydziestostopniowym upale i choć trochę jej to pomogło, efekt nie był długotrwały. W końcu, pod wieczór, gdy zaczęło ją nosić, poszła do sklepu sieci Waitrose po artykuły spożywcze, których nie potrzebowała.

Kasjerka powitała ją ciepło. Była to pulchna kobieta z aureolą siwych kręconych włosów. Uśmiechała się, kasując każdą kolejną rzecz, jakby wyczuła w klientce słabość i chciała zaofe-rować jej wsparcie. Życzliwość obcej osoby sprawiła, że w Leili puściła tama. Poczuła gorąco na ciele, a potem rozpłakała się cicho. Kasjerka przerwała skanowanie i wpatrzyła się w nią.

– Ojej. – Rozejrzała się wkoło, szukając pomocy.

Leila uniosła dłoń, zawstydzona, że straciła panowanie nad sobą.

– Co się stało, złociutka? Potrzebujesz pomocy?

Macierzyński ton kobiety sprawił, że Leila na dobre się rozkleiła. Przejechała opuszką wzdłuż dolnych powiek, żeby pozbyć się łez.

– Przepraszam – wydusiła z siebie, pakując rzeczy. – Nic mi nie jest.

– Może kogoś wezwać?

– Nie, nie trzeba, naprawdę. – Wskazała dwa ostatnie produkty na taśmie i kasjerka skasowała je sprawnie.

– To minie, złociutka – obiecała. – Masz moje słowo.

Leila zapłaciła w pośpiechu i opuściła sklep. Na zewnątrz rozejrzała się w poszukiwaniu jakiegoś ustronnego miejsca, lecz parking był duży i otwarty, bez żadnych zabudowań. Nie mając innego wyjścia, odwróciła się twarzą do ściany i zaniosła płaczem. Próbowała wziąć się w garść, ale jej ramionami raz po raz wstrząsał szloch. W tamtej chwili rozpaczliwie pragnęła mieć matkę albo ciotkę, do której mogłaby się zwrócić, niestety w ich rodzinie nie było żadnej starszej wiekiem osoby – tylko one dwie, Yasmin i Leila.

Wszystko przez tę łagodność kasjerki, gdyby nie ona...

– Leila? – usłyszała nagle za plecami.

Gdy się odwróciła, zobaczyła Willa. Stał na krawężniku. Na widok jej łez zbliżył się do niej odruchowo.

– Och, skarbie... – Objął ją ciasno.

Wtuliła się w niego, chcąc stłumić łkanie.

– Co ty tutaj robisz? – zapytała wciąż przez łzy.

Poczuła, że w odpowiedzi wzrusza ramionami.

– Zamierzałem cię odwiedzić. Po drodze postanowiłem coś kupić.

– Gdzie się w ogóle podziewałeś?

Uświadomiła sobie, że jest na niego zła. Nie miała prawa się domagać, aby poświęcał jej swój czas, po rozmowie w minionym tygodniu jednak spodziewała się, że będzie blisko niej. Tymczasem on tylko przysłał jej parę zdawkowych esemesów.

Teraz objął ją jeszcze ciaśniej.

– Wybacz. Myślałem o tobie, ale praca ciągle wchodziła mi w paradę.

– Wrócisz ze mną do domu? – Z jej głosu przebijała potrzeba.

Pocałował ją we włosy na wysokości ucha.

– Oczywiście.

Wsparła się o niego, kiedy szli, palcami oplotła jego przegub, na wypadek gdyby miał się nagle oddalić. Will gładził jej dłoń wolną ręką i szeptał do ucha uspokajające słowa, dopóki nie doszli do Tredegar Square. Leila spojrzała w głąb ulicy, aż do rogu, za którym stał dom jej siostry.

– Mieszkają tak blisko. Mam wrażenie, że nigdy od tego nie ucieknę.

– Wiem, kochana... – Poprowadził ją do środka, a tam prosto do kuchni, gdzie odstawił na blat torbę z zakupami. – Przepraszam, że cię zaniedbałem. Mój redaktor, on... – Na widok miny Leili tylko machnął ręką. – To bez znaczenia. Najważniejsze, że jestem tu z tobą.

Przygarnął ją do siebie i przez chwilę stali tak niezręcznie, w pozie zarezerwowanej dla par, które nie rozstały się do końca.

Leila odsunęła się od niego lekko.

– Rozpłakałam się w sklepie. Tuż zanim się pojawiłeś.

– Och, najdroższa... – Nadal trzymając ją jedną ręką, sięgnął po chusteczkę higieniczną z metalicznego pojemnika, drugą nadal ją trzymając.

Złapała chusteczkę w garść.

– Ja po prostu... Chodziłam bez celu, bo to jedyne, na co mnie w tej chwili stać, i w pewnym momencie weszłam do sklepu, a ta kasjerka okazała mi życzliwość i... po prostu ugięłam się pod tym wszystkim.

Will ujął ją pod brodę.

– Zawsze wszystko robiłaś po swojemu.

Podniosła oczy, z których wyzierała tęsknota.

– Brakuje mi ciebie.

Spuścił wzrok.

– Mnie ciebie także – powiedział. Zamarli w milczącym bezruchu. W końcu, przerywając milczenie, Will wskazał krzesło. – Siadaj. Zrobię kolację.

Chętnie usłuchała, nagle spokojniejsza dzięki jego obecności. Przyglądała się, jak mąż zaczyna się krzątać w kuchni, którą tak dobrze znał. W pierwszej kolejności rozpakował zakupy i z pełnym rezerwy cmoknięciem odłożył gotowe danie do zamrażalnika. Następnie wybrał najdojrzalsze warzywa i umieścił je rządkiem na blacie. Will lubił gotować, a jego delikatne potrawy zaprzeczały wizerunkowi samca alfa, na jakiego się kreował. Yasmin, która również była smakoszką, przychodziła czasami gotować z nim, wzdychając zawsze do sześciopalnikowej kuchenki i ogromnej lodówki w amerykańskim stylu. Przy tych okazjach Leila i Andrew wymieniali znaczące spojrzenia, podczas gdy ich partnerzy zawzięcie analizowali jakąś kulinarną błahostkę: czy łososia przyrządzić sous vide na ostro, czy raczej w piekarniku, owiniętego liściem bananowca. Każdorazowo był to bardzo udany, pełen rodzinnego ciepła wieczór i jako taki obecnie nie mógł się nie wydawać odleglejszy.

Will przyszykował proste danie z makaronu z szałwią i oliwą truflową. Zlustrowawszy stojak z winami, wybrał butelkę białego i postawił na stole. Gdy zasiedli przy świecach do posiłku, przyjrzał się żonie otwarcie.

– Jest ci ciężko – raczej stwierdził, niż zapytał.

– Ja... – Czuła się tak, jakby wszystkie nerwy miała odsłonięte albo jakby jej emocje kotłowały się tuż pod skórą.

Wystarczyło lekkie zadrapanie, aby wypłynęły na zewnątrz. – Nie mogę wyrzucić z pamięci tamtego ranka.

– Porozmawiamy o tym? – zaproponował łagodnie.

– Mam w głowie pustkę... – Zaczęła zwijać serwetkę w harmonijkę. – Nieustannie myślę o tym, co się stało, i dochodzę do wniosku, że wcale nie poszło o telefon z biura. Ledwie trafił do mojego samochodu, zapomniałam o nim. Absorbowało mnie spotkanie z klientem, plany budynku i to, czy wieczorem znajdę czas na przebieżkę. Ani razu nie pomyślałam o nim. Jakby mnie coś wyłączyło.

Will upił łyk wina, nie spuszczając z niej oka.

Leila wykonała bezradny gest.

– Gdyby się poruszył, wydał jakiś dźwięk, zrobił cokolwiek, wtedy bym sobie o nim przypomniała. Ale on pozostał taki nieruchomy, taki cichy, że zwyczajnie... zapomniałam.

Mąż wyciągnął rękę i ujął jej dłoń, jak zwykle odrobinę zbyt mocno.

– Co poczułaś, kiedy zdałaś sobie z tego sprawę?

Dłoń zaczęła jej się pocić w jego uścisku, dlatego delikatnie się oswobodziła.

– Panikę. Dudniła mi w uszach, oślepiała oczy. Wiedziałam, zanim otworzyłam drzwi. Całe moje wnętrze krzyczało. – Spięła się zauważalnie. – Wciąż nie wierzę, że to zrobiłam.

– To nie była twoja wina, Leilo. – Przesunął się ku niej z krzesłem, szorując nogami o dębową podłogę. – Hej, spójrz na mnie. – Odczekawszy, aż to zrobi, powtórzył: – To nie była twoja wina.

Prychnęła.

– Przeciwnie.

W jego oczach coś się pojawiło, coś jakby gniew albo podobne do niego uczucie.

– Nie. – Pokręcił głową. – Wyświadczałaś im przysługę. Pewnie ty tego tak nie widzisz, ale byłaś wykorzystywana.

– Nie, Will. Oni…

– Wykorzystywali cię. Wykorzystywali bez końca. Najpierw przenieśli się przecznicę stąd, żebyś była pod ręką, i do tego jeszcze zrobili to za twoje pieniądze. A Andrew w tym czasie kupił sobie samochód, którego wcale nie potrzebował.

– Will…

Zignorował ją.

– Potem tydzień w tydzień prosili cię, żebyś posiedziała z Maksem, wiedząc, jakie to dla ciebie bolesne.

– Wcale tego nie wiedzieli.

– Oczywiście, że wiedzieli! Od lat staraliśmy się o dziecko. Jak mogliby się nie domyślić, że opieka nad ich synem przysparza ci cierpienia? Słuchanie jego płaczu za matką, którą kochał najbardziej na świecie; świadomość, że ty nigdy mu nie wystarczysz.

– Przestań – ucięła.

Nie chciała tego słuchać, choć zdawała sobie sprawę, że jej mąż ma rację. Istotnie były chwile, gdy przebywanie z Maksem okazywało się ponad jej siły, aczkolwiek nie była to wina Yasmin. Może faktycznie ją wykorzystywali od czasu do czasu, ale czy nie po to ma się krewnych?

Will odgarnął kosmyk włosów z jej twarzy.

– Wyświadczałaś im przysługę. Andrew nie musiał stawić się w pracy natychmiast, o czym doskonale wie, uznał jednak, że podrzucenie Maksa tobie jest łatwiejszym rozwiązaniem niż postawienie się szefowi. To on jest winny, nie ty.

Leila milczała, ponieważ tak było prościej, niż wyznać prawdę. Musiała wziąć na siebie winę. Musiała się samobiczować.

Rozmawiali przez dłuższy czas, gdy ostatnie promienie słońca przesuwały się na kuchennej ścianie, aż całkiem zniknęły. Nawet gdy zrobiło się zupełnie ciemno, żadne z nich nie wstało, żeby zapalić światło. Will wlał resztkę wina do jej kieliszka i zapytał:

– Mogę zostać na noc?

Nie odpowiedziała od razu.

– To chyba niezbyt dobry pomysł.

– Proszę.

– Daj spokój, Will! – rzuciła z lekkim wyrzutem.

Przechylił błagalnie głowę.

– Nie dziś. – Wypowiedzenie tych dwóch słów kosztowało ją wiele siły.

Will podniósł się niechętnie.

– W porządku, skoro tego właśnie chcesz.

Został jeszcze przez moment, by pocałować ją w usta, jedną rękę trzymając w dole jej pleców, a drugą mierzwiąc jej włosy.

Odetchnęła głębiej, czując przypływ dawnych uczuć.

– Will... kiedy będzie już po wszystkim, porozmawiasz ze mną?

Kiwnął głową czule.

– Bardzo chętnie.

Pocałował ją ponownie i wyszedł.

Leila włożyła naczynia do zmywarki, a następnie z kieliszkiem wina przeniosła się na sofę w salonie. Wciąż mając w pamięci kasjerkę ze sklepu, przez którą się rozkleiła, ponownie pomyślała o matce. Zaraz jednak uświadomiła sobie bolesną prawdę: matka w niczym by jej nie pomogła. Była lekkomyślna, uwielbiała intrygi i szwindle. Dwunastoletnia Leila usłyszała od niej, że w kolejnym roku polecą do Kanady pierwszą klasą. Zbyt młode, aby jej nie uwierzyć, Leila i Yasmin wiele miesięcy spędziły na planowaniu, co tam zobaczą (misie polarne) i co będą robić (jeździć na sankach i na nartach). Nie miały oczywiście pojęcia, że matka przystąpiła do programu pracy zdalnej, który w rzeczywistości był przykrywką dla piramidy finansowej. Gdy pocztą otrzymała czek na trzy funty, wpadła w dołek. Tak to eufemistycznie nazywały: dołek. Ilekroć w niego wpadała, całymi dniami leżała po ciemku przy zaciągniętych zasłonach, uciszała każdy, nawet najdrobniejszy hałas i skarżyła się na migrenę.

Kiedy umarła, koroner uznał jej śmierć za samobójstwo. Leila do dziś pamiętała, że przydzielony z urzędu terapeuta radził jej nie mówić „moja matka popełniła samobójstwo", ponieważ niewiele się to różniło od popełnienia przestępstwa. Leila była wzburzona. Czyż nie było przestępstwem pozostawienie własnych dzieci na pastwę losu?

Dopiła wino.

Co za tragedia, pomyślała. Najpierw byłyśmy dziećmi bez matki, a teraz jesteśmy matkami bez dzieci.

Ta myśl wywołała w niej coś w rodzaju paraliżu. Wyciągnęła się na sofie, niezdolna znaleźć w sobie siły, aby choć zmienić pozycję. Po paru minutach – a może po paru godzinach – odpięła spódnicę i zsunąwszy ją z siebie, odwiesiła na oparcie sofy. Przykryła się narzutą i zapadła w półsen. Postanowiła, że nazajutrz umówi wizytę u terapeuty. Dla Yasmin. Znała kilkoro specjalistów, którzy powinni być w stanie pomóc. Zrobi wszystko, aby jej siostra to przetrwała. Aby wyszła z tego cało.

Yasmin patrzyła na odciski widniejące na ścianie: miniaturowej dłoni noworodka, później rozmazanej jednolatka, za którymi znalazły się jeszcze dwa, odciśnięte z okazji drugich i trzecich urodzin. Był to jedyny ślad, jaki pozostał w tym miejscu po Tobym. Gdy odnawiali pokój dziecięcy przed narodzinami Maksa, tej jednej pamiątki po Tobym za nic nie chciała stracić.

Wpatrywała się tak w tę ścianę od kilku godzin – dokładnie odkąd sierżant zostawił ich w spokoju. Zdołała usłyszeć, jak przed wyjściem poszeptywał z Andrew, tak naprawdę pytając: „Czy z pańską żoną wszystko dobrze? Czy straciła rozum?”. Wiedziała, że jej puste spojrzenie może wyprowadzić z równowagi, ale są w życiu człowieka chwile, kiedy trzeba porzucić konwenanse i wszystkie starania przekierować na siebie. Z jaką łatwością przyszło mu siedzieć w ich kuchni i zadawać im pytania, które groziły strąceniem jej w przepaść. Ktoś taki jak on – barczysty, krzepki i wytrzymały tak, że dosłownie nic go nie ruszało – nie miał szans wczuć się w jej położenie. Andrew lepiej od niej radził sobie z upakowaniem bezdennej tragedii w ciąg wyrazów, podpierając się formą bezosobową, aż uginała się pod brzemieniem jego bólu. „Uznano, że”...

Pod naporem wspomnień Yasmin nie wiedziała, którego z synów opłakiwać. Życie Toby'ego było krótkie i przepełnione niewyobrażalnym cierpieniem. Wciąż pamiętała, jak lekarz, który postawił diagnozę, poprosił ich, aby nie szukali na własną rękę informacji o chorobie. Powaga, z jaką to powiedział, wywołała w niej paraliżujący strach. W domu przypadła do komputera i zaczęła przeglądać stronę za stroną, chłonąc dane wszystkimi zmysłami, przygotowana na najgorsze, nic jednak – ani ulotki, ani zdjęcia, ani fora charytatywne – nie przygotowało jej na prawdę. Skóra Toby'ego była tak delikatna, że rany powstawały przy najlżejszym dotknięciu. Urażały go nawet szwy ubranka. Yasmin spędzała długie godziny na owijaniu go bandażami, przy czym często musiała zamykać oczy, kiedy jego krzyki stawały się nie do zniesienia. Toby nie mógł normalnie jeść, gdyż choroba dotknęła także śluzówki i jego gardło było jedną wielką otwartą raną. Najgorsze były łzy uwierające rogówkę. Malec leżał całymi dniami w zaciemnionym pokoju, nic nie widząc i nie czując ludzkiego dotyku, niezdolny uporać się z własnym przerażeniem, nierozumiejący, dlaczego matka nie niesie mu ukojenia. Tamte lata były koszmarem na jawie, a potworność tego, z czym mieli do czynienia, wytrzymali tylko dzięki temu, że stała się ona ich nową normą, która przetrwała nawet Toby'ego i skończyła się dopiero wraz z narodzinami zdrowego Maksa. Ale żeby i on został im odebrany, i to przez kaprys losu? Yasmin nie potrafiła się z tym pogodzić, dlatego wolała pozostawać pod wpływem środków uspokajających.

O tym, że pod drzwiami czai się Andrew, dała jej znać skrzypiąca deska. Wiedziała, czemu mąż się o nią martwi. Po śmierci Toby'ego którejś niedzieli przed kąpielą sięgnęła po pigułki. Gdy ją znalazł, leżała nieprzytomna w wystygniętej wodzie. To, co było potem, pamiętała jak przez mgłę: mleczna woda w wannie, taka sama jak po tym, gdy znalazły matkę; Andrew niezdarnie suszący jej włosy suszarką i próbujący przekrzyczeć hałas; jej własny ból, tak przenikliwy, że pragnęła tylko, by się skończył. W końcu obudziła się na szpitalnym łóżku i ledwie zobaczyła jego znękane oczy, wykrzyknęła: „Nie chciałam tego zrobić! Nie chciałam!". Ale Andrew jej nie uwierzył. Chwycił jej rękę, ścisnął mocno i natarczywie błagał, aby nigdy więcej nie próbowała odebrać sobie życia. Później się załamał i szlochał na jej brzuchu jak dziecko. Miała ochotę wrzeszczeć, gdyż ledwie dawała radę nieść swój ból, nie była w stanie nieść jeszcze jego, ale wyciągnęła ku niemu rękę i wplotła mu palce we włosy. Czuła jednak przy tym sztywność swojego ciała, znak żalu, że i on się rozpada. To ona była matką, to ona nosiła Toby'ego pod sercem, to jej życie zawisło na włosku przy porodzie, który ostatecznie zakończył się zwycięstwem jej i jej syna. Tylko ona miała prawo się rozpaść. Tylko ona miała prawo do tego bólu.

Od tamtej pory gardziła nim, ilekroć zaczynały mu drżeć usta. Raz nawet na niego naskoczyła – „Przedtem nigdy nie byłeś taki miękki!" – i poczuła niezdrową satysfakcję, dostrzegając w jego oczach urazę. Po tym wziął się w garść i tylko zaciskał szczęki, gdy komuś udało się ujść śmierci. Wymieniali znaczące spojrzenia, lecz zamiast wyrazu solidarności przekazywali sobie poczucie winy.

Yasmin, z natury pełna życia i pogodna, stała się zimna i obojętna, aż ich małżeństwu zaczął grozić rozpad. Wtem przyszła radość – i obawa – wraz z nowiną o drugiej ciąży; ulga, kiedy ich syn urodził się zdrowy. Rozpoczął się powolny proces zdrowienia. Po przyjściu Maksa na świat rozsypana Yasmin zdołała się pozbierać do kupy, znów była taka jak kiedyś: cieszyły ją drobne przyjemności i proste marzenia. A teraz? Dopadła ją kolejna, lecz jakże znajoma tragedia. Nie mogła się nie zastanowić, ile człowiek jest w stanie wytrzymać, zanim zdecyduje się ze sobą skończyć.

ROZDZIAŁ 6

Spłachetek trawy w Victoria Park był wypalony przez letnie słońce. Leila zwolniła tempo, czując, że wyschnięte źdźbła chłoszczą ją po łydkach. Choć dzień dopiero się zaczął, już panował upał, a wszechobecne dzieci bawiły się w starej fontannie, piszcząc z uciechy. Zrozumiała, że popełniła błąd, przybiegając tutaj w sobotni ranek, gdy zawsze tyle tu rodzin. Poczuła zakłopotanie – dobrze wiedziała, że ma przepoconą koszulkę i tłuste włosy, co stanowiło regres w stosunku do wizerunku eleganckiej kobiety sukcesu, która w poniedziałek opuściła swoje biuro.

Żałowała, że nie pozwoliła Willowi zostać na cały dzień, a może nawet cały tydzień. Miała świadomość, że takie bycie pół razem, pół osobno nie wyjdzie im na zdrowie, ale jego obecność przynajmniej zmniejszyłaby jej niepokój. Minionej nocy nie mogła zasnąć do piątej nad ranem – dopiero wtedy zapadła w ciężki sen pełen dawno zapomnianych koszmarów. Po przebudzeniu zmusiła się do przebieżki, licząc, że na mieście będzie jeszcze pusto. Tymczasem zewsząd dochodziły ostrzejsze niż zazwyczaj dźwięki: muzyczka dolatująca z furgonetki z lodami, ogłuszający ryk jakiegoś dziecka. A ona pragnęła ciszy, najchętniej zabroniłaby się ludziom śmiać.

Skierowała się do ogrodu różanego, gdzie zazwyczaj panował spokój. Rodzice najwyraźniej bali się puszczać swoje pociechy samopas wśród kwiatów z kolcami. Usiadła na ławce i spróbowała uporządkować myśli, które zdawały się ciągnąć tylko w jedną stronę jak ćmy lecące do światła. Raz po raz przypominała sobie moment, w którym wysiadła z samochodu tamtego ranka. Całe jej życie się zmieniło w chwili, w której zatrzasnęła drzwi auta. Skrzywiła się z poczucia winy, ale zaraz przyszedł obezwładniający strach.

„Co będzie, jeśli zostanę uznana za winną?"

W ślad za tym pytaniem pojawiło się następne, trudniejsze:

„A czy nie zasługuję na karę?"

Było nie było, zostawiła Maksa w samochodzie. Było nie było, zabiła go. Nie będąc w stanie usiedzieć z takimi myślami w głowie, podniosła się w nadziei, że uda się jej z nich otrząsnąć.

Ruszyła w stronę Lauriston Road, mijając schludne wystawy delikatesów ze zdrową żywnością i kawiarenek ze stylowymi pasiastymi markizami. Skręciwszy za róg, skierowała się ku swojemu ulubionemu lokalowi, przytulnej herbaciarni z zaledwie sześcioma stolikami. Zatrzymała się przed przeszkloną witryną i przyjrzała swojemu odbiciu pomiędzy żółtozłotymi literami; „l" w napisie „Copper Kettle" podzieliło jej twarz równo na pół. Przesunęła się nieco w prawo, aby się upewnić, że wygląd pozwala jej na wejście do środka. Moment później zamarła, gdy jej wzrok przyciągnął ruch w kącie pomieszczenia. Za narożnym stolikiem, na ławie zarzuconej kolorowymi poduszkami, siedziała para: jej szwagier Andrew i jakaś kobieta. Była drobnej budowy, jak Yasmin, i miała podobną fryzurę oraz miękkość spojrzenia, lecz była biała, szczuplejsza i bardziej umięśniona – a przy tym o dobre parę lat młodsza. Miała na sobie elegancką bluzkę w różowo-złote paseczki i szarą spódnicę. Jedną dłoń trzymała na ramieniu Andrew, przesuwając ją lekko i powoli, niemal zmysłowym gestem. Wyraźnie tym zdenerwowany Andrew nagle odsunął się od niej. Kobieta złapała go za rękę i ścisnęła mu palce, rozszerzając wargi w pozbawionym radości uśmiechu.

Leila poczuła niedowierzanie. Czyżby Andrew zdradzał Yasmin? W towarzystwie tej kobiety, zanim go dotknęła, czuł się nad wyraz swobodnie, wydawał się taki naturalny i bezpretensjonalny. Leila przyjrzała się im uważniej, szukając innych oznak poufałości, ale zachowywali już odpowiedni dystans. Kobieta miała dłonie splecione wokół kubka, rysy ściągnięte w masce współczucia.

„Musi być jakiś zupełnie niewinny powód, dla którego są tu razem", pomyślała Leila.

Herbaciarnia znajdowała się półtora kilometra od miejsca ich zamieszkania i Andrew wiedział, że Leila często do niej zagląda. W gruncie rzeczy to ona mu ją pokazała. Nie było mowy o tym, by przyprowadził tu kochankę.

Zawahała się, lecz wyczuwszy, że Andrew podnosi spojrzenie na ulicę, szybko się okręciła, aby uniknąć jego wzroku, i wróciła na ławkę w ogrodzie różanym.

„To niemożliwe – powtarzała sobie w duchu. – Po prostu niemożliwe. Przecież on wie, co przechodzi Yasmin..."

Wciąż miała w pamięci tamte niekończące się dni pełne beznadziei. Yasmin łkająca bezgłośnie podczas opatrywania ran Toby'ego, który krzyczał z wściekłości, nie rozumiejąc jeszcze, dlaczego czuje się w ten sposób, a tylko reagując na przejmujący, zwierzęcy ból. Yasmin nigdy do tego nie przywykła. Cierpiała za każdym razem, ilekroć tak się zachowywał, drżąc na całym ciele i wijąc się pod jej dotykiem. Leila zaklinała siostrę, aby pozwoliła sobie pomóc, ale to tylko wszystko pogarszało. Toby chciał, by opiekowała się nim mama, i nawet pod sam koniec, gdy znajdował się pod wpływem anestetyków, które odmieniły go nie do poznania, przy matce zachowywał się inaczej: był spokojniejszy, bardziej skupiony.

Kiedy Andrew znalazł Leilę nieprzytomną w wannie miesiąc po śmierci Toby'ego, w Leili coś pękło. Pognała do szpitala, zdjęta paniką. Ten półgodzinny alarm na poziomie jej układu nerwowego stanowił sam w sobie jakąś formę traumy. Do dziś miała w pamięci, jak miota się po szpitalnym korytarzu, szukając właściwych drzwi, podczas gdy podłoga umyka jej spod nóg. W końcu znalazła izolatkę i widząc, że siostra jest przytomna, obróciła się i wyszła do łazienki, aby głośno dać upust uldze, gniewowi i przenikającej ją na wskroś wdzięczności, że nie straciła Yasmin. Nigdy przedtem ani nigdy potem nie odczuła tak dobitnie, jak mała jest ich rodzina. Gdyby Yasmin zmarła, Leila zostałaby na świecie sama, bez ani jednego krewnego.

Wróciła do izolatki po dwudziestu minutach. „Przepraszam", powiedziała jej siostra złamanym, cichym głosem. Wargi miała bezkrwiste, niemal całkiem sine.

Leila otoczyła ją ramionami i przełknęła cisnące się na usta wyrzuty. Jak mogłaś? Po tym wszystkim, co przeszłyśmy? Pod gniewem czaił się strach zaciskający się na jej sercu niczym imadło. Czy samobójstwo matki oznaczało, że ich geny są wadliwe? Że charakteryzuje je jakaś skaza, stanowiąca bodziec do takiego, a nie innego działania?

Wtedy też zdecydowała, że nie zamierza więcej ryzykować. Musiała odtąd zająć się lepiej siostrą. Zaczęła więc przekazywać pieniądze szwagrowi, doskonale wiedząc, że Yasmin jest zbyt uparta, aby je od niej przyjąć. Zafundowała im samochód i kosztowny turnus odnowy biologicznej. Nalegała, by co sobotę jedli razem obiad. Każda rodzina stoi tradycją, a fakt, że one żadnej nie odziedziczyły, nie oznaczał jeszcze, że nie powinny stworzyć własnej.

Narodziny Maksa były nowym początkiem. Mimo że niedoszła matka w Leili cierpiała, ona sama poprzysięgła, że będzie pielęgnować nową odrośl ich rodziny, dopóki nie stanie się duża i silna. Z tego powodu tłumiła w sobie irytację, gdy Yasmin kolejny tydzień z rzędu prosiła ją na ostatnią chwilę o to, by zajęła się Maksem. Wiedziała, że Yasmin jest taka niefrasobliwa tylko dlatego, że ma siostrę, która zawsze poda jej pomocną dłoń. I Leila zawsze to robiła – nawet gdy opieka nad siostrzeńcem oznaczała, że będzie musiała siedzieć do trzeciej nad ranem, aby przygotować się na następny dzień w pracy. Teraz uświadomiła sobie, że właśnie ta jej obietnica: że zawsze będzie na zawołanie, doprowadziła ją... ich... do tego miejsca. Gdyby tak się nie zaangażowała, gdyby nie była wiecznie dostępna, Andrew nigdy nie poprosiłby jej o pomoc. A nawet jeśli – ona nie musiałaby się zgodzić. I nikt by jej nie winił. W ostatnich dniach Leila najbardziej bała się tego, że jej siostrze znów się pogorszy. Nic dziwnego więc, że widok szwagra w herbaciarni z inną kobietą, jakby nic się nie stało, wzbudził w niej irracjonalną wściekłość. Musiała się powstrzymywać przed tym, aby nie zawrócić i nie podnieść go z ławy za kołnierz. Jeżeli zdradzał Yasmin, Leila go zabije. Zwyczajnie go zabije.

Rzucony na łóżko mokry ręcznik oddawał wilgoć pościeli, która ciemniała wokół niego. Leila złapała go i powiesiła na kaloryferze. Wysuszyła w pośpiechu włosy, nie bawiąc się w ich ujarzmianie. Podenerwowana, znowu sprawdziła komórkę. Zdążyła wysłać Andrew utrzymanego w cierpkim tonie esemesa z informacją, że muszą porozmawiać, ale na razie nie doczekała się odpowiedzi. Źle zrobiła, że jednak nie wróciła do herbaciarni i nie postawiła go pod ścianą. Właśnie zaczęła pisać kolejnego esemesa, gdy rozległ się dzwonek u drzwi.

„No, nareszcie".

Związała włosy w kucyk i pośpieszyła na dół. Otworzyła drzwi na oścież, powstrzymując rozpierającą ją agresję.

W progu stała Vivien Coombs, kobieta o wyglądzie naburmuszonej urzędniczki. Jak zwykle miała na sobie popielatą spódnicę, a mysie włosy zwinęła w koczek.

– Pani Syed – przywitała się, unosząc dużą brązową torbę na wysokość piersi, jakby się przed czymś osłaniała. – Czy mogę wejść?

Leilę ogarnął instynktowny niepokój o stan domu i jej samej. Włożyła na siebie byle co, włosy wciąż miała wilgotne, z konsolki w przedpokoju niemal wysypywały się nieotwarte listy, a wszystkie buty stało krzywo. Szybko jednak przypomniała sobie z przerażeniem, że takie drobiazgi w obliczu jej prawdziwej zbrodni nie mają już znaczenia. Odsunęła się, by przepuścić gościa.

Vivien zatrzymała się tuż za drzwiami, taksując wzrokiem stertę korespondencji.

– Proszę dalej – zachęciła ją Leila głosem, który mocno kontrastował z tym, co czuła.

Zasiadłszy w salonie, Vivien złożyła dłonie na podołku.

– Przychodzę z własnej woli – zastrzegła. – Otrzymałam zawiadomienie i uznałam, że nietaktem byłoby wysłać pani zdawkowego maila. Dlatego składam pani wizytę przy sobocie. – Wygięła wargi w wyrazie współczucia. – Pani wniosek o adopcję został niestety odrzucony.

Niebo na zewnątrz drgnęło, sprawiając, że świat Leili zakołysał się w posadach. Wiedziała, że tak będzie – oczywiście, że to wiedziała – co innego jednak wiedzieć, a co innego usłyszeć na własne uszy.

– Przykro mi. – Vivien zrobiła taką minę, jakby chciała wyciągnąć rękę i dotknąć Leili. Zamiast tego jednak tylko zacisnęła palce. – Zdaję sobie sprawę, jak pani zależało, ale zważywszy na okoliczności... – Pokazała kopertę, a kiedy Leila nie uczyniła żadnego ruchu, aby ją odebrać, położyła ją równo na stoliku do kawy. – To oficjalne pismo. Żałuję, że nie mogłam uczynić dla pani więcej.

Leila zaczęła miąć mankiet.

– Czy jest coś, cokolwiek, co można by... – Jej głos brzmiał żałośnie.

– Jak już mówiłam, zważywszy na okoliczności... – Vivien nie dokończyła, ponieważ nie było to konieczne. Nikt nie da dziecka pod opiekę zabójczyni. – Przykro mi. Naprawdę wiem, ile to dla pani znaczyło.

Leila rozpaczliwie pragnęła się czegoś uczepić, lecz wszystkie jej narzędzia służące przetrwaniu, takie jak motywacja, ambicja i inteligencja, w tej konkretnej chwili okazały się bezużyteczne – na podobieństwo plastikowej łyżeczki, którą człowiek chciałby się osłonić przed deszczem.

Vivien poprawiła na ramieniu pasek torebki, zbierając się do wyjścia.

– Przykro mi z powodu tego, co się stało. – Podniosła się na nogi. – Życzę pani wszystkiego dobrego.

Leila przysłuchiwała się odgłosom jej oddalających się kroków, świadoma, że wraz z urzędniczką znika ostatnia nadzieja na to, aby została matką. A tak tego pragnęła! Przez to nawet rozstała się z Willem, który nie był gotów wychowywać dziecka innych ludzi. Nienawidziła go za to, doskonale wiedząc, że szanse samotnego rodzica na adopcję są jeszcze mniejsze. Miesiącami przygotowywała się do złożenia wniosku. Wyszukiwała najlepsze szkoły w okolicy, zmieniała wystrój domu, rozglądała się w internecie za kursami dla rodziców – robiła wszystko, by udowodnić, że nadaje się na matkę. Że jest zdolna pokochać – i pokocha – dziecko, które trafi pod jej opiekę. Tymczasem... Martwiąc się o Yasmin, kompletnie zapomniała, jak bardzo ucierpi sama. Pozostawienie Maksa w samochodzie tamtego dnia skazało ją na resztę życia w stanie bezdzietności.

Gdy za Vivien zamknęły się drzwi, Leila nie miała w sobie ani jednej łzy. Udała się na górę, zaciągnęła zasłony w sypialni i padła na łóżko. Cichy głosik, który nigdy jej nie opuszczał, przestrzegł ją zaraz, aby się nie poddawała, gdyż wiadomo, dokąd to może ją doprowadzić. Zamknęła oczy, nadal widząc pod powiekami światło dnia. A potem zwinęła się w pozycję embrionalną, naciągnęła kołdrę na głowę i odcięła się od świata z całym jego okrucieństwem.

Obudziła się otumaniona, z wrażeniem, że jej język jest za duży i pokryty futrem. Ze zdziwieniem stwierdziła, że jest już czternasta. Przespała dokładnie cztery godziny. Słysząc dzwonek na dole, pomyślała, że to on musiał ją wyrwać ze snu. Usiadła na łóżku i w tym samym momencie usłyszała chrobot klucza w zamku – metaliczny dźwięk zarazem obcy i znajomy. Drzwi otworzyły się ze skrzypieniem.

– Leila?

To był Will. Przez jego głos, mocny, ciepły i taki pewny siebie, że niemal namacalny, poczuła zawroty głowy.

– Tutaj! – zawołała. Jej głos był chropawy.

W sypialni unosiła się gęsta, cielesna woń. Will przekroczył próg. Gdy się skrzywił, Leila pomyślała, że musi przedstawiać sobą okropny widok.

– Kochanie… – Przypadł do niej, przechylając materac ciężarem swojego ciała, aż odruchowo wyciągnęła do niego ręce, aby ją złapał. – Co się stało?

– Odmówili. – Uczepiła się jego rękawa. – Ci od adopcji. Odmówili mi.

– Och, najdroższa, chyba się spodziewałaś, że tak będzie? – Pocałował ją we włosy nad uchem. – Podać ci coś?

Oplotła go ramionami.

– Zostań dzisiaj.

– Oczywiście, że zostanę. Nie odzywałaś się, a ja się martwiłem. – Uwolnił się z jej objęć. – Dobrze się czujesz?

Pokręciła głową.

– Nie chcę o tym rozmawiać.

Czule pocałował ją w usta.

– Chcesz…? – Urwał, lecz w jego tonie nie było nic ze zwykłej sugestywności, jedynie łagodne współczucie, jakby oferował jej akt miłosierdzia.

Leila poczuła bijące od niego ciepło.

– Tak – odparła uroczyście.

Will pochylił się nad nią i zaczął muskać wargami jej obojczyk. Zadarł jej koszulkę, delikatnie wsunął palec w pępek. Następnie wygładził na niej materiał, zarzucając rozbieranie.

Przyłożył usta do odcinającego się na tkaninie kształtu sutka i chuchnąwszy, rozpalił ją jeszcze bardziej. Leila zwiotczała pod nim, a jej uległość rozbudziła w nim gwałtowność. Leżąc na wznak, czekała, aż opuści ją uczucie jakiejkolwiek kontroli, czego wielokrotnie wcześniej doświadczała w łóżku z Willem. Był obłędnie fantastycznym kochankiem, lecz dziś, gdy leżała przygnieciona jego ciałem, wszystkie jej zmysły uległy nagłemu wyostrzeniu. Pokój wydawał się jej ogromny, promień słońca wpadający przez szczelinę w zasłonach zbyt rażący, a ryk przelatującego samolotu nie do zniesienia. Nic, co by Will uczynił, nie mogło zatrzymać wiru jej myśli. Po wszystkim, gdy opadł na plecy, spocony i zaspokojony, czuła wyłącznie pustkę.

Przytulił ją do piersi.

– Wszystko będzie dobrze – powiedział. – Będę przy tobie przez cały czas.

Wtuliła się w jego rozgrzaną skórę.

– A jeśli trafię do więzienia? – zapytała, po raz pierwszy wyrażając głośno swoją największą obawę.

Will gładził ją po łopatce.

– Takie osoby jak ty nie trafiają do więzienia.

Zjeżyła się na jego słowa, a jednak szybko znalazła w nich pociechę. Była przecież szanowaną bizneswoman. Pilnie się uczyła, wychowała młodszą siostrę, wydrapała sobie drogę do sukcesu. Czyż nie było prawdą, że nawet wtedy, gdy spanikowała, znalazłszy martwego Maksa w swoim aucie, nie przeszło jej przez myśl, że mogłaby trafić za kratki? Czy była to z jej strony naiwność – ohydny skutek uboczny uprzywilejowanego życia – czy raczej przemawiał przez nią rozsądek? Skoro Will także odrzucał taką możliwość, coś musiało być na rzeczy.

Przykryła się kołdrą, pomimo upału czując chłód na nagiej skórze.

– Dziękuję – szepnęła.

Will ucałował jej skroń.

– Proszę bardzo – odparł wielkodusznie.

ROZDZIAŁ 7

Gdy rozległo się bicie niedzielnych dzwonów, Leila odwróciła się w stronę drzwi tarasowych, przekrzywiając głowę tak, jakby chciała namierzyć, skąd dokładnie dobiega ten odgłos. Liczyła na to, że Will z nią dzisiaj zostanie, ale on tylko zjadł tost, pocałował ją w usta i powiedział:

– Wybacz, muszę lecieć. Terminy wiszą mi nad głową.

W gruncie rzeczy uważała za dziwne, że w ogóle się ze sobą związali. Przez całe życie pragnęła stabilizacji, a poślubiła mężczyznę, który zawsze był w biegu. Will lubił powtarzać: „Jeśli dziennikarz nie żałuje niczego z tego, co napisał, niewystarczająco się starał być interesujący".

Może właśnie to rozbudziło jej ciekawość na samym początku. Poznali się w Szwajcarii, na jednym z tych sztywnych przyjęć organizowanych przy okazji ważnych konferencji. Ona była tam służbowo, on chciał napisać artykuł o tym, jakie to wszystko bezcelowe. Porwał martini z tacy niesionej przez kelnera i przewrócił nonszalancko oczami. „Pani to kupuje?", zagadnął ją. Kiedy spojrzała na niego pytająco, pochylił się ku niej i obejmując gestem salę, sprecyzował: „Czy pani to kupuje? Całe to gówno?". Wiedziała, że to hiperbola; chwytliwa fraza, która miała przyciągnąć jej uwagę. Wszyscy obecni, Leili nie wyłączając, byli tak zwanymi poważnymi ludźmi, do tego raczej konserwatystami. Will miał więc pole do popisu, zgrywając wywrotowca. Roześmiała się uprzejmie, dystyngowanie, dając mu do zrozumienia, że jej nie nabierze.

– A – skwitował. – Pani to jedna z tych.

– Z których?

Kąciki jego ust uniosły się w uśmiechu.

– Jedna z tych kobiet, które siedzą w swojej wieży z kości słoniowej i spoglądają na nas, zwykłych śmiertelników, nie pozwalając nam... – musnął opuszką palca zgięcie jej łokcia – się dotknąć.

To zagranie powinno w niej obudzić feministkę, tymczasem Leila odebrała je jako wyzwanie do podjęcia rękawicy. Jego zachowanie miało antagonizować, prowadziło do pojedynku intelektualnego, który wygra ten, kto dłużej pozostanie górą. Leila przystąpiła do potyczki, zdystansowana i wyniosła, ale w miarę przerzucania się słowami straciła z oczu wszystkich innych. Na placu boju pozostali tylko oni dwoje, jakby w świetle reflektorów, podczas sparingu – tu celna uwaga, tam cięta riposta. Było to upajające. Nie zauważyła nawet, ile przy tym wypiła, i w rezultacie – kiedy zapytał ją, czy z nim pójdzie, odpowiedź twierdząca przyszła jej bez trudu. Złapał Leilę za rękę, splótł z nią palce i wyprowadził ją z sali. Pocałował ją w usta, ledwie drzwi windy się za nimi zamknęły, a ona poczuła, jak traci dech w piersi z pożądania – po raz pierwszy autentycznie, nie na użytek kochanka. Wsunęła mu dłonie pod blezer, szukając jeszcze większej bliskości, i od tego tylko zapragnęła go bardziej.

Tamtej nocy zachowywała się jak jeszcze nigdy w życiu, przekonana, że więcej się nie zobaczą. Nazajutrz rano, gdy poprosił ją o numer telefonu, przewróciła teatralnie oczami, by pokazać, że go przejrzała, ale i tak podyktowała mu cyfry. Nie spodziewała się, że do niej zadzwoni – ale zrobił to. W następnych miesiącach rozwinął się ich gorący romans, a to, jak się czuła przy Willu – lekko, beztrosko, nawet odrobinę niebacznie – okazało się dla niej narkotykiem. Siedem miesięcy od pierwszego spotkania poprosił ją o rękę, a ona przyjęła oświadczyny.

Wszyscy byli zdumieni, a najbardziej Yasmin, która nie znała siostry od impulsywnej strony. Oczywiście sama Leila w głębi ducha była z siebie bardzo dumna, że złapała takiego faceta – i to w sposób tak do niej niepodobny. Nonszalanckim śmiechem zbywała uwagi przyjaciół, którzy mówili, że zbyt szybko podjęła tę najważniejszą w życiu decyzję. „To się po prostu wie", powtarzała, czerpiąc satysfakcję z ich zdumienia. Z okazji zaręczyn wyprawiła dużą imprezę – w zamierzeniu publiczne oświadczenie, że tak, ma pewność co do Willa.

Z radością przystała na propozycję Roberta Gardnera, który zaoferował, że udostępni na potrzeby przyjęcia własny dom w Chelsea. Will zaprezentował się z najlepszej strony, wywierając spore wrażenie na przyjaciołach Leili. Wszystko wypadło idealnie: gustowne lampy wśród koron drzew, ożywczy riesling, delikatny wietrzyk... Tym bardziej więc zdenerwowało ją to, co Yasmin zrobiła tamtego wieczoru.

Gdy zadowoleni goście rozsiedli się wygodnie, obie siostry udały się na skraj ogrodu. Przycupnęły na ławce wydrążonej z pnia i zapatrzyły się na lekko pofalowaną powierzchnię stawu. W pewnym momencie Leila trąciła Yasmin łokciem.

– Kto by pomyślał, że tutaj wylądujemy, co? Szampan, kawior i ten idiotyczny pierścionek. – Rozczapierzyła palce, podziwiając brylantowy soliter, pamiątkę rodzinną Willa. Gdy jej siostra uparcie milczała, Leila wyczuła, że coś jest nie tak. – Dobrze się czujesz? – zapytała.

Yasmin wydęła usta, jakby się zastanawiała, czy powinna się odezwać.

– Mogę coś powiedzieć?

Leila opuściła rękę.

– Co?

Yasmin poprawiła się na swoim miejscu, jakby nagle zrobiło jej się niewygodnie.

– Jesteś pewna, że to dobry pomysł?

Leila się roześmiała.

– W całym swoim życiu nie byłam niczego bardziej pewna!

– Ale to do ciebie nie pasuje. Will do ciebie nie pasuje.

– I co z tego? – Śmiech zamarł Leili na ustach.

– Posłuchaj, wierzę w twój rozsądek, ale... Will wydaje się zepsuty.

Leila aż się zatchnęła. Zepsuty? Co za brzydkie określenie na Willa...

– Zawsze wyobrażałam sobie ciebie u boku kogoś bardziej dojrzałego. Znacznie bardziej dojrzałego. Szpakowatego mężczyzny, który ma poukładane życie. Kogoś, kto nosi eleganckie garnitury i poszetki i jeździ zielonym jaguarem. Kto nie musi niczego udowadniać.

– Will nie musi niczego udowadniać – rzuciła obronnie Leila.

Yasmin sarknęła.

– Tak, jasne.

– Dlaczego wszystko psujesz?

Drgnęła, zdawszy sobie sprawę, że Leila opacznie ją zrozumiała.

– Posłuchaj… Ja tylko… Całe życie spędziłaś, dbając o mnie, chciałabym więc, aby teraz ktoś zadbał o ciebie. I po prostu nie jestem pewna, czy Will jest odpowiednią osobą.

– Wystarczy, że ja jestem pewna! Boże, Yasmin! To moje przyjęcie zaręczynowe, a ty chcesz mi obrzydzić Willa? – Leila wygładziła sukienkę na kolanach. – Zgoda, nie sądziłam, że wyjdę za kogoś takiego jak Will, ale nie potrzebuję statecznego mężczyzny, żeby się mną zaopiekował. Jak może zauważyłaś, świetnie sobie radzę. W rzeczywistości potrzebuję kogoś, przy kim zapomnę o tym. – Wykonała gest obejmujący siebie i siostrę. – Dzięki Willowi zapominam, ile przeszłyśmy. Żyję tu i teraz, nie dekadę temu, kiedy wciąż zbierałyśmy drobniaki, ani nie dekadę do przodu, jak zawsze dotąd.

– Ale dlaczego musisz od razu wychodzić za mąż? – zapytała ją Yasmin. – Małżeństwo nie sprowadza się do życia tu i teraz. Będziesz musiała z nim wytrzymać czterdzieści albo pięćdziesiąt lat.

– Will sprawia, że dobrze się czuję… – Głos Leili nieoczekiwanie zmiękł. – A wierz mi, całymi latami czułam się fatalnie.

Yasmin nie zareagowała. Przez dłuższą chwilę przysłuchiwały się odgłosom przyjęcia. Gdy w pewnym momencie skuliła się w ochronie przed chłodem, pasmo długich włosów ześlizgnęło się z jej nagiego ramienia.

– Kurwa – rzuciła pod nosem.

– Co znowu? – Leila cała się spięła.

– Już wiem, czemu to robisz.

– Robię co?

Yasmin uśmiechnęła się blado i zaczęła śpiewać *Father and Son* głębokim tembrem ojca pouczającego latorośl o życiu.

Leila pokręciła głową.

– A ja już wiem, czemu ci się to tak nie podoba.

Yasmin śpiewała dalej, wprawiając siostrę z powrotem w dobry humor. W końcu objęła ją ramieniem i cmoknęła w bark.

– Kochasz go? – zapytała uroczyście.

– Tak, naprawdę go kocham.

– W takim razie ja też będę go kochać – oświadczyła. – Chodźmy. – Wstała i pociągnęła Leilę za sobą. – Zróbmy to.

Pół roku później Leila i Will wzięli ślub. W pierwszych latach małżeństwa świetnie się bawili, docierając się i odnajdując wspólny rytm. Leila nie należała do kobiet, które chciałyby utemperować mężczyznę. Wiedziała, że Will potrzebuje przestrzeni, puszczała go więc na miasto na całe noce i za miasto na urlopy tylko w męskim towarzystwie. Rozumiała, że te rzeczy są ważne dla jego poczucia tożsamości.

Will dojrzał tak naprawdę dopiero wtedy, gdy zaczęli myśleć o dziecku. Leilę zdumiało, jak otwarty się okazał na założenie rodziny. Do ostatniej chwili sądziła, że będzie musiała przechodzić samą siebie, aby go przekonać, co było udziałem jej licznych koleżanek. Tymczasem Will z miejsca zaczął szukać dziecięcych imion i podsyłał jej zgrabne listy: Amelia, Isabella, Sofia, Olivia, Aisha, Hana, Safa, Rayla. Większość mężczyzn pragnęła syna, lecz Will był przekonany, że będą mieli córkę.

Pierwsze miesiące minęły im beztrosko, lecz gdy zima przeszła w wiosnę, zaczęli podejrzewać, że coś jest nie tak. Po pół roku wybrali się do lekarza i od tego momentu rozpoczęły się ich prawdziwe starania. Była to wojna wypowiedziana ciału Leili, nieustanny stres i walka, lecz ona nawet na moment nie straciła nadziei. Osiągnęła w życiu wszystko, co sobie zamierzyła, i tym razem miało być tak samo. Jednak po czwartym poronieniu nie była w stanie dłużej tego ciągnąć. Zasugerowała adopcję, a Will stanowczo odmówił. Zaczęła go błagać, a gdy to nie odniosło skutku – winić: „Jak możesz być tak okrutny? Jak możesz mi tego odmawiać?". Aż w końcu, po niemal dziesięciu latach, ich związek się rozpadł. Leila podeszła do tego obojętnie, gdyż pragnienie zostania matką przesłaniało jej wszystko inne. Teraz, kiedy ta możliwość przestała być realna, poczuła się podwójnie obrabowana.

Will raz ją zapytał, czy może napisać o jej poronieniach, lecz odmówiła. Wcześniej niekiedy korzystał z ich doświadczeń, pisząc swoje felietony, ale ten temat był zbyt bolesny. Najpierw tłumaczył jej, że pisanie o przeżytej traumie stanowi rodzaj terapii, a potem tygodniami się dąsał, ponieważ nie zmieniła zdania. Od czasu do czasu się kłócili, lecz ich wzajemne uczucie nigdy nie słabło.

Siedząc obecnie w domu i wyobrażając sobie, że Will będzie żył dalej swoim życiem, ożeni się powtórnie, może nawet spłodzi dzieci, Leila była chora z zazdrości a conto tego, co mogło, choć wcale nie musiało się wydarzyć. W próbie otrząśnięcia się z tych myśli wstała i zaczęła krążyć od pokoju do pokoju. Otwierała i zamykała szuflady i szafki, jakby miała nadzieję, że ich zawartość odwróci jej uwagę od dręczących ją tematów. W końcu zdecydowała się na przebieżkę.

Powietrze na zewnątrz okazało się tak suche, że drapało ją w gardle. Wieżowiec stojący w perspektywie ulicy wydawał się zmieniać kształt w falach rozpalonego powietrza. Leila poprawiała kucyk, zamierzając włożyć do uszu słuchawki, gdy zauważyła znajomą sylwetkę. Mężczyzna oddalał się od niej, ale z łatwością go dogoniła.

– Andrew! – zawołała.

Okręcił się na pięcie. Na twarzy miał wymalowane poczucie winy.

– O, Leila. – Nie wiedział, co jeszcze mógłby powiedzieć. – Przepraszam, dostałem wczoraj twojego esemesa i chciałem ci odpisać, ale... – Uczynił niejasny gest. – Jakoś nie było czasu.

– Możemy porozmawiać? – zapytała ostro.

Przestąpił z nogi na nogę.

– O czym chcesz rozmawiać?

Wskazała ręką w kierunku swojego domu.

– Może wejdziemy do środka?

– Trochę się śpieszę. – Zerknął na zegarek.

– Widziałam cię wczoraj – wypaliła prosto z mostu. – W herbaciarni.

Popatrzył na nią pustym spojrzeniem.

– Och, wybacz. Nie zauważyłem cię.

– Kim była tamta kobieta?

Andrew się spiął.

– A co? Śledziłaś mnie?

– Pieprz się, Andrew! – rzuciła ostrzej, niż zamierzała. Dostrzegłszy urazę w jego oczach, prychnęła: – Błagam, powiedz, że jej nie zdradzasz.

Aż się cofnął.

– Jak możesz mnie pytać o coś takiego? – Odwrócił się i zapatrzył w horyzont. – Nie masz do tego prawa, Leila. Nie masz prawa zarzucać mi takich rzeczy.

Zaczekała, aż znowu na nią spojrzy.

– Chyba wiesz, jaki skutek miałoby twoje zachowanie?

– Gorszy niż to, co ty jej zrobiłaś?

Odebrała te słowa jak siarczysty policzek. Gapiła się na szwagra, niezdolna uporać się z szokiem.

– Jak możesz tak mówić? – Jej głos przeszedł w zduszony szept.

Pochylił się nad nią, zbliżając twarz do jej twarzy bardziej, niżby sobie życzyła. Poczuła się zagrożona.

– Niemiłe uczucie, co? Zostać oskarżoną o coś strasznego?

Zwalczyła pokusę, by go odepchnąć.

– Chcę tylko wiedzieć, kim była tamta kobieta.

– Nie twoja sprawa, kurwa!

– Zatem się nie mylę?

– Właśnie że się mylisz! – Odetchnął chrapliwie raz i drugi. – Skoro już musisz wiedzieć, to moja terapeutka.

– Terapeuci nie gładzą swoich klientów.

Popatrzył na nią tak, jakby urwała się z księżyca.

– Jak długo nas obserwowałaś?

– Wszystko widziałam – zablefowała.

– Nie bądź głupia, Leila. – Nie doczekawszy się odpowiedzi, wyrzucił ręce w górę. – Pamiętasz nasze wesele w Danii?

Leila zmarszczyła czoło. Yasmin i Andrew pobrali się osiem lat temu.

– Tak.

– A Anę pamiętasz?

W okamgnieniu sobie przypomniała. Delikatne kości policzkowe, szczupła szyja…

– To była twoja siostra?

– Tak, w herbaciarni siedziałem ze swoją siostrą. Przyleciała, jak tylko się dowiedziała. A teraz odczep się, Leila. I przestań być taka wścibska.

Wzdrygnęła się. Yasmin często zarzucała jej to samo. Ale żeby Andrew, po tym wszystkim, co dla nich zrobiła… Ogarnęło ją uczucie żalu. Wyciągnęła rękę, chcąc nawiązać kontakt, ale szwagier ją odtrącił.

– Daj mi spokój! Daj spokój nam obojgu.

Odwrócił się i skręcił za róg, zostawiając ją oniemiałą na środku ulicy.

Yasmin przyglądała się im w milczeniu, schowana za pniem drzewa rosnącego przed domem Leili. Jej serce waliło jak oszalałe. Leila zamaszyście gestykulowała, co samo w sobie było szokujące. Ogarnięta gniewem była zwykle bardzo opanowana, pogrążona w posępnym nastroju jak męczennica, za którą lubiła uchodzić. W pewnym momencie wyciągnęła do Andrew rękę, którą jednak on odtrącił. Yasmin aż sapnęła. Nigdy jeszcze nie widziała go równie agresywnego.

Była świadkiem całej ich sprzeczki, po której Andrew zabrał się i poszedł. Po paru sekundach nieoczekiwanie wychynął ponownie zza rogu i – zupełnie jakby w jego mózgu coś przeskoczyło – podszedł do Leili, spojrzał na nią z natężeniem, które zdumiało Yasmin, po czym złapał ją w objęcia.

Szok sprawił, że przez moment wzięła ich za innych ludzi, a całą tę scenę za jakąś okrutną iluzję. Ale nie, to był jej mąż, w jego objęciach zaś tkwiła jej siostra, z głową złożoną mu na piersi, palcami czepiająca się kurczowo jego koszuli. Co ciekawe, nigdy wcześniej nie dążyli do kontaktu fizycznego, o obejmowaniu się nawet nie mówiąc. Widok tych dwojga – w takim uścisku – wydał się Yasmin niemal obsceniczny. Ich zachowanie nie miało podtekstu seksualnego, ale nie dało się też zaprzeczyć jego niespotykanej intensywności. Yasmin mogła tylko dalej się gapić, niezdolna do wykonania najmniejszego ruchu. Równocześnie zastanawiała się nad kaprysem losu, który doprowadził ją do tej chwili. Gdy skończyło się jej mleko, zmusiła się do wyjścia z domu, jednak w ostatnim momencie, zamiast do sklepu, skierowała się do Leili. I natknęła się na ten niecodzienny widok. Rozważyła nawet, czyby do nich nie podejść. Ale co miała zrobić? Jakby nigdy nic klepnąć siostrę w ramię? Czy raczej szarpnąć ją za włosy i odciągnąć od męża? Yasmin była jak zahipnotyzowana, miała wrażenie, że wszystko dzieje się w zwolnionym tempie.

W końcu sami oderwali się od siebie i Leila chyba otarła oczy. Andrew sięgnął ku niej i ujął ją za rękę, wbijając jej kciuk we wnętrze dłoni gestem, który Yasmin tak dobrze znała, bo z nią postępował identycznie. Kiwnąwszy zdawkowo głową, Leila wyminęła szwagra i pobiegła dalej. Andrew odprowadzał ją spojrzeniem, dopóki nie zniknęła za rogiem. Gdy obejrzał się przez ramię, wyraz jego twarzy nie pozostawiał wątpliwości: Andrew Hansson czuł się winny.

Yasmin złapała się bolców wieńczących żelazną bramę ogrodzenia, które okalało skwerek. Myśli miała rozbiegane i starała się nad nimi zapanować, by zrozumieć, czego właściwie była świadkiem. Nie widziała niczego, co by ich inkryminowało: żadnego pocałunku, żadnego uścisku. Niemniej ich zażyłość aż kłuła w oczy.

Zerknęła na lśniącą fasadę domu siostry. Jakąś częścią siebie pragnęła się schylić po kamień i cisnąć nim w najbliższe okno.

Idealna Leila ze swoim kurewskim idealnym życiem...

Choć Yasmin nigdy by tego nie przyznała – nawet w rozmowie z terapeutą – do pewnego stopnia cieszyła się z rozstania Leili i Willa. Małżeństwo i macierzyństwo – tylko w tym miała przewagę nad siostrą. To, że Leila odebrała jej Maksa, zakrawało na akt zemsty z jej strony. Oczywiście Yasmin zdawała sobie sprawę, że to nieprawda, potrzebowała jednak kogoś winić. A teraz zyskała nowe argumenty.

Zdecydowanym krokiem podeszła do drzwi frontowych i wyjęła zapasowy klucz z sekretnego miejsca pod ceramiczną doniczką. Przekroczywszy próg, szybko wbiła kod dezaktywujący alarm; jak wiedziała, liczby 8093 nie niosły żadnego znaczenia, co było typowe dla Leili.

Oburzył ją panujący wewnątrz porządek. W salonie strąciła z kupki kolorowych czasopism dwa szczytowe, pozwalając im się ześlizgnąć na podłogę. W kuchni zatrzymała się przy tylnych drzwiach, gdzie ogarnęła ją silna ochota, by wybić wstawioną pośrodku szybkę, ale skończyło się na kilkakrotnym rozczapierzaniu palców i zwijaniu ich w pięść, od czego tylko rozbolała ją dłoń. Napiła się soku i zostawiła szklankę na blacie. Dopiero na górze poczuła odrobinę satysfakcji, gdy zawędrowała do sypialni małżeńskiej, gdzie zastała zaciągnięte zasłony oraz nieposłane łóżko.

W przyległej łazience pozwoliła spojrzeniu zbłądzić na wolno stojącą wannę, której wysublimowany kształt zwracał uwagę czystymi, białymi liniami. Jaki to byłby szok dla Leili, gdyby po powrocie zastała we własnej wannie Yasmin! Była gotowa jej to zrobić przez zwykłą mściwość. Usiadła na krawędzi i przerzuciła nogi do środka, po czym zsunęła się na dno, momentalnie czując chłód akrylu na łydkach.

Ledwie znalazła się w kokonie, opadły ją wspomnienia. Kiedy Toby został zdiagnozowany, poprzysięgła sobie, że to zniesie, że nie rozsypie się, jak spodziewała się po niej Leila. Jednak życie z chorobą dziecka okazało się zbyt dużym, zbyt trudnym wyzwaniem, aby ktokolwiek przy zdrowych zmysłach zdołał sobie z nim poradzić.

W najgorsze noce, gdy płacz Toby'ego eskalował, osiągając poziom raniący uszy, Yasmin myślała, że postrada rozum, że jej umysł się rozpadnie i rozpryśnie po pokoju niczym wybuchająca gwiazda, lecz nie – musiała się trzymać. Po śmierci syna płakała przez wiele dni, a gdy po miesiącu ból ani trochę nie osłabł, pragnęła tylko, aby to się skończyło. Strata Maksa po wcześniejszych przeżyciach pozostawiła ją otępiałą, jakby wylała już z siebie wszystek smutek i nie miała nic więcej do dania.

Odchyliła głowę na twardy zagłówek. Czuła się taka zmęczona, taka przytłoczona. Przymknęła oczy i wbrew zimnu zasnęła.

Leila kopniakiem zamknęła za sobą furtkę i podskoczyła, gdy metal zazgrzytał o metal. Płynnym ruchem małego palca przeciągnęła zasuwkę, uniemożliwiając otworzenie furtki od zewnątrz, po czym ruszyła w stronę domu. Odłożyła nieliczne produkty niesione każdy oddzielnie z braku torby na zakupy, po czym w ostatniej chwili uratowała dwie dojrzałe brzoskwinie przed stoczeniem się na posadzkę. Odkładając je do misy na owoce, zauważyła kątem oka szklankę o ściankach oklejonych włókienkami pomarańczy i zmarszczyła czoło. Czyżby zostawiła ją nieumytą, zanim wyszła pobiegać? Miała w zwyczaju zalewać brudne naczynia wodą. Obejrzała szklankę ze wszystkich stron, jakby to miało pomóc jej rozwikłać zagadkę, po czym sprawdziła telefon. Może Will wpadł bez zapowiedzi? Na komórce nie było jednak żadnych nieodczytanych wiadomości. Pewnie zwyczajnie zapomniała. Umyła szklankę i skierowała się do łazienki na górze. Zdjęła żółtą koszulkę i obróciła się, aby wrzucić ją do kosza na pranie, gdy jej wzrok przyciągnął pióropusz czarnych włosów rozpostarty na akrylowej bieli. Wrzasnęła ze strachu – był to dźwięk zdolny obudzić umarłego.

Yasmin poderwała się z dna wanny, co momentalnie uciszyło krzyk Leili. Jej przerażenie przeszło w szok. Siostry zwarły spojrzenia, czując się tak, jakby doznały wstrząsu elektrycznego. Yasmin krzywiła się niczym złapana w snop rażącego reflektora. Leila kuliła się na podłodze, zgięta wpół, jak po nagłym podcięciu nóg. Coś mówiła, ale wydawane przez nią odgłosy były niezrozumiałe. Równie dobrze mogły to być zaklęcia, jak i przekleństwa. Podczas gdy ona drżała na całym ciele, słowa zaczęły nabierać kształtu.

Jak mogłaś? Jak mogłaś? Jak mogłaś?

– Yasmin, co ty tutaj robisz?! – zakrzyknęła. – Jak się tu w ogóle dostałaś? – Nagle spostrzegła szklane spojrzenie siostry. – O Boże, czy ty coś wzięłaś? – Zerwała się na nogi i przypadła do Yasmin. Odgięła jej palce, zaczęła macać dno wanny. – Brałaś coś? Co to było? – Objęła policzek siostry dłonią. – Yasmin, powiedz, co wzięłaś!

– Nie. – Yasmin miała niepewny głos, sprawiała wrażenie zdezorientowanej. – Nic nie wzięłam.

– Mnie możesz powiedzieć.

Odepchnęła jej rękę.

– Niczego nie brałam.

Leila nie spuszczała z niej oka, wciąż szukając oznak działania leków.

– Niczego nie brałam!

Wreszcie osunęła się wzdłuż boku wanny.

– To co tutaj robisz? – Znowu sięgnęła ku siostrze, ta jednak ponownie się jej wymknęła. Leila odetchnęła głębiej i odchyliła się na piętach do tyłu. – Yasmin… – zaczęła łagodnie. – Proszę, wyjdź stamtąd.

Yasmin zrobiła wyzywającą minę, lecz podniosła się i wygramoliła z wanny. Usiadła na krawędzi i pogardliwie obrzuciła wzrokiem brzuch Leili.

Zauważywszy to, Leila z powrotem włożyła koszulkę, zakrywając sportowy biustonosz. Skrzywiła się, gdy przepocony materiał przylgnął nieprzyjemnie do jej skóry.

– Co tu się, u diabła, dzieje?

– Ty mi powiedz. Ciebie jest wszędzie pełno.

Leila przypatrywała się jej uważnie. Czy niewyraźna mowa siostry była skutkiem przedawkowania?

– No, dalej – ponagliła ją Yasmin. – Mów. Co się dzieje? – Zeskoczyła na podłogę. – Pieprzysz się z moim mężem?

– Co? – Leila aż się zatchnęła.

– Widziałam was – dodała Yasmin z goryczą. – Widziałam was razem.

Choć Leila poruszyła ustami, nie wydobył się z nich żaden dźwięk.

– Widziałam, jak się do niego kleisz.

– Kiedy?

Yasmin odpowiedziała hardym spojrzeniem.

– A jak myślisz?

Leila nie wiedziała, jak ją udobruchać.

– No więc? Pieprzysz się z nim? Twój dom, twoja firma, twój samochód, nawet twoje pękające w szwach konto bankowe... to wszystko dla ciebie za mało? Musisz mi jeszcze odebrać męża?

– Nie rób tego.

– Czego mam nie robić?!

– Nie odcinaj się ode mnie. Zawsze stałam po twojej stronie.

– Och, pieprz się, Leila!

– Tylko go pocieszałam. – Cofnęła się o krok. – Naprawdę uważasz, że cokolwiek mogłoby mnie łączyć z Andrew?

Atmosfera stała się tak napięta, że jeszcze chwila, a groziła wybuchem.

– A czemu by nie? – rzuciła Yasmin. – Wszystko, co masz, wszystko, co robisz, jest takie doskonałe. Latasz do Nowego

Jorku na spotkania biznesowe, do śniadań pijesz szampana. Obracasz się wśród milionerów. Twoja kariera, idealna. Twoje sukcesy, idealne. Nawet twoje cholerne ciało... – dodała z niesmakiem. – Perfekcyjna w każdym calu Leila. Kurwa! – Głos jej się załamał. – Maks był jedynym, co liczyło się dla mnie w życiu.

– Yasmin, jesteś o wiele lepszym człowiekiem niż ja.

– Ani się waż traktować mnie z góry! Wiem, że brakuje ci dziecka, ale masz wszystko inne, Leila. Ja miałam tylko jego, a teraz go nie ma i cóż mam począć?

Leila widziała rozpacz siostry tak wyraźnie, że aż musiała odwrócić wzrok.

– Przepraszam... – powiedziała do ściany głosem podszytym łzami.

– Zadam ci jedno proste pytanie, Leila. I poproszę o szczerą i jasną odpowiedź. Czy zostawiłaś go w aucie celowo?

Leila wciągnęła powietrze do płuc ze świstem, pokazując w ten sposób, że nie wierzy własnym uszom.

– Wiem, że nie życzyłaś mu śmierci, ale czy świadomie zostawiłaś moje dziecko w swoim samochodzie i poszłaś do biura?

Wzięta przez siostrę w ogień pytań Leila usiłowała znaleźć najlepszą odpowiedź, taką, która będzie dla Yasmin największą pociechą.

– Nie – odparła cicho. – Nie chciałam go zostawić.

Spojrzenie Yasmin raziło ją niczym błyskawica.

– Nie wierzę ci.

– Nigdy bym...

– Ależ tak! – Yasmin jej przerwała. – Mnie przecież zostawiłaś.

– To było co innego. Byłaś starsza. Umiałaś o siebie zadbać.

– Miałam jedenaście lat.

– Wiem, ale... – Leila wzdrygnęła się na to wspomnienie. – Znalazłam się wtedy w sytuacji podbramkowej.

– A to nie była sytuacja podbramkowa, kiedy kontrakt na wiele milionów nagle stał się zagrożony? Nie uznałaś, że musisz ratować firmę za wszelką cenę?

– Nie, to nie było tak.

– Po prostu powiedz mi prawdę.

– Przysięgam, że tak wygląda prawda – zapewniła stanowczym tonem graniczącym z gniewem.

Yasmin posłała jej chłodne spojrzenie.

– Nie wierzę ci. – Unosząc palec, dodała: – Nie odzywaj się do mnie, chyba że zostaniesz uniewinniona.

– Yasmin, do procesu zostało jeszcze pięć miesięcy...

– Nie obchodzi mnie to. Nie chcę z tobą rozmawiać.

– Yasmin...

– Klnę się na Boga, Leila. – W głosie Yasmin zabrzmiały groźne nuty. – Jeśli będziesz mnie nagabywać, zawiadomię policję i powiem, że łamiesz warunki poręczenia.

– Nie zrobiłabyś tego.

– Zrobiłabym. I zrobię.

Udręka Leili tylko się zwiększyła.

– Proszę, nie...

Spojrzenie Yasmin stwardniało jeszcze bardziej.

– Zabiłaś mojego syna, Leila. Będziesz miała szczęście, jeśli jeszcze kiedykolwiek się do ciebie odezwę.

– Zaczekaj! – Leila wyciągnęła rękę, aby zatrzymać siostrę, ta jednak zaczęła się przed nią opędzać.

– Trzymaj się ode mnie z daleka. – Yasmin wykrzywiła twarz w brzydkim grymasie. – I trzymaj się, kurwa, z daleka od mojego męża!

A potem zbiegła na dół i wypadła na zewnątrz, trzaskając za sobą drzwiami.

Leila zjechała plecami po wykafelkowanej ścianie. Trafiła do jakiegoś cholernego czyśćca: miała siostrę tak blisko, lecz nie mogła jej widywać. I tak miało pozostać przez najbliższe pięć miesięcy. Prawie pół roku na przemyślenie tego, co zrobiła. Pół roku na odbycie żałoby, pod którą głęboko czaiło się poczucie winy.

Sierżant Chris Shepherd ślęczał nad dokumentami, starając się zaprowadzić w nich porządek. Miał zaufanie do prokuratury, lecz ilekroć w sprawę było zaangażowanych tyle stron – policja, prokuratura, biuro prawne, sądy – istniało ryzyko, że coś się gdzieś zawieruszy albo nie dotrze na czas. Na własne oczy widział, jak sędzia oddala sprawę, ponieważ ktoś nie dopilnował, aby wyjaśnić pewien szczegół ze świadkiem, czy zapomniał poinformować o zmianie terminu. A pracownicy prokuratury uginali się pod naporem obowiązków, tak samo zresztą jak policyjni detektywi, co oznaczało, że czasem nie tylko szło się na skróty, ale wręcz pewne rzeczy się odpuszczało.

W sprawie Leili Syed nie mogli sobie pozwolić na błąd. Przygotowania przypominały budowę muru: cegiełka po cegiełce dokładali coś do materiału dowodowego, przy czym całość musiała się obronić w trakcie rozprawy. Wystarczyło, że adwokat podważył jeden element, a oskarżeniu groziło runięcie. Taka odpowiedzialność spoczywała na ich barkach.

Odchylił się na oparcie i splótł dłonie na karku, przekonany, że wszystko znajduje się na swoim miejscu. Okręcił się na krześle, aby zaproponować współpracownikom przerwę na kawę, ale okazało się, że w biurze nikogo już nie ma. Zważywszy, że on jeden nie miał dzieci, dość często wychodził z pracy ostatni, choć wcale z tego powodu nie narzekał. Przeciwnie, kochał swoją pracę. Przeszkadzały mu tylko ciągłe przypomnienia: „Tak, ty możesz, nie masz trójki dzieci, które trzeba położyć spać", które odbierał jako coś w rodzaju męczeństwa na pokaz, praktykowanego w celu dowiedzenia własnego altruizmu. Oraz – jak sądził sam Shep – w celu wykazania, że on nie ma nikogo. Najbardziej ze wszystkiego jednak nie cierpiał aluzji mówiącej, że nie przeżywa niczego wystarczająco głęboko, ponieważ nie jest ojcem. Jakby brakowało mu empatii i brak ten dało się naprawić tylko z pomocą potomstwa.

Roztrząsając to teraz, zdał sobie sprawę z własnej hipokryzji. Czyż nie poczynił takiego samego założenia w stosunku do Leili Syed? Bezdzietne kobiety były traktowane z jeszcze większą pogardą niż bezdzietni mężczyźni – i niewątpliwie zostanie to wykorzystane przeciwko niej w czasie rozprawy. Nieprzypadkowo żadna książkowa ani filmowa femme fatale nigdy nie była portretowana w roli matki.

Jego rozmyślania przerwał sygnał zatrzymującej się windy, którą przyjechała Karen sprzątająca biura. Shep uznał to za znak, że pora kończyć pracę na dziś. Uporządkował skoroszyty i wyłączył komputer. Choć rozprawa miała się zacząć dopiero za pięć miesięcy, wszystko było gotowe. Niemniej prawdę poznają za co najmniej pół roku. Dopiero wtedy się okaże, czy Leila Syed jest winna zabójstwa swego trzyletniego siostrzeńca.

CZĘŚĆ II

ROZDZIAŁ 8

Nadejście zimy w Anglii oznaczało koniec wszystkiego, nawet dźwięków. Milkły ptaki, cichł szelest liści, pozostawało tylko uczucie odcięcia. Leila zastanawiała się, jak radzi sobie jej siostra. Yasmin, zupełnie jak ich matka, zawsze miała ciężej o tej porze roku, całkiem jakby blade słońce gasiło coś także w niej. Nie widziała się z Yasmin od pięciu miesięcy – nawet przypadkiem na ulicy. Andrew wprawdzie co tydzień przysyłał jej aktualne wieści, ale to nie było to samo. Wreszcie dziś, w sądzie, ich ścieżki znowu miały się przeciąć.

Szykowała się do wyjścia przez dwie godziny. Ostatecznie zdecydowała się na granatowe spodnium z nogawkami zwężającymi się w łydce, co nadawało jej sylwetce smukłości. Kiedy jednak przeszła się po pokoju, spodnium okazało się sztywne i niepodatne, do tego piło ją w najmniej odpowiednich miejscach. Minione pięć miesięcy spędziła na pracy zdalnej, do biura zaglądając tylko w weekendy, kiedy to również nie musiała przywiązywać wagi do stroju. Ta nagła zmiana image'u była dla niej szokiem. Pomyślała nawet o przebraniu się w coś wygodniejszego, ale nie mogła ryzykować spóźnienia. Poza tym musiała zaprezentować się jak najlepiej.

Jadąc do sądu taksówką, czuła ucisk w brzuchu: dobrze jej znana obawa przed kontaktem z przedstawicielem władz. Całe jej życie było ciągłą walką z urzędami i pokonywaniem przeszkód. Po dziś dzień nie zapomniała swojego wystąpienia w sądzie rodzinnym, gdzie złożyła wniosek o adopcję Yasmin. Późniejsza przepychanka z systemem sprawiedliwości – to, jak traktowali ją urzędnicy, wyznaczanie co rusz nowych terminów, przeniesienie sprawy do Manchesteru i znów do Londynu – przyprawiła ją o chorobę i poczucie bezradności. A teraz sąd miał zadecydować o jej losie. Ktoś w imieniu chwiejnego kolosa na glinianych nogach ogłosi, czy Leila Syed trafi do więzienia, czy zostanie uniewinniona.

Wysiadła przed Inner London Crown Court i przeszła kontrolę bezpieczeństwa. Siedziba sądu składała się z dwóch budynków. Ten bliższy ulicy był monumentalny i imponujący, z przestronnymi korytarzami, wysokimi sklepieniami i oknami palladiańskimi, które zawsze tak fascynowały Leilę. Pragnęła zobaczyć je z bliska, może nawet naszkicować. Budynek na tyłach był szarą nijaką bryłą zaopatrzoną w wąskie szkolne schody. To tam przycupnęła, czekając. Zmusiła się do miarowego oddechu i robiła, co mogła, aby zapanować nad drżeniem.

Po chwili pojawił się woźny i skinął głową, dając w ten ponury sposób do zrozumienia, że już pora. Leila weszła za nim na salę rozpraw i dała się poprowadzić do miejsca dla oskarżonych, dusznej budki otoczonej ze wszystkich stron kuloodpornym pleksiglasem. Na widok ławy sędziowskiej naprzeciwko omal się nie rozpłakała. Wiele razy wyobrażała sobie tę chwilę, nigdy jednak nie pomyślała, jak mała się poczuje, gdy przyjdzie co do czego. Rozejrzała się po otaczającym ją pomieszczeniu, tworząc sobie w głowie jego plan. Miejsce dla świadków znajdowało się po jej prawej, a ława przysięgłych po lewej, tak że jedni i drudzy mogli patrzeć sobie wzajemnie w oczy. W środku tkwiły ławy dla prawników oskarżenia i obrony. Adwokatka Leili, Clara Pearson, siedziała od strony ławy przysięgłych i spokojnie przeglądała akta. Nad głową Leili – poza jej polem widzenia – znajdowała się galeria dla publiczności. Nie miała pojęcia, czy Yasmin zasiada na niej i wszystko obserwuje.

– Sąd idzie! – oznajmił woźny.

Na sali pojawił się sędzia Warren. Był to szczupły mężczyzna o cienkich wargach, które kolorem nie różniły się od jego skóry, i z szarymi, niewielkimi oczami przesłoniętymi okularami w wąskiej oprawce. Kiedy jednak się odezwał, zdawało się, że jego głęboki władczy głos należy do kogoś innego.

– Do udziału w posiedzeniu zapraszam ławników.

Wezwani weszli gęsiego, z poważnymi minami.

Leila instynktownie szukała wśród nich kobiet, zwłaszcza tych, które mogły mieć dzieci i z natury rzeczy były nastawione przeciwko niej. Czasami czuła się niezręcznie w obecności matek, które rozmawiały między sobą o aspektach życia, o jakich ona nie miała pojęcia. W ich obliczu wydawała się sobie oziębła i sucha, z ciałem zbyt twardym i zbyt chudym. Dla równowagi biegła wtedy w myślach do wyników badania, które trafiły na pierwsze strony gazet w dwa tysiące dziewiętnastym roku i mówiły, że niezamężne bezdzietne kobiety są najszczęśliwszą grupą społeczną. Oczywiście towarzyszyło tej informacji wiele szumu, niezamężne bezdzietne kobiety świętowały i jak zwykle doszło do podziału na „my" i „one", przy czym szczęściary i nieudaczniczki znowu stanęły po przeciwnych stronach barykady, tyle że tym razem się okazało, że nieudaczniczki też są szczęściarami, ponieważ mają do swojej dyspozycji czas, pieniądze i wolność, w związku z czym – padały głosy – nie powinny się skarżyć. Była to odwieczna śpiewka. W internecie krążył viralowy post, w którym pewna matka przyznała, iż nienawidzi bezdzietnych kobiet, bo paradują po Disneylandzie w zdzirowatych spodenkach i śmią zabierać miejsce w kolejce po lody.

Jak lekceważący są ludzie względem bezdzietnych kobiet. „Względem kobiet takich jak ja – pomyślała Leila, siedząc na ławie oskarżonych. – Czy przysięgli też będą mnie osądzać pod tym kątem?".

Przyglądała się im teraz spod oka. Było ich dwanaścioro, siedem kobiet i pięciu mężczyzn, równo podzielonych między różne nacje. Wszystkie kobiety miały po trzydzieści parę i czterdzieści parę lat – z wyjątkiem jednej, która była po dwudziestce. Dziewczyna ta, z jasnymi, kocimi oczami, emanowała opanowaniem, czym zwracała na siebie uwagę. Czyżby to ona miała się okazać zbawczynią Leili? Sędziowie preferowali jednomyślne werdykty, lecz w najgorszym razie akceptowali werdykt większościowy w stosunku dziesięć do dwóch. Kiedy więc dziewczyna zerknęła w stronę Leili, ta spróbowała się do niej uśmiechnąć – dyskretnie poprosić o wsparcie – ale dwudziestoparolatka szybko uciekła spojrzeniem, wyraźnie znudzona lub niezainteresowana. Jak strasznie było siedzieć tu i być zdaną na łaskę nieznajomych. Ci ludzie nie mieli pojęcia o niej ani o jej życiu. Nie wiedzieli, jak bardzo kochała Maksa.

Ze swojego miejsca podniósł się prawnik reprezentujący prokuraturę. Odziany w czarną togę i w peruce z końskiego włosia Edward Forshall nosił się jak Amerykanin. Z opalenizną, mocno zarysowaną szczęką i ledwo zaczynającym wiotczeć podbródkiem ogłaszał wszem wobec, że dopiero przechodzi w wiek średni. Spojrzenie jego głęboko osadzonych piwnych oczu było przenikliwe za sprawą krzaczastych brwi. Głos miał dźwięczny, ale ciepły; był gładkim mówcą, choć chwilami wpadał w afekt. Przedstawił się, wyjaśnił, że prawnikiem obrony jest jego „wielce szanowna koleżanka" Clara Pearson, z którą będzie „krzyżował oręże", po czym przeszedł płynnie do mowy otwierającej.

– Panie i panowie przysięgli, możecie nazwać to, o czym usłyszycie dzisiaj i w nadchodzącym tygodniu, tragedią. Możecie szukać eufemizmów, takich jak „niefortunne potknięcie" czy „chwila zapomnienia". Wszelako to, co wydarzyło się w poniedziałek dwunastego lipca tego roku, nie było zwykłą tragedią. Był to wynik czynu popełnionego świadomie.

Zrobił pauzę, aby jego słowa wyryły się w pamięci słuchających go osób.

– Oto fakty... Rankiem wspomnianego dnia oskarżona Leila Syed zgodziła się zawieźć swego siostrzeńca do żłobka, który znajdował się w odległości niecałych sześciu kilometrów od jej domu. Placówka mieściła się zaledwie pięć minut drogi za miejscem jej pracy, co czyniło przysługę łatwą do wykonania. W trakcie jazdy jednak pani Syed odebrała telefon z biura i dowiedziała się, że wynikła tam sytuacja kryzysowa. Poważna sytuacja kryzysowa, w której rezultacie jej firma mogła utracić kontrakt wart wiele milionów funtów.

Kolejna pauza, tym razem, by rozbudzić ciekawość słuchaczy.

– Będąc dziesięć minut od swojego biura, pani Syed miała dwie możliwości: mogła skręcić do żłobka, co wydłużyłoby jej czas dotarcia do pracy, bądź pojechać prosto do firmy, zażegnać kryzys i potem odstawić Maksa do żłobka. Zdaniem prokuratury pani Syed wybrała to drugie rozwiązanie: pojechała prosto do biura i świadomie zostawiła Maksa w samochodzie, aby uporać się z sytuacją kryzysową.

Leila poczuła na sobie spojrzenia ławników, ale nie znalazła w sobie odwagi, aby podnieść oczy.

Edward Forshall splótł palce.

– Panie i panowie przysięgli – podjął. – Wielu z was pewnie jest rodzicami. Niektórzy z was przeżyli chwile grozy, zgubiwszy dziecko w parku albo na zatłoczonej plaży. Wszyscy wiemy, jak straszny finał może mieć taka sytuacja. „Palec boży", kwituje się nieraz. W tej sprawie jednak nie chodzi o zaniedbanie rodzicielskie ani o zwykły błąd czy chwilowe stracenie dziecka z oczu. Nie. Pani Syed zostawiła trzylatka w rozgrzanym samochodzie. Dziecko, które znajdowało się pod jej wyłączną opieką, pozostawiła na tylnym siedzeniu auta z zamkniętymi drzwiami i oknami. I nie wróciła po nie przez trzy godziny. Co więcej, zrobiła to w wyjątkowo upalny dzień; w gruncie rzeczy był to najgorętszy dzień tego roku. W wyniku jej zaniedbania trzyletni Maks stracił życie. Pani Syed utrzymuje, że kompletnie o chłopcu zapomniała.

Prokurator machnął ręką w jej stronę.

– Twierdzi, że sytuacja kryzysowa w biurze, od której zależało być albo nie być jej firmy, nie miała żadnego związku z tym, co się stało tamtego ranka. Próbuje nam wmówić, że jakby nigdy nic podjechała pod swoje biuro, zapomniawszy, że wiezie siostrzeńca.

Zaśmiał się drwiąco.

– Pani Syed powiada, że nigdy wcześniej nie odwoziła Maksa do żłobka, co jej zdaniem ma tłumaczyć, dlaczego o nim zapomniała tym razem. Wszystkie dowody jednak świadczą o czymś innym. Pani Syed twierdzi, że była chętna zajmować się Maksem, lecz dowody temu przeczą, w tym zeznania jej własnych znajomych.

Złączył dłonie w powietrzu.

– Jak sama przyznaje, zostawiła trzyletnie dziecko w samochodzie. Utrzymuje, że uczyniła to nieświadomie. Nie może być o tym mowy! Jej decyzja, aby zostawić Maksa w aucie i zająć się sprawami służbowymi, była w pełni świadoma, a jej działanie celowe. Chłopiec spędził w rozgrzanym wnętrzu samochodu trzy godziny, co bezpośrednio spowodowało jego śmierć. Podsumowując, wszystko jest jasne. Leila Syed dopuściła się zabójstwa.

Urwał i potoczył poważnym wzrokiem po twarzach przysięgłych.

– Z pewnością niechętnie dojdziecie do takiego wniosku, ale fakty są faktami, a na ich podstawie pani Syed jest winna. Prokuratura spodziewa się, że wasz werdykt to odzwierciedli i uznacie ją za winną.

Zakończył, skłaniając głowę lekko, lecz na dłuższą chwilę.

Leila cała się jeżyła, słuchając jego przemowy. Oburzające, jak ją odmalował.

„Przedstawiając mnie jako karierowiczkę, która ma na uwadze wyłącznie własną ambicję, poszedł po linii najmniejszego oporu", uznała w duchu.

Nic z tego nie było prawdą. Kiedy Andrew poprosił ją o pomoc, Leila się zgodziła, ponieważ zawsze przedkładała dobro Yasmin nad wszystko inne. Przyszło jej drogo zapłacić za tę życzliwość, a teraz jeszcze musiała tu siedzieć i wysłuchiwać, jak ją piętnują! Czuła się jak podczas publicznego linczu.

Edward Forshall wezwał na pierwszego świadka nie kogo innego, tylko Yasmin, co wywołało u Leili szok. Spodziewała się na jej miejscu zobaczyć szwagra, ponieważ wszystko zaczęło się od niego. Obserwując reakcję przysięgłych, zrozumiała jednak bardzo szybko, że celem wywarcia na nich jak największego emocjonalnego wrażenia prokuratura musiała zacząć od matki.

Oczywiście, że od matki...

Yasmin włożyła na tę okazję bladoróżową luźną sukienkę z zaszewkami pod biustem, tak jasną, że nieomal białą. Włosy miała upięte w luźny kok tuż nad karkiem, a twarz ledwie muśniętą makijażem: duże oczy podkreślone delikatnie kredką, usta pomalowane na niewiele się różniący od naturalnego kolor śliwkowy. Wyglądała jak recepcjonistka szanowanej kancelarii prawniczej lub inna osoba zlewająca się z tłem. Mroczniejsza część Leili poczuła złość na widok zakamuflowanej urody Yasmin. Czyżby jej siostra zrezygnowała z czerwonej szminki celowo, aby wydać się bardziej swojska? Yasmin w całej swojej krasie podnosiła ciśnienie innym kobietom, co Leila osobiście uważała za zabawne. Jej dzisiejsza kreacja ukazywała kogoś zupełnie innego.

Usiłowała przechwycić wzrok siostry, ta jednak się pilnowała, aby przypadkiem nie spojrzeć w jej stronę. Leila pożałowała, że nie podjęła ostatniej próby nawiązania kontaktu przed rozprawą, by wybadać Yasmin i dowiedzieć się, co naprawdę myśli.

„Czy pała chęcią zemsty? Zamierza dziś przypieczętować mój los?"

– Pani Syed... – zaczął Edward tonem przesyconym powagą. – Jakiego rodzaju ciotką była Leila Syed?

Leila wyciągnęła szyję, aby ułatwić siostrze zadanie, ale ona w dalszym ciągu wpatrywała się w przestrzeń przed sobą, z oczami utkwionymi w jakiś punkt obok ławy przysięgłych.

– Dobrą – odparła Yasmin.

– Kochającą?

– Tak. Powiedziałabym, że tak.

Edward przechylił głowę.

– Proszę wybaczyć, ale wyczuwam w pani głosie wahanie...

Yasmin wygładziła na sobie sukienkę.

– No więc... nie była czuła, jeśli o to pan pytał. – Wyczuwszy poruszenie wśród przysięgłych, natychmiast wycofała się ze swoich słów. – Nie mam na myśli tego, że nie była czuła w ogóle, tylko że nie okazywała czułości. O, nie była wylewna. Nie dążyła do kontaktu fizycznego z Maksem.

Leila poczuła niepokój. Yasmin mówiła prawdę, lecz skąd przysięgli mieli wiedzieć, że ilekroć trzymała siostrzeńca na ręku, tęskniła za własnym dzieckiem? Ciężar jego ciałka na biodrze, mięciutka miniaturowa dłoń na policzku, zaciekłe całusy gdzie popadnie, wszystko to przywoływało ból, który zepchnęła gdzieś głęboko.

– Powiedziałaby pani, że traktowała Maksa ozięble?

Yasmin zmarszczyła czoło.

– Nie. Była bardzo... zaangażowana. Kupowała mu dużo zabawek i książeczek i zawsze pytała, co u niego.

– W dwa tysiące dwudziestym roku przeprowadziła się pani, aby zamieszkać bliżej siostry. Czy ufała jej pani jako opiekunce do dziecka?

Yasmin zacisnęła palce na drewnianej barierce.

– Tak.

– Jak często oddawała pani Maksa pod jej opiekę?

– Mniej więcej raz na dwa tygodnie.

Leila zjeżyła się wewnętrznie. Jeśli już, było to raz na tydzień.

– I jak pani siostra się na to zapatrywała?

Yasmin się spięła.

– Zazwyczaj nie miała nic przeciwko temu. Czasami jednak miałam wrażenie, że się jej narzucamy.

– Dlaczego tak pani myślała?

– No więc... Czasami mówiła coś w stylu: „Mam dużo pracy, więc co najwyżej mogę włączyć mu bajkę na DVD".

– Czyli zamiast opiekować się pani synem, zostawiała go samego przed ekranem?

Yasmin wykonała niesprecyzowany gest.

– Nie samego... chyba.

– Chce pani powiedzieć, że pani siostra pracowała w salonie, podczas gdy trzylatek oglądał bajkę?

– Tego nie wiem.

– Czy pani siostra ma biurko w salonie?

– Nie.

– A czy ma oddzielny gabinet?

– Tak.

– Pani siostra jest architektem. Sądzi pani, że rozłożyłaby się z pracą na podłodze salonu czy raczej poszła do gabinetu?

– Nie potrafię odpowiedzieć na to pytanie.

Clara Pearson prychnęła znacząco i prokurator odpuścił.

– Czy pani siostra uczyniła kiedyś coś, co podałoby w wątpliwość jej zdolności opiekuńcze?

– Nie. Gdybym tak uważała, nie zostawiałabym Maksa pod jej opieką.

– Z tego, co pani wiadomo, siostra nigdy nie zostawiła pani dziecka samego na dłuższy czas?

– Nie zostawiła.

– Zgodzi się pani ze mną, że coś takiego byłoby nie do zaakceptowania?

– Tak.

– Ile lat, pani zdaniem, powinno mieć dziecko, aby można je było zostawić samo?

Yasmin się zawahała.

– Szesnaście?

Edward uśmiechnął się wyrozumiale.

– Wiek, który pani podała, wynika z norm społecznych, ale wszyscy postępujemy czasem niezgodnie z nimi. Ja też jestem rodzicem i wiem, że człowiek czasem robi rzeczy, które potem budzą w nim wyrzuty sumienia. Dlatego proszę o szczerą odpowiedź. Ile lat, pani zdaniem, powinno mieć dziecko, aby można je było zostawić samo?

Yasmin zaszurała nogami, pobiegła spojrzeniem do sędziego i przysięgłych, po czym znów wbiła wzrok w to samo miejsce co przedtem.

– Trzynaście.

– Trzynaście – powtórzył Edward. – Nie dwanaście?

– Nie.

– Nie jedenaście?

Yasmin zesztywniała.

– Nie.

Leila poczuła skręt kiszek. „Skąd wiedzą?"...

Edward ujął kartkę, lecz nic z niej nie odczytał; użył jej raczej dla efektu.

– Czy to prawda, że pozostawała pani pod opieką siostry od jedenastego do osiemnastego roku życia?

– Tak.

– Pamięta pani, co się wydarzyło w styczniu dwa tysiące drugiego roku?

Yasmin zaczęła ugniatać sobie dłoń.

– Proszę odpowiedzieć – zachęcił ją prokurator.

Wreszcie spojrzała na Leilę, ale tylko przelotnie.

– Mieszkałyśmy w Gants Hill. Siostra podjęła wieczorną pracę i musiała wziąć udział w szkoleniu.

– Gdzie odbywało się szkolenie?

– W Cotswolds.

– Jak długo trwało?

– Trzy dni.

– Kto opiekował się panią w tym czasie?

Na policzki Yasmin wypłynął rumieniec.

– Zostałam sama.

– Rozumiem. A ile miała pani wtedy lat? Szesnaście? – Edward odczekał moment, lecz gdy nadal nie odpowiadała, ponaglił ją: – Pani Syed, ile miała pani wtedy lat?

– Jedenaście – odparła Yasmin.

Na sali zapanowało poruszenie; przysięgli rzucali sobie spojrzenia, na galerii podniosły się szepty.

– Jedenaście! – podchwycił Edward, drapiąc się po peruce w udawanym zdziwieniu. – Miała pani jedenaście lat, gdy pani siostra i zarazem opiekunka prawna zostawiła panią samą we wschodnim Londynie na całe trzy dni?

Leila poczerwieniała. Doskonale pamiętała tamten tydzień. Pytała nowego pracodawcę, czy oferuje opiekę nad dziećmi. Rozważała nawet zabranie Yasmin ze sobą i ukrycie jej w pokoju hotelowym. Była w kropce i nie wiedziała, co będzie lepsze: zostawić Yasmin samą czy poprosić o pomoc sąsiada z naprzeciwka, pana Horace'a. Uznała jednak, że to byłoby najgorsze rozwiązanie z możliwych. Ostatecznie zrobiła zakupy i zakazała Yasmin dokądkolwiek wychodzić pod jej nieobecność. Przez calutkie trzy dni zamartwiała się o młodszą siostrę, a do domu wróciła w stanie manii, przekonana, że po otwarciu drzwi zastanie Yasmin wybebeszoną na podłodze. Ujrzawszy ją skuloną na kanapie pod kołdrą, z popcornem zaścielającym dywanik, omal nie rozpłakała się ze szczęścia. Nie chcąc nastraszyć siostry, przywitała ją jakby nigdy nic, po czym zamknęła się w łazience i dopiero wtedy dała upust łzom. Nieco później doszło między nimi do straszliwej kłótni, gdy Leila zauważyła w śmieciach opakowanie po daniu na wynos. Nakrzyczała na Yasmin, po części z wściekłości, po części z ulgi. „A gdyby coś ci się stało?! Przecież tak łatwo o tragedię!" Ta jednak nadeszła dopiero po dwu dekadach.

– Pani Syed – prokurator zwrócił się do Yasmin łagodnie, jakby przekazywał jej złe wieści – czy pani zdaniem było to odpowiedzialne zachowanie?

Yasmin wykrzywiła usta.

– Obydwie byłyśmy bardzo młode.

– Niemniej o czymś to świadczyło, prawda? Że pani siostra lubi ryzykować?

Yasmin znowu przestąpiła z nogi na nogę, lecz nic nie powiedziała, nie zaczęła bronić Leili – być może dlatego, że w głębi ducha zgadzała się z Edwardem. Faktycznie trzeba było określonej osobowości, aby zachować się w ten sposób, aby narazić na szwank bezpieczeństwo bliskiej osoby.

– Czy teraz, jako matka, uważa pani, że to było usprawiedliwione ryzyko?

Yasmin nie odezwała się, dopóki znowu jej nie ponaglił.

– Nie, nie uważam tak – odpowiedziała uczciwie.

Leila wbiła sobie paznokcie w kolana, nie zważając na ból. Przepraszam! – chciała wykrzyknąć. – Przepraszam, Yasmin, za wszystko, przez co musiałaś przejść z mojego powodu!

– Cofnijmy się do dwunastego lipca tego roku – podjął prokurator. – Pani mąż poprosił pani siostrę, aby zawiozła Maksa do żłobka. Czy była to niecodzienna sytuacja?

– Tak. Staramy się nie zawracać Leili głowy rano.

– O? A dlaczego?

Yasmin nie odpowiedziała od razu.

– Zwykle nie ma nic przeciwko opiece nad Maksem, ale pewnego razu, gdy poprosiłam ją, aby przyszła rano, warknęła na mnie.

– Jak to?

– Po prostu pierwszą część dnia ma zawsze wypełnioną, żeby popołudniami mogła myśleć twórczo. Wszystko ma zawsze poukładane co do minuty. To się nazywa efektywne zarządzanie czasem.

– Czyli unikała pani proszenia siostry o pomoc rano, dobrze rozumiem? Zdziwiło panią, że mąż mimo wszystko do niej zadzwonił?

– Tak. Mówiłam mu, żeby tego nie robił.

– Powiedziała pani mężowi jasno i wyraźnie, aby nie kontaktował się z pani siostrą rano?

– Tak.

– Ponieważ jest niebywale zajęta?

– Tak.

Leila pamiętała tamten ranek, o którym wspomniała Yasmin. Było to pięć miesięcy przed śmiercią Maksa, w pewien zimny lutowy dzień. Miała umówione spotkanie z kancelarią prawną, która chciała u niej zamówić projekt biura w Holborn. Była to nie tylko lukratywna oferta, ale też pozycja, którą dobrze mieć w CV. Starzy prawnicy preferowali pracownie architektoniczne o większym dorobku, często na drodze powiązań towarzyskich, musiała więc użyć całej swojej siły perswazji, aby przekonać tych konkretnych, by dali jej szansę.

„Przecież jesteś swoim własnym szefem – poskarżyła się Yasmin. – Masz elastyczny czas pracy w przeciwieństwie do mnie". Leila odparła wtedy ostro: „Maks jest twoim dzieckiem!".

Po tych słowach zapadła pełna napięcia cisza. „Wybacz, że zapytałam. To się nie powtórzy", chlipnęła Yasmin i rozłączyła się. Dotrzymała obietnicy. W kolejnych miesiącach nikt nie absorbował Leili rankami. Yasmin potrafiła być uparta. Żadna z sióstr nie wróciła do tego tematu, a gdy Yasmin następnym razem poprosiła ją o pomoc w sobotni wieczór, Leila zgodziła się z chęcią i na tym sprawa się zakończyła. Leila nie miała pojęcia, że Andrew ma zakaz zwracania się do niej o pomoc do południa.

– Podsumujmy, czego dowiedzieliśmy się do tej pory. – Edward przeszedł do konkluzji. – Przy jednej okazji pani siostra oświadczyła wyraźnie, że posadzi Maksa przed ekranem, by zajął się sam sobą. Kiedy pani miała jedenaście lat, zostawiła panią w domu samą na trzy dni. I kategorycznie odmawiała opieki nad siostrzeńcem rankami, gdy była najbardziej zajęta.

Yasmin bawiła się guzikiem sukienki.

– Uważa pani, że siostra celowo zostawiła Maksa w samochodzie samego, aby zająć się sytuacją kryzysową w firmie?

Na odpowiedź trzeba było chwilę zaczekać.

– Nie wiem.

W tym momencie Leila zrozumiała, że Yasmin w nią wątpi, że naprawdę zakłada możliwość, iż Leila zaryzykowała życie Maksa dla sprawy firmowej. Aby pokazać przysięgłym swoje oburzenie tym faktem, teatralnie potrząsnęła głową.

Prokurator nie przestawał drążyć.

– Choć wiem, że to bolesne, muszę panią prosić o szczerą odpowiedź na moje następne pytanie. Czy wiedząc to, co pani wie o swojej siostrze, mianowicie, że raz zostawiła dziecko bez opieki, sądzi pani, że mogła zostawić Maksa w samochodzie celowo?

Yasmin milczała przez dłuższą chwilę. W końcu cicho przyznała:

– Tak.

– Proszę głośniej.

Yasmin odchrząknęła.

– Tak, sądzę, że mogła to zrobić.

Leilę w jednej chwili opuściły wszystkie siły. Potępiła ją jej własna siostra! Zafiksowała się na tym fakcie, mimo uszu puszczając resztę zeznań Yasmin, której prokurator nie przestał wypytywać pomimo wypowiedzenia przez nią tych decydujących słów. Yasmin jej nie wierzyła, a skoro tak, jakie Leila miała szanse przekonać do siebie przysięgłych?

Po lunchu Yasmin odpowiadała na pytania Clary. Adwokatka rozpoczęła od złożenia jej kondolencji, co jednak zrobiła zwięźle i raczej oschle, pokazując, że nie zamierza się użalać nad świadkiem. Leila poczuła niepokój o siostrę. Ilekroć Yasmin wdawała się w debatę z kimś od siebie bystrzejszym, Leila się wtrącała, aby wytrącić oręż z ręki rozmówcy. Albo kiedy Yasmin zaczynała dyskutować o sytuacji w Palestynie czy o prawie posiadania broni – nie mając pojęcia o jednym ani o drugim – Leila musiała interweniować, by nie pozwolić siostrze wyjść na głupią. Tutaj i teraz, w obliczu jej prawniczki, Yasmin będzie miała wyjątkowo trudne zadanie, co martwiło Leilę. Pragnęła, aby Clara obeszła się z nią łagodnie, choć jej dobro wymagało raczej, aby adwokatka rozprawiła się ze świadkiem prokuratury jak najostrzej.

– Pani Syed, przy tych okazjach, gdy zostawiała pani Maksa pod opieką Leili, która uprzedzała panią, że być może będzie musiała zająć go bajką puszczoną na DVD, czy zgłaszała pani zastrzeżenia?

Yasmin zastanawiała się przez moment.

– Nie.

– Dlaczego?

– Nie uważałam, aby to było niewłaściwe. Sama czasami tak robiłam.

– A pani mąż? Czy i on czasem puszczał synowi bajki na DVD?

– Tak. To znaczy nigdy dłużej, ale mógł to robić, kiedy na przykład chciał popracować w ogródku.

– Jak każdy rodzic?

– Tak.

– Czy nie jest prawdą, że Leila opiekowała się panią od jedenastego do osiemnastego roku życia, w którym to czasie sama miała od osiemnastu do dwudziestu pięciu lat?

– To prawda.

– Usłyszeliśmy dzisiaj, że na samym początku tego okresu Leila wyposażyła panią w zapas jedzenia i polecenie, aby nie opuszczała pani mieszkania, podczas gdy ona brała udział w ważnym szkoleniu zawodowym w Cotswolds. Zgadza się?

– Tak.

– Dlaczego nie zostawiła pani pod opieką innej dorosłej osoby?

– Nie znałyśmy nikogo takiego.

Clara zacmokała ze zdziwienia.

– Chce pani powiedzieć, że nie miałyście nikogo takiego? Ani rodziców, ani ciotek, ani wujków, nikogo zupełnie?

Yasmin skinęła głową.

– Odkąd pamiętam, byłyśmy tylko we dwie.

Clara przyjrzała się jej sceptycznie.

– Czyli Leila znalazła się w naprawdę trudnym położeniu. Gdyby jednak nie pojechała na to szkolenie, nie zagrzałaby miejsca w nowej pracy i nie byłaby w stanie kupić dla pani jedzenia.

Edward Forshall westchnął i wycelował długopisem w Clarę, na której ustach pojawił się uśmiech.

– Owszem – potaknęła Yasmin.

– Czy kiedykolwiek później Leila zostawiła panią samą w domu?

– Nie.

– Od tamtej pory minęło dwadzieścia lat. Czy pani zdaniem słuszne jest twierdzenie, że przez ten czas Leila rozwinęła się w roli opiekuna?

– Tak.

– Na tyle, by mogła pani śmiało oddawać syna pod jej opiekę?

– Tak.

Clara pokiwała głową w zadumie.

– Przejdźmy teraz do pamiętnego ranka. Z pani dotychczasowych zeznań wynika, że starała się pani nie angażować Leili przed południem i że wyraźnie zakomunikowała to pani swojemu mężowi. Czy słuszny będzie wniosek, że i pamiętnego ranka Leila była bardzo zajęta?

– Tak.

– Proszę mnie poprawić, jeśli się mylę, ale fotelik Maksa był mocowany tyłem do kierunku jazdy...

– Tak.

– Ponoć kiedyś powiedziała pani Leili, że dobrze mieć system, który pozwala nie zapomnieć o dziecku na tylnym siedzeniu. Na przykład kłaść bucik czy zabawkę na fotelu pasażera.

– Tak.

– Wprowadziła pani ten system w życie?

– Nie.

– Poleciła pani Leili, aby go wprowadziła?

– Nie.

– Czy w takim razie… skoro oboje państwo, będąc rodzicami Maksa, nie stosowali systemu chroniącego przed zapomnieniem o synu… nie jest zrozumiałe, że osoba taka jak Leila, nieprzywykła do przewożenia dziecka w samochodzie, również z niego nie skorzystała?

Yasmin odrzuciła kosmyk włosów za ramię.

– Ja… Tak.

– Zatem akceptuje pani możliwość, że Leila, która wyświadczyła państwu przysługę tamtego dnia rano, choć była bardzo zajęta, najzwyczajniej w świecie zapomniała, że w jej aucie jest Maks?

– Ale Leila nigdy o niczym nie zapomina – zareagowała odruchowo Yasmin.

W tym momencie jedna z przysięgłych rzuciła spojrzenie oskarżonej. Leila aż się pod nim skurczyła.

– Skoro pani, będąc matką, bała się, że zapomni o własnym synu… i to bała się tak bardzo, że rozważała z mężem system, który by temu zapobiegł… czyż nie jest możliwe, a nawet całkiem prawdopodobne, że osoba nienawykła do wożenia dziecka w samochodzie nieszczęśliwie o nim zapomni? Że coś takiego nie jest nieodpowiedzialnym ani egoistycznym aktem, lecz zwykłym nieszczęściem?

Yasmin była wyraźnie skołowana zawiłym pytaniem.

– Czy mogłaby pani odpowiedzieć? – ponagliła ją Clara.

– Tak – potwierdziła Yasmin. – To możliwe.

Napięcie w ciele Leili nieco odpuściło, uwalniając jej żebra z żelaznego uścisku. Ostatnie słowa Yasmin nie uratowały sytuacji, ale przynajmniej przygotowały grunt pod uzasadnioną wątpliwość, za co była siostrze wdzięczna. Spróbowała nawet przechwycić jej spojrzenie, lecz Yasmin w dalszym ciągu odmawiała patrzenia na nią – nie zrobiła tego ani w tej chwili, ani przez resztę popołudnia.

Ledwie za oknem zaczęło się robić ciemno, sędzia zakończył rozprawę na ten dzień. Leila, z nerwami napiętymi jak postronki, przyglądała się wychodzącym z sali ludziom w stanie wewnętrznego roztrzęsienia. Z wdzięcznością powitała obecność Willa za drzwiami i dała mu się władczo poprowadzić do zaparkowanego przed budynkiem samochodu.

Znalazłszy się w domu, padła na sofę i poddała się szokowi, jaki zwykle ogarnia człowieka po pogrzebie czy kataklizmie. Przetrwała swój pierwszy dzień w sądzie.

Will nalał jej wina i postawił kieliszek na taborecie obok.

– Jak się czujesz? – zapytał.

– Dobrze – odparła mechanicznie.

Łagodnie musnął jej brodę zgiętymi palcami.

– Ej. – Zaczekał, aż na niego spojrzy. – Daj spokój. Jak się czujesz naprawdę?

Uśmiechnęła się blado.

– Jakby mnie pociąg przejechał.

– Świetnie sobie radzisz.

Jego troska wpłynęła na nią pokrzepiająco. Zwykle bagatelizował jej problemy i zasypywał ją gotowymi rozwiązaniami, zamiast zwyczajnie wysłuchać tego, co ma do powiedzenia. Zdecydowanie bardziej podobała się Leili ta opiekuńcza wersja męża.

Wcisnął jej kieliszek w dłoń.

– Gniewasz się na Yasmin?

– Wolałabym o tym nie rozmawiać – oznajmiła przepraszającym tonem.

– Daj spokój, kochanie. Powiedz mi, co ci chodzi po głowie. To musiało być dla ciebie trudne słuchać tego wszystkiego, co dzisiaj mówiła.

Leila wzruszyła lekko ramieniem.

– Nie sądzisz, że powinna cię była bardziej bronić?

– Nie wiem, Will.

– Nie jesteś na nią zła?

Poruszyła ręką, omal nie wylewając przy tym wina.

– Nie mam prawa być na nią zła.

– Ale to nie w tym rzecz – zauważył Will. Po chwili milczenia dodał: – No więc? Jesteś na nią zła?

– Chcę przebrnąć przez ten proces i dopiero potem zająć się swoimi uczuciami.

Przekrzywił głowę powątpiewająco.

– Byłoby ci łatwiej, gdybyś wyrzuciła to z siebie.

Odstawiła kieliszek.

– Zrobię to. W swoim czasie.

Przyglądał się Leili przez chwilę, po czym odsunął jej z twarzy kosmyk włosów.

– Oczywiście.

Rozluźniła się nieco.

– Nie musimy rozmawiać. Po prostu posiedź ze mną.

– Oczywiście – powtórzył.

Oparła się o niego i przymknęła oczy, pozwalając umysłowi wyciszyć się choć na chwilę.

ROZDZIAŁ 9

Miejsce dla świadków zajął Andrew Hansson. Był gładko ogolony, a jego krótkie blond włosy lśniły, jakby ułożył je za pomocą żelu czy lakieru. Miał na sobie błękitną koszulę i czarny garnitur i wyglądał przystojnie na swój posępny, refleksyjny sposób.

Obserwując go, Leila dostrzegła oznaki zdenerwowania: jej szwagier przygładzał krawat, to wkładał do kieszeni lewą rękę, to znów ją wyjmował, by bawić się guzikiem marynarki. Dziwnie było go widzieć, swego rodzaju towarzysza, po drugiej stronie balustrady, zaprzężonego do pracy przez tych, którzy chcieli ją wsadzić do więzienia. Gdy w pewnej chwili ich spojrzenia się skrzyżowały, Andrew posłał jej słaby współczujący uśmiech. Leila aż pokraśniała z wdzięczności, nagle pewna, że jej szwagier wcale nie chce tu być, nie chce świadczyć przeciwko niej, po tym wszystkim, co dla niego zrobiła.

Edward Forshall przeszedł do zadawania pytań

– Panie Hansson, powiedział pan policji, że nie chciał pan prosić szwagierki o pomoc. Dlaczego?

Andrew odchrząknął.

– Dlatego, że nie chciałem jej się narzucać.

– Pańska szwagierka jest szczególnie zajęta przedpołudniami, tak? Przywiązuje wagę do efektywnego zarządzania czasem?

Andrew zmarszczył czoło.

– Chodziło raczej o to, że i tak dużo dla nas robi. Nie chciałem jej wykorzystywać.

– Wahała się, kiedy pan zadzwonił?

– Nie.

Edward poderwał na niego wzrok, jakby nie takiej odpowiedzi się spodziewał.

– Ani trochę?

– No... nie. To znaczy... Nie, nie miała nic przeciwko.

Leila się zjeżyła. Skąd to wahanie? Przecież była chętna do pomocy.

– Dobrze. A kiedy się pojawiła u pana w domu, jaka się panu wydała?

– Sprawiała normalne wrażenie.

– Nie była w biegu?

– Nie bardziej niż zwykle.

– Zatem zazwyczaj jest w biegu?

Andrew się zmieszał.

– Miałem na myśli to, że zachowywała się normalnie, jak to ona.

Edward skinął powoli głową, jak gdyby poznał jakiś sekret.

– Panie Hansson, jak by pan opisał swoją szwagierkę?

Andrew zastanowił się nad tym pytaniem, najwyraźniej chcąc udzielić właściwej odpowiedzi.

– Leila jest silna. Wręcz niezwyciężona. Lojalna i niezwykle pracowita. Wiele osiągnęła w życiu. Ona... Naprawdę jestem pod wrażeniem jej osoby. – Teraz patrzył na nią z wyrazem solidarności w oczach.

Poczuła, jak wzruszenie ściska ją za gardło. Łasa na pochwały, nareszcie spotkała się z aprobatą. Latami taka właśnie pragnęła być, nikt jednak tego nie przyznał głośno. Słowa Andrew wypowiedziane w obliczu sądu sprawiły, że zalała ją fala emocji.

Edward zrobił zaciekawioną minę.

– A czy nazwałby pan szwagierkę roztrzepaną? Bywa zapominalska, źle zorganizowana?

– Nie.

– Czy kiedykolwiek wyrządziła krzywdę Maksowi?

– Nie. – Ton głosu Andrew był ostry, pełen zdumienia. – Nigdy by mu nic nie zrobiła.

– Pozwoli pan, że przeformułuję pytanie. Czy pańska szwagierka kiedykolwiek niechcący skrzywdziła Maksa?

– Nie.

– A czy kiedykolwiek zataiła przed panem jakiś wypadek albo incydent, w wyniku którego Maks poniósł szkodę?

– Nie – powtórzył Andrew.

– Jest pan pewien?

Leila poczuła ukłucie strachu.

Andrew rzucił jej spojrzenie.

– Na tyle, na ile to możliwe – potwierdził z ewidentnym wahaniem.

Edward wydobył kartkę spomiędzy stron cienkiego niebieskiego notatnika.

– Czyli jest pan świadom, że latem ubiegłego roku pańska szwagierka zabrała Maksa do przyszpitalnego ambulatorium celem opatrzenia rany na głowie?

Skonfundowany Andrew zmrużył oczy. Dla wszystkich stało się jasne, że nie miał o niczym pojęcia.

Edward obrzucił wzrokiem trzymaną w ręku kartkę.

– Tu jest napisane, że Leila Syed zgłosiła się do ambulatorium w piątek dwudziestego czwartego lipca. Czy poinformowała o tym państwa?

Andrew aż pochylił się do przodu.

– Nie… Co było Maksowi?

– Po panu będzie odpowiadał lekarz, który przyjął małego Maksa, ale najpierw moja wielce szanowna koleżanka ma do pana kilka pytań – zakończył Edward, wyraźnie zadowolony z dramatycznego efektu.

W Leili, która nie uroniła ani jednego słowa, z każdą chwilą narastało poczucie beznadziei. Andrew miał ją wesprzeć, miał wyjaśnić przysięgłym, jak bardzo pomagała mu finansowo, miał zaświadczyć, że zawsze służyła im radą i pomocą przy Maksie. Tymczasem zamiast tego pozwolił, by jego uwagę odciągnęła wizyta na SOR-ze. Co rusz na nią spoglądał, z twarzą ściągniętą grymasem niedowierzania, że jego synowi stała się krzywda i nikt nie raczył go o tym poinformować.

Leila chciała wyjaśnić, że wizyta w szpitalu była przejawem jej nadmiernej troskliwości. Z własnym dzieckiem nawet by się nie pofatygowała do lekarza, ale tak to już jest, że człowiek bardziej dba o pożyczone rzeczy niż o swoje – czy chodzi o drabinę sąsiada, czy o kosiarkę przyjaciół. Dlatego wolała dmuchać na zimne, gdy Maks uderzył się w głowę. Zleciał z małpiego gaju i niefortunnie upadł. Kiedy zobaczyła ślad krwi na jego włosach, skontaktowała się z infolinią Narodowej Służby Zdrowia. Konsultant skierował ją do lekarza, do którego następnie zabrała Maksa. Całe to wydarzenie rozegrało się w ślimaczym tempie, lecz „przyszpitalne ambulatorium" przydało mu grozy. Żałowała, że nie może tego wszystkiego wytłumaczyć szwagrowi. Miał jej bronić, lecz zaprzepaścił szanse na to, gdy rozkojarzony wcześniejszą informacją anemicznie odpowiadał na pytania Clary.

Zająwszy miejsce dla świadków, doktor Pritchard wyniośle złożyła przysięgę. Niewiele się zmieniła przez półtora roku: wciąż zbliżała się do pięćdziesiątki, miała surowe rysy, ledwie zauważalną brodę, myszowate włosy przytrzymywane spinką i wiecznie zmrużone oczy, jakby potrzebowała okularów. Jej zachowanie wobec pacjenta również pozostawiało wiele do życzenia.

Edward przybrał uniżony ton.

– Pani doktor, zechce mi pani opowiedzieć o wizycie Leili Syed i jej siostrzeńca Maksa Hanssona?

Pritchard zdawkowo skinęła głową.

– Pani Syed została przyjęta bezzwłocznie, ponieważ nie była pewna, czy dziecko nie powinno trafić na SOR.

– Jakie wrażenie zrobiła na pani Leila Syed przy tej okazji?

– Była roztrzęsiona. Próbując wyjaśnić, co zaszło, mówiła bardzo szybko.

– A co według niej zaszło?

– Twierdziła, że chłopiec zleciał z drabinki w małpim gaju.

– Czy jego obrażenia na to wskazywały?

– Nie miałam powodu, by w to nie wierzyć. Chłopiec został przebadany. Skaleczenie było niewielkie. Dobrze zrobiła, nie zabierając go na SOR.

– Zatem nie było to nic poważnego?

– Zgadza się.

Edward zmarszczył brwi.

– W takim razie dlaczego skontaktowała się pani z nami w sprawie Maksa Hanssona?

– Zobaczyłam panią Syed w wiadomościach i przypomniałam sobie jej wizytę.

– Co konkretnie zwróciło pani uwagę?

– Reporter mówił, że pani Syed nie ma dzieci.

– I to panią zdziwiło?

– Tak, ponieważ w trakcie wizyty twierdziła, że jest matką chłopca.

Na sali podniósł się szum. Jedna z przysięgłych zerknęła na Leilę, robiąc wielkie oczy. Prokurator milczał. Jest coś niepokojącego w tym, gdy bezdzietna kobieta utrzymuje, że jest matką nie swojego dziecka. Edward chciał, by ten fakt utrwalił się w pamięci słuchających.

W końcu się odezwał:

– Uwierzyła jej pani?

– Tak.

– Wie pani, dlaczego skłamała?

– Zapewne w celu zatajenia wypadku przed prawdziwą matką dziecka.

Leila z trudem zachowała obojętny wyraz twarzy. Nie, nie zamknie oczu, nie zwiesi głowy, nie uczyni nic, co by wskazywało, jak bardzo się wstydziła swojego postępku.

– W celu zatajenia wypadku przed prawdziwą matką dziecka – powtórzył Edward. – Dziękuję, pani doktor. Proszę jeszcze nie opuszczać miejsca dla świadków.

Clara Pearson wstała, aby zadać swoje pytania.

– Pani doktor, proszę opowiedzieć nam coś więcej o tym skaleczeniu. Jak głębokie i szerokie było?

– Jak mówiłam, było niewielkie. Nie wymagało nawet plastra, wystarczyło je zdezynfekować.

Clara zrobiła niepocieszoną minę.

– Proszę wybaczyć, ale nie rozumiem. Mój wielce szanowny kolega użył określenia „rana na głowie". Tymczasem pani mówi, że niepotrzebny był nawet plaster.

– Adekwatniejsze byłoby określenie „ranka". W rzeczywistości było to zwykłe skaleczenie.

– „Zwykłe skaleczenie" – powtórzyła za lekarką Clara. – A jednak Leila Syed zaniepokoiła się na tyle, że przyprowadziła Maksa do lekarza?

– Tak. Rodzice często tak robią. – Doktor Pritchard rozłożyła ręce. – Albo najbliżsi. Wystarczy draśnięcie, a oni już pędzą do szpitala.

– Zatem Leila Syed okazała zaniepokojenie na miarę każdego innego odpowiedzialnego członka rodziny?

– Tak, na to wyglądało.

– Powiedziała pani: „zwykłe skaleczenie". Czy jako lekarz uważa pani, że coś takiego kwalifikuje się do szczerej rozmowy z rodzicami? Przykładowo, gdyby zajście nastąpiło w szkole, byłaby pani wstrząśnięta, gdyby wychowawca nie ogłosił wywiadówki z tego powodu?

– Raczej nie. Przypuszczam, że codziennie dochodzi do setek takich zdarzeń.

– Zatem nie ma nic dziwnego w tym, że Leila Syed nie wspomniała o niczym swojej siostrze? Skoro chodziło o najzwyklejsze zadrapanie?

– Tak, przyznaję, lecz nie to wydało mi się dziwne, tylko to, że podawała się za matkę chłopca.

Clara się uśmiechnęła.

– Cóż, wszyscy wiemy, jak wygląda biurokracja. Może po prostu uznała, że w ten sposób będzie prościej, niż wzywać siostrę z tak błahego powodu?

Lekarka zmarszczyła czoło.

– Być może, ale...

– Czy ma pani dzieci, pani doktor?

Kobieta ponownie zmarszczyła czoło.

– Tak, córkę.

– Zirytowałaby się pani, gdyby musiała zwolnić się z pracy, ponieważ pani córka się drasnęła?

Doktor Pritchard rozważała to przez chwilę, po czym z westchnieniem przyznała:

– Przypuszczam, że tak.

– Możliwe więc, że Leila chciała po prostu oszczędzić siostrze kłopotu.

– Tego nie wiem. Musiałaby pani zapytać o to ją.

– Pani zdaniem jednak jest to możliwe?

– Oczywiście, że jest możliwe – odparła zniecierpliwiona lekarka.

Clara uśmiechnęła się do niej z lodowatą łagodnością.

– Dziękuję. – Zwracając się do Warrena, dodała: – Nie mam więcej pytań do świadka, wysoki sądzie.

W tym momencie Leila uświadomiła sobie, że od dłuższej chwili wstrzymuje powietrze, i wypuściła je wolno z płuc. Była wykończona, toteż z wielką ulgą powitała odroczenie rozprawy do jutra. Nie śpieszyła się jednak z wyjściem, chcąc złapać jeszcze Clarę i zamienić z nią słowo.

– Wiedziałaś, że to wyciągną? – zapytała zduszonym szeptem.

– Informacja o wizycie Maksa u lekarza znalazła się wśród materiałów dowodowych nieujętych w akcie oskarżenia. Nie było tam wzmianki o tym, że ty go zaprowadziłaś do lekarza ani że podawałaś się za jego matkę!

Leila zaczęła się tłumaczyć, ale Clara zerknęła wymownie na zegarek.

– Przykro mi, muszę już iść. Nie martw się tym, co tu dzisiaj zaszło. Postaraj się odpocząć.

Leila odprowadziła ją wzrokiem, czując na piersi ciężar tego wszystkiego, co chciała powiedzieć, lecz nie miała komu.

Była podminowana, spięta i chętnie zrobiłaby coś, co by ją uspokoiło. Gdy teraz o tym myślała, faktycznie brzmiało to zatrważająco – jakby przejęła tożsamość siostry albo zagrabiła część jej życia – tymczasem ona nie miała złych intencji. Chciała tylko uniknąć zbędnej biurokracji i konieczności czekania na Yasmin, kiedy rzeczywiście było to zwykłe skaleczenie. Gdy wieczorem oddawała Maksa z powrotem pod kuratelę rodziców, chłopiec był zadowolony i pełen energii. Jaki miało sens martwić Yasmin? Po stracie Toby'ego każda zmiana na skórze Maksa przyprawiała ją o drgawki. Leila nie sądziła, że coś równie niewinnego może zostać wykorzystane przeciwko niej.

W holu na dole spostrzegła Yasmin, która kierowała się do wyjścia razem z Andrew. Leila ucieszyła się, widząc ich razem. Były czasy, kiedy się martwiła, że jej siostra skończy z jakąś szumowiną, całymi latami bowiem Yasmin krytykowała wybory, które ona podejmowała w odniesieniu do mężczyzn. Wszyscy byli jej zdaniem zbyt uładzeni. Na widok Willa przewróciła oczami i nazwała go burżujem po Oksfordzie z karierą prawomyślnego dziennikarza. Ale kiedy sama poznała Andrew, ujął ją jego ojcowski sznyt, co Leila przyjęła z wielką ulgą.

Czasami jednak zastanawiała się, czy siostra przypadkiem nie zazdrości jej bardziej interesującego męża. Yasmin oczywiście nigdy by się do tego nie przyznała, co najwyżej żaliła się Leili, że musi chodzić na te „nudne" dziennikarskie przyjęcia, na które szwagier ją zapraszał.

Może ci dwoje byli ze sobą zbyt blisko? Może wszyscy byliśmy za blisko?

Will i Yasmin, wiecznie flirtujący, i Leila i Andrew, wieczni obserwatorzy. Napięcie, współzawodnictwo i chemia pomiędzy parami. Co za kaprys losu doprowadził ich do tego miejsca, w którym splątaniu uległy linie życia wszystkich czworga? Dlaczego nie zachowali odpowiedniego dystansu?

Kiedyś Yasmin śmieszyło, że kobiety rozpływają się nad sześciomiesięcznym niemowlęciem, twierdząc, że ma ono już swój charakter, ale gdy sama została matką, przekonała się, że to prawda. Półroczny Toby był poważny, Maks natomiast głośny i ciekawski, wiecznie domagający się gaworzeniem tego czy tamtego. Było z niego pogodne, towarzyskie dziecko, któremu zadziwiająco łatwo było wytłumaczyć pewne rzeczy. Jeśli wyjaśniła mu, dlaczego nie może zjeść jeszcze jednego cukierka, w wieku trzech lat dąsał się tylko przez chwilę, po czym wybuchał śmiechem, jakby zły nastrój nie był wart zachodu.

Siedziała teraz w pustym pokoju Maksa i dotykała jego zabawek. Zarówno pluszowa pszczoła, jak i królik zdawali się mieć oczy szeroko rozwarte z szoku. Yasmin, przytłoczona bólem, z całych sił powstrzymywała łzy, nie chcąc, aby Andrew usłyszał jej szloch, gdyż zaraz by przybiegł, zamiast pozwolić jej się wypłakać. Nieraz doprowadziła się płaczem do mdłości i gdy już, już myślała, że to koniec, że wreszcie pogodziła się ze stratą i zaakceptowała ją, wszystko zaczynało się od nowa. Gniew i wyrzuty sumienia. Czuła się winna, ponieważ nie poświęcała Maksowi każdej chwili. Ponieważ często doświadczała ulgi, kiedy Leila wyręczała ją w opiece nad synem. Sądowe rewelacje lekarki w najmniejszym stopniu jej nie dotknęły. Maks taki już był – zawsze wspinał się najwyżej i zwykle na koniec spadał. Skoro skaleczenie było drobne, faktycznie byłaby zła, gdyby siostra odciągnęła ją od pracy z tak błahego powodu. Ufała Leili wystarczająco, by wiedzieć, że poradzi sobie w tego typu sytuacji.

Wróć. Kiedyś jej ufała. Ale to była już przeszłość.

W głowie Yasmin wciąż rozbrzmiewało pytanie, które padło na sali sądowej: „Uważa pani, że siostra celowo zostawiła Maksa w samochodzie samego?". Zdaje się, że swoją odpowiedzią pogrążyła Leilę, musiała jednak być szczera. Tonąc w bólu i wyrzutach sumienia, nie czuła się na siłach przesądzać o jej losie – czy zostanie skazana, czy raczej uniewinniona. Mogła tylko trzymać się prawdy za wszelką cenę. Czy Leila była zdolna zostawić Maksa świadomie? Tak. Czy to oznaczało, że powinna trafić do więzienia? Tego Yasmin nie wiedziała.

Rozległo się pukanie do drzwi i do środka zajrzał Andrew.

– Cześć – rzucił cicho.

Nie patrząc mu w oczy, Yasmin odparła:

– Cześć.

Andrew usiadł na łóżku Maksa i powiódł palcem po miękkiej flaneli niebieskiego kocyka. Dostrzegłszy pluszowe zwierzątko na kolanach żony, znienacka stracił panowanie nad sobą i pozwolił udręce wziąć górę. Zasłonił oczy dłonią, po czym zaczął bezgłośnie płakać.

Yasmin zamarła. Wiedziała, że Andrew przeżywa żałobę, ale dotychczas zawsze się z tym przed nią krył. Przyglądając się teraz drżącym ramionom męża, powoli zdawała sobie sprawę, jak wielki był zawsze jego ból. Nachyliła się ku niemu, by dotknąć opuszkami miejsca na szyi, odsłoniętego przez rozpiętą koszulę. Moment później złożyła tam pocałunek.

Przyciągnął ją do siebie.

– Przepraszam – szepnął w jej włosy.

– Nie. – Wstrząsana jego łkaniem, uświadomiła sobie, jak wielką egoistką była, ignorując pytania męża o to, jak się czuje, ponieważ wcale nie dotyczyły jej, tylko jego. Bo gdyby z nią było wszystko dobrze, on także być może poczułby się lepiej. – To ja przepraszam – powiedziała, zaciskając pięść na jego koszulce.

Trwali w gorącym uścisku, a wspólny ból spowijał ich niczym taśma, scalając w jedno.

Jeszcze raz pocałowała go w szyję. Przymknął oczy i rozluźnił się, poczuł, jak napięcie powoli opuszcza jego ciało. Pocałunki, z początku delikatne i kojące, przeszły w bardziej namiętne. Andrew otworzył oczy ze zdumieniem, gdy Yasmin szarpnęła jego koszulkę.

– Co robisz?

Znieruchomiała.

– Sądziłam, że moglibyśmy...

Skrzywił się.

– Tutaj?

Zaczerwieniła się, wyczuwszy w jego głosie ton oskarżenia.

– Ja... Pomyślałam, że moglibyśmy się postarać...

Andrew zamrugał.

– Postarać? O co?

Skinęła głową i najłagodniej, jak umiała, wydusiła z siebie:

– O kolejne dziecko.

Wzdrygnął się tak gwałtownie, że aż nią zatrzęsło.

– Nie! – warknął. Zerwał się z łóżka i spojrzał na nią takim wzrokiem, jakby jej wyrosła druga głowa. – Naprawdę myślisz poważnie o kolejnym dziecku?

– Tak.

Prychnął z niedowierzaniem.

– Jak możesz? – Wskazał odciski rączek Toby'ego. – Serio chcesz przechodzić przez to wszystko jeszcze raz?

– To dziecko będziemy mogli uchronić przed całym złem...

– Czyżby? – rzucił Andrew. – Czyżby, Yasmin? Po tym, co spotkało Toby'ego, jak w ogóle możesz tak mówić? Jak w ogóle możesz tak myśleć? – Splótł dłonie. – A jeśli to znak? Może nie powinniśmy być rodzicami.

Yasmin poczuła się urażona.

– Niemożliwe, żebyś tak uważał.

– Uważam tak.

Zmieszała się. Ilekroć wyobrażała sobie swoje życie, widziała męża, dwoje dzieci, domek w mieście. W młodości miała tyle możliwości. Mogła wyjść za bankiera milionera, za utalentowanego szefa kuchni, za odnoszącego sukcesy scenarzystę piszącego komedie. Ale wybrała Andrew z powodu jego spokojnej natury, jego odpowiedzialności i spolegliwości. Uznała, że pieniądze nie mają znaczenia w obliczu miłości, którą ją darzył, bardzo szybko jednak zaczęły się schody. Z domku w mieście mogła zrezygnować, ale wkrótce zaczęła przeciekać skrzynia biegów w samochodzie i nie dało się naprawić silnika. Takie kłopoty ją nużyły, nadal jednak potrafiła się cieszyć życiem. Maks okazał się panaceum na wszystkie troski. Kiedy go zabrakło, nie pozostało jej nic – jak więc Andrew mógł jej odmawiać? Był jej coś winny za to wszystko, co dla niego poświęciła.

– Chcę mieć następne dziecko – oświadczyła.

– Nie ma mowy, Yasmin. Absolutnie nie ma mowy, żebym przez to przechodził ponownie. Mam dość.

– Nie mów tak. Proszę.

Andrew uklęknął przy niej.

– Yasmin, kochanie. Zrobię wszystko, abyś była szczęśliwa. Pójdę na koniec świata dla ciebie, ale... to? – Pokręcił głową. – Nie możemy mieć kolejnego dziecka. – Jego głos załamał się z urazy, jak lód pod zbyt dużym ciężarem. – Ale nasze życie może być jeszcze szczęśliwe, zobaczysz.

– Niby jak? – Odsunęła się od niego. – Niby jak mielibyśmy to naprawić?

– Niczego nie będziemy naprawiać. Będziemy pamiętać Maksa, będziemy pamiętać jego stratę i mimo niej będziemy wstawać co rano i wieść dalej nasze życie. Razem.

Sięgnął do niej, lecz Yasmin się uchyliła.

– Nie, Andrew. Nie masz prawa decydować o tym za mnie. – Widząc w jego oczach wyzwanie, zapiekła się jeszcze bardziej. – Nie masz prawa mi tego odmówić.

– Mam – powiedział zimno.

Jej gniew zapłonął niczym neon.

– Zatem odejdź.

– Yasmin, proszę...

– Odejdź, Andrew. – Gdy się nie poruszył, krzyknęła: – Odejdź!

Przyglądała mu się, gdy niezdarnie wstawał na nogi, i czuła, jak jej gniew się wzmaga na widok jego potulności. Taki jest problem z żałobą – kiedy wyschną łzy, człowiek zostaje z nienawiścią do całego świata.

Otworzywszy drzwi, Leila zdziwiła się na widok Andrew. Natychmiast popatrzyła nad jego ramieniem na ulicę w poszukiwaniu świadków, ale dookoła było pusto. Szybko zaprosiła gościa do środka.

– Co ty tutaj robisz? – zapytała zdenerwowana.

– Wybacz, że tak bez zapowiedzi. Chciałem sprawdzić, co u ciebie.

– Mogłeś zadzwonić. Co by było, gdyby Yasmin się dowiedziała?

Wykonał lekceważący gest.

– Nie ma takiej możliwości. Ona... robi to co zawsze.

– Wciąż przesiaduje w pokoju Maksa?

Andrew potarł miejsce między brwiami.

– Tak, chowa się tam co wieczór.

Leila zniżyła głos:

– Posłuchaj, Andrew. Przepraszam, że nic wam nie powiedziałam tamtego dnia, ale to było naprawdę tylko skaleczenie i…

– To ja powinienem przeprosić. Miałem wypaść w sądzie lepiej, tymczasem dałem się podejść.

Leila odetchnęła głęboko.

– Bardzo na ciebie liczyłam – przyznała.

Zwiesił głowę w poczuciu winy.

– Naprawdę mi przykro. Zawaliłem.

Rozłożyła ręce.

– Za późno, by coś na to poradzić. – Wskazała w głąb domu. – Chodź, zrobię herbatę.

Andrew usiadł przy kuchennym stole i objął głowę dłońmi.

– Popełniłem błąd – oznajmił szorstko.

Krzątająca się Leila nie podjęła tematu.

– Nie powinienem był cię prosić o pomoc, Leila. Wtedy nic by się nie stało…

– Na miłość boską, Andrew! – wybuchnęła. – Mam dość własnych wyrzutów sumienia. Nie mogę wziąć na siebie jeszcze twoich. – Uraza, która odmalowała się na jego twarzy, tylko ją rozogniła. – Posłuchaj, to była moja decyzja, żeby ci pomóc. Mogłam wymówić się pracą. Nie zmusiłeś mnie przecież, żebym się nim zajęła. To, co się stało, spoczywa na mnie. Nie ma w tym żadnej twojej winy. Nie oczekuj więc, że nagle zostanę twoją terapeutką. Nie mam na to sił.

Andrew złączył dłonie w geście błagania.

– Co będzie, jeśli ona sobie z tym nie poradzi?

– Znosi to lepiej, prawda? Lepiej niż poprzednio? – Leila nie zdołała ukryć niechęci w głosie. Andrew, choć rzekomo przyszedł sprawdzić, co u niej, z łatwością uczynił Yasmin tematem ich rozmowy.

Teraz posłał jej smutny, paskudny uśmiech.

– Yasmin chce kolejnego dziecka.

Leila aż się cofnęła, uderzając biodrem w blat.

– Chyba nie mówisz poważnie?

Wzruszył ramionami, nie był to jednak typowy gest bezradności, raczej zapadnięcie się w sobie.

Zapominając o herbacie, Leila rzuciła się do stołu i mocno chwyciła szwagra za ramię.

– Andrew, nie mów mi, że bierzesz to pod uwagę?

– Nie, oczywiście, że nie. – Brak przekonania w jego głosie był aż nazbyt czytelny.

– Na miłość boską, powiedz, że jej to wyperswadowałeś?

Yasmin była w kiepskim stanie i szukała szybkiego rozwiązania swoich problemów. W rzeczywistości jednak potrzebowała czasu, aby pogodzić się ze stratą i skupić na sobie.

– Tak bardzo ją kocham, że chciałbym ją po prostu... – Andrew wykonał gest, jakby coś skręcał – ...naprawić. – Opuścił ręce. – Pamiętasz, co mi powiedziałaś, kiedy wzięłaś mnie na bok na weselu?

– Pamiętam.

– „Jeśli kiedykolwiek ją skrzywdzisz, zniszczę cię". Sposób, w jaki to powiedziałaś... Uwierzyłem ci z miejsca. Ale skończyło się na tym, że... oboje ją skrzywdziliśmy, ty i ja.

– Naprawdę tak to widzisz? Że tym razem sobie nie poradzi?

– Szczerze? Nie mam pojęcia.

Leila wyprostowała ramiona.

– Jest z nią lepiej niż poprzednio. Ubiera się, je, mówi pełnymi zdaniami. Nic jej nie będzie, Andrew.

– Tak uważasz?

– Tak, tak uważam. – Leila musiała w to wierzyć. Po wszystkim, co uczyniła dla siostry, nie mogłaby teraz patrzeć, jak Yasmin się rozpada. – Andrew – dodała ciszej, aby zamaskować ostry ton – naprawdę rozważacie kolejne dziecko?

Przetarł twarz dłonią, naciągając przy tym cienką skórę pod oczami.

– Poddam się wazektomii.

Leila odetchnęła z ulgą. Była to najwłaściwsza rzecz, jaką mógł zrobić.

– Powiesz jej?

– Nie – odparł zdecydowanie.

Uścisnęła jego rękę.

– Moim zdaniem postępujesz słusznie.

Wstała i wróciła do parzenia herbaty, w myślach archiwizując jeszcze jedną sprawę, którą musiała utrzymać w tajemnicy przed Yasmin.

ROZDZIAŁ 10

Suki Taylor, stojąc na miejscu dla świadków, bawiła się guzikiem białej jedwabnej bluzki. Postawiła na artystyczny nieład, jedną połę schludnie zatykając za paskiem granatowych spodni, drugą wypuszczając na luźną nogawkę. Gdy spojrzała na Leilę, jej wargi wygięły się w uśmiechu pozbawionym radości. Wydawała się niezwykle młoda, gdy mruganiem broniła się przed wpadającą jej do oczu równo przystrzyżoną grzywką. Dłonie skuliła tak, jakby miała w nich coś do ukrycia.

Leila czuła niepokój. Z asystentką łączyła ją dobra relacja, ale po prawdzie bywała dla Suki zbyt ostra. Nie mogła więc wykluczyć, że ta weźmie odwet za zarwane wieczory i konieczność wykonywania zadań poniżej jej kwalifikacji, takich jak odbieranie ubrań z pralni, wizyty w myjni samochodowej, opłacanie mandatów, z czego nic nie wymagało dyplomu londyńskiej uczelni artystycznej Central Saint Martins. Z drugiej strony jednak, choć Leila wiele wymagała od Suki, również zaspokajała jej ambicje: zabierała ją na spotkania z klientami i oddawała jej głos. Zachowywała się jak mentorka i popychała

Suki na drogę sukcesu. Ale czy młoda kobieta na pewno widziała w tym coś więcej niż tylko grę pozorów?

Edward Forshall podniósł się ze swojego miejsca i uśmiechnął się chytrze.

– Panno Taylor, czy słuszne jest założenie, że jako asystentka pani Syed znała pani na wylot jej grafik?

– Tak.

– Nad czym pani Syed pracowała w lipcu tego roku?

Suki odsunęła palcem grzywkę, ale włosy opadły jej z powrotem na czoło.

– Nad przebudową siedziby Mercers Bank.

– Czy ten projekt różnił się czymś od innych?

– Tak. Żyliśmy w ciągłym stresie. Było mnóstwo pracy, musieliśmy zostawać po godzinach i niektórym puszczały nerwy.

– Pani Syed także?

Suki zmarszczyła czoło.

– Nie. Leila zawsze była opanowana.

– Zatem nie poddawała się łatwo emocjom?

– Nie. Zawsze zachowywała spokój. Na początku miałam ją za królową lodu, ale z czasem nauczyłam się ją podziwiać.

Leila zesztywniała. Nienawidziła, gdy ludzie tak o niej mówili.

Dla odmiany Edward wydawał się z siebie bardzo zadowolony.

– „Zawsze zachowywała spokój" – powtórzył słowa Suki. – Do pewnego stopnia była „królową lodu". Czyli nie poddawała się stresowi, nie była niezorganizowana ani roztrzepana?

– Nie. – Suki pokręciła głową. – To znaczy stresowała się jak wszyscy, ale umiała to ukrywać. Postępowała profesjonalnie i nie, nie można jej było zarzucić braku zorganizowania.

– Ani roztrzepania?

Suki uśmiechnęła się czule.

– Roztrzepana na pewno nie była.

– Mówi pani, że zachowywała spokój w sytuacjach stresowych. Co dokładnie pani przez to rozumie?

Gdy Suki machnęła ręką, jej gustowny srebrny pierścionek zalśnił w świetle.

– Ilekroć zbliżał się deadline albo powstawał jakiś konflikt, zażegnywała pożar na spokojnie.

– A czy była taka opanowana tylko w pracy, czy w życiu prywatnym też?

Suki wróciła do bawienia się guzikiem.

– Hm, nie widywałam jej poza pracą. – Odwróciła wzrok, co wzbudziło zainteresowanie prokuratora.

– Z zeznań złożonych przez panią na policji wynika, że często wyświadczała jej pani drobne przysługi. Odebranie ubrań z pralni, umówienie wizyty w salonie kosmetycznym, tego typu rzeczy. Zgadza się?

– Tak.

– Czyli jednak widywała ją pani poza miejscem pracy?

Suki wyraźnie się zmieszała.

– Tak.

Edward wpatrywał się w nią z natężeniem.

– W takim razie powtórzę swoje pytanie: czy Leila Syed była taka opanowana tylko w pracy, czy w życiu prywatnym też?

Suki potarła dłonie, jakby próbowała podjąć decyzję.

– Cóż, pewnego razu... – urwała i rzuciła Leili przepraszające spojrzenie.

Edward zachęcił ją, aby kontynuowała.

– Pewnego razu Leila poroniła w biurze.

Na sali sądowej zrobiło się poruszenie, doszło do przetasowania sympatii, jakby obsadzenie Leili w roli niedoszłej matki odblokowało współczucie przysięgłych. Leila nie ucieszyła się z tego, wiedziała bowiem, co będzie dalej.

– Rozumiem – powiedział Edward. – Proszę opisać, co się wydarzyło.

Suki skinęła głową z powagą.

– To był chyba wtorek. Początek tygodnia zawsze mamy najbardziej zabiegany. Zobaczyłam, że wchodzi do gabinetu, po czym minutę później usłyszałam jej wołanie. Przekroczyłam próg i stwierdziłam, że nie ma jej przy biurku. Była w łazience. I… – Suki się zawahała. – I krwawiła. Wpadłam w panikę, ale Leila mnie uspokoiła. Na pytanie, czy powinna pojechać do szpitala, odpowiedziała przecząco. Wyjaśniła, że to czwarty raz i że wie, co ma robić. Poprosiła o przyniesienie paru rzeczy, żeby mogła się doprowadzić do porządku.

Edward nie naciskał, gdy Suki urwała na moment.

– Czekałam pod drzwiami. Byłam zdenerwowana i ledwie hamowałam płacz. Leila doprowadziła się do porządku, wróciła do gabinetu i rozmawiała dalej.

– Rozmawiała dalej?

– Tak. Była akurat w trakcie telekonferencji.

Zapadła głucha cisza. Leila aż się skurczyła pod spojrzeniami przysięgłych. Dobrze pamiętała tamten dzień: gąbkowatą wilgoć w rajstopach i uczucie, jakby coś wewnątrz niej się zarwało. Szybko jednak wziął nad nią górę pragmatyzm. Cieliste rajstopy tylko by się poplamiły. Przeprosiła na chwilę pozostałych uczestników telekonferencji, przeszła do łazienki i zawołała Suki. „Przynieś mi, proszę, rajstopy z dolnej szuflady. I tampon". Suki stała w progu, patrząc na nią oczami rozszerzonymi szokiem. „Poroniłam. Niech to zostanie między nami". Szybko doprowadziła się do porządku. Było to jej czwarte poronienie, nie było więc sensu robić z tego powodu sceny.

Prokurator przechylił głowę.

– Pozwoli pani, że się upewnię? Pani szefowa poroniła w trakcie telekonferencji i jakby nigdy nic ją kontynuowała?

Suki się zmieszała.

– Znaczy... Oczywiście, że była poruszona, ale tamta rozmowa była naprawdę ważna i...

– Ważniejsza niż zajęcie się martwym dzieckiem?

Rozległ się świst wciąganego powietrza. Clara Pearson pochyliła się w stronę Edwarda i syknęła coś do niego groźnie.

– Raczy pan zmienić ton, panie Forshall – upomniał go sędzia.

Prokurator skłonił głowę.

– Oczywiście, wysoki sądzie. Przepraszam. – Zwracając się do Suki, prokurator przeformułował wcześniej zadane pytanie: – Leila Syed poroniła, ale nie zakończyła definitywnie prowadzonej rozmowy?

Suki przełknęła ślinę.

– Tak.

– Czy zatem praca jest dla niej ważna do tego stopnia, że musząc wybierać pomiędzy nią a prywatnością, zawsze wybiera pracę?

– Nie wiem, czy zawsze, ale...

– W tamtym konkretnym przypadku tak było? – zagłuszył jej słowa.

– Tak.

Edward znacząco pokiwał głową.

– Chciałbym teraz przejść do poniedziałku dwunastego lipca. Zatelefonowała pani do Leili Syed o ósmej osiem. Proszę nam powiedzieć, czego dotyczyła rozmowa.

– Czekało nas ważne spotkanie w siedzibie Mercers Bank. Jeden z architektów zapodział gdzieś plany. Nie mogliśmy ich wydrukować w biurze, a punkt usługowy, z którego korzystamy, był jeszcze zamknięty. Wiedziałam, że Leila trzyma w gabinecie drugi komplet, ale nie miałam klucza.

– Kto go miał?

– Leila.

– I nikt inny? Nie było zapasowego?

Suki się skrzywiła.

– W teorii powinien być, ale nigdzie nie mogłam go znaleźć. Konieczna była obecność Leili, w przeciwnym razie udalibyśmy się na to spotkanie bez planów, co by nas tylko ośmieszyło. – Wzruszyła ramionami. – Leila musiała otworzyć swój gabinet.

– Zadzwoniła pani do niej, aby jej to powiedzieć?

– Tak.

– Jak zareagowała?

– Zapewniła, że przyjedzie prosto do biura.

Edward zmrużył oczy w szparki.

– Tak powiedziała? „Przyjadę prosto do biura"?

– Może nie słowo w słowo, ale coś w tym stylu.

– Krótko mówiąc, była świadoma, że musi się znaleźć w biurze jak najszybciej?

– Tak.

Prokurator popukał się palcem w usta, jakby coś rozważał.

– Biorąc pod uwagę, że Leila Syed jest kobietą, która zaraz po poronieniu podejmuje przerwaną pracę, czy zdziwiłoby panią, gdy zdecydowała się zostawić siostrzeńca na parę minut w samochodzie, by zajrzeć do biura i zaradzić sytuacji kryzysowej?

Suki przestąpiła z nogi na nogę.

– Zeznaje pani pod przysięgą, panno Taylor. – Nie doczekawszy się odpowiedzi mimo napomnienia, Edward odezwał się ponownie: – Zapytam jeszcze raz: czy zdziwiłaby się pani, gdyby Leila Syed zostawiła siostrzeńca w samochodzie celowo, aby zażegnać kryzys?

Cisza stała się napięta, a Suki miała taką minę, jakby zaraz miała się rozpłakać.

– Nie. – To jedno krótkie słowo, które padło z jej ust, rozbrzmiało na sali sądowej niczym wystrzał z pistoletu.

Leila poczuła, jak serce w jej piersi kamienieje. Nie spojrzała na Suki ani w żaden sposób nie okazała, o czym myśli. Tak naprawdę wcale nie winiła swojej asystentki, ponieważ na jej miejscu odpowiedziałaby identycznie. Robiła rzeczy, które innym nie mieściły się w głowie. Suki pracowała u niej wystarczająco długo, aby mieć tego świadomość.

– Dziękuję za pani szczerość – rzekł wspaniałomyślnie Edward. – Proszę jeszcze nie opuszczać swojego miejsca.

Clara Pearson wstała.

– Panno Taylor, mam tylko parę pytań. Jak długo pracuje pani u Leili Syed?

– Trzy lata.

– Może pani opisać jej rutynę? Czy często zostaje w pracy po godzinach?

Suki pokręciła głową.

– Nie. Staramy się być przyjazną firmą. Jak najmniej nadgodzin, żadnych telefonów ani maili w weekendy. W połowie roku przechodzimy na tak zwany tydzień letni, co znaczy, że piątkowe popołudnia mamy wolne.

– Czy tydzień zaczynający się od dwunastego lipca był typowym tygodniem?

– Nie. Jak wspomniałam, mieliśmy na horyzoncie duży projekt, więc wszyscy od jakiegoś czasu pracowaliśmy intensywniej. Leila nie lubi łamać reguł, ale czasami jest to po prostu konieczne.

– Skoro był to gorący okres, jak pani mówi, czy Leila wyjątkowo wysłała jakieś maile w niedzielę jedenastego lipca?

– Tak.

– Przypomina sobie pani, o której?

– Kiedy obudziłam się w poniedziałek rano, w skrzynce miałam kilka nowych wiadomości, co oznacza, że musiała je wysłać bardzo późno w niedzielę.

– I było to wyjątkowe?

– Tak.

– Skoro pracowała do późna w niedzielę, można założyć, że na drugi dzień była bardziej zmęczona i rozkojarzona niż zwykle?

– Cóż, tak, to bardzo prawdopodobne.

– Na tyle zmęczona, że ucierpiała jej pamięć, choć normalnie o niczym nie zapominała?

Suki skwapliwie pokiwała głową.

– Właśnie tak.

– Dziękuję. – Clara zwróciła się do sędziego: – Nie mam więcej pytań do świadka, wysoki sądzie.

Ku przerażeniu Leili prokurator zerwał się z miejsca, by ponownie wziąć Suki w obroty.

– Panno Taylor, powiedziała pani, że to nietypowe dla Leili Syed, aby wysyłała wiadomości mailowe w niedzielę. Jak rzadko to robiła?

Suki uniosła lekko jedno ramię.

– Trudno mi powiedzieć dokładnie. Może raz w miesiącu.

– Nie częściej?

– Nie wydaje mi się, nie.

Edward lekko skinął na woźnego, który wręczył Suki plik kartek.

– Trzyma pani w ręku listę wiadomości wysłanych przez Leilę Syed w ciągu sześciu miesięcy poprzedzających śmierć Maksa Hanssona. Ile niedziel pani widzi?

Suki spojrzała na gruby plik. Po krótkim wahaniu zaczęła liczyć. Sekundy mijały nieznośnie powoli, w miarę jak odhaczała w myślach siódme dni tygodnia. W końcu powiedziała:

– Dwadzieścia siedem.

– Dwadzieścia siedem niedziel. – Edward poprawił mankiet pod togą. – Proszę odczytać niektóre godziny, powiedzmy ze stycznia tego roku.

Suki wróciła do kartki na wierzchu pliku.

– Dwudziesta trzecia pięćdziesiąt siedem, minuta po północy, pierwsza siedem. – Moment ciszy. – Druga dwadzieścia...

– Z której godziny była ostatnia wiadomość wysłana w niedzielę jedenastego lipca, na dzień przed śmiercią Maksa?

Chwilę jej zajęło, zanim odnalazła właściwy dzień.

– Z dwudziestej trzeciej pięćdziesiąt trzy.

– Zatem... biorąc pod uwagę, że tego wieczoru Leila Syed bynajmniej nie pracowała do bardzo późna... czy nazajutrz rano nie powinna być równie przytomna, trzeźwa, czujna i opanowana jak w każdy inny dzień?

– Ja... – Suki nie wiedziała, co powiedzieć. – Chyba powinna – wyjąkała w końcu.

– „Chyba powinna" – zacytował ją z rozbawionym uśmiechem. – Dziękuję, panno Taylor, okazała się pani niezwykle pomocna.

Kiedy sędzia zarządził przerwę na lunch, Leila udała się prosto do łazienki, gdzie zamknęła się w kabinie. Starała się nie myśleć o tamtym dniu, w którym Suki zastała ją zakrwawioną. To prawda, że była wtedy spokojna – doświadczenie ją tego nauczyło. Ileż razy mogła opłakiwać stratę, która przepełniała każdą komórkę jej ciała, czaiła się w każdym uderzeniu serca? Trzymała się, ponieważ nie chciała się rozpaść. A teraz to samo, co pozwoliło jej przetrwać, miało się okazać ostatnim gwoździem do jej trumny.

Josephine Allsebrook nosiła oliwkową garsonkę, która pamiętała lata osiemdziesiąte: z wywatowanymi ramionami i szerokimi klapami, z których jedna była ozdobiona broszką, jakiegoś rodzaju kamieniem szlachetnym w pozłacanej oprawie. Kobieta miała gęste kędzierzawe włosy, ostrzyżone tak krótko, że jej ciemię przypominało lotniskowiec. Zmarszczki wokół jej ust, dwie głębokie bruzdy biegnące od każdego kącika do brody, nadawały jej twarzy surowy wyraz. Mówiąc, stała na baczność niczym żołnierz na odprawie, co w sumie korespondowało z jej zawodem – pracowała jako dyrektorka zespołu przedszkolno-szkolnego Rosemont School.

– Proszę pani, domyślam się, że będąc dyrektorem, zwykle przebywa pani w swoim gabinecie, z dala od szkolnych korytarzy? – zagaił Edward.

Uśmiechając się cierpliwie, pozwoliła mu dokończyć pytanie, zanim go poprawiła:

– Właściwie to jestem zwolenniczką pełnego zaangażowania w życie swojej placówki. Codziennie rano witam dzieci na boisku, po czym wpuszczam je do budynku.

Prokurator uniósł brwi w podziwie.

– Wnioskuję z tego, że zna pani również bardzo dobrze wszystkich rodziców?

Wykonała dziwny ruch głową, na poły twierdzący, na poły przeczący.

– I tak, i nie. Koncentruję się na dzieciach. A wielu rodziców po prostu je podrzuca i czym prędzej odjeżdża, co oczywiście jest zrozumiałe.

– No tak, ale zna pani dorosłych przynajmniej z widzenia – drążył Edward coraz bardziej nerwowo.

– O tak, zdecydowanie.

– Czy rozpoznałaby pani Yasmin Syed?

– Tak. To matka Maksa Hanssona.

– A Andrew Hanssona?

– Tak, jest ojcem Maksa.

Forshall milczał przez chwilę, zanim rzucił:

– Leilę Syed?

– Owszem. Chodzi o ciotkę Maksa.

– O? Jak to możliwe, że by ją pani rozpoznała?

Josephine, która nie słyszała zeznań poprzednich świadków, bez wahania odparła:

– Kilka razy odwoziła Maksa do żłobka.

Przysięgli skamienieli. To zmieniało obraz sytuacji.

Prokurator teatralnie zmarszczył czoło.

– Jest pani pewna?

– Tak.

– Ale jakim cudem?

– Cóż, jak ustaliliśmy, znam dorosłych przynajmniej z widzenia. Pamiętam też, co sobie o niej pomyślałam. Że jest niezwykle zrównoważona. I że wygląda jak bizneswoman z reklamy.

– Zatem zwróciła pani uwagę nawet na jej strój?

– Nie umiałabym podać szczegółów, ale wiem, że ubierała się bardzo elegancko.

Edward zachęcająco pokiwał głową.

– Ile razy, z tego, co pani pamięta, Leila Syed przywiozła Maksa do żłobka?

Bruzdy na twarzy kobiety pogłębiły się znacznie.

– Trudno mi powiedzieć.

– Ale więcej niż raz?

– O tak. Co najmniej dwa albo trzy razy.

– Dwa albo trzy razy – podchwycił prokurator. – A ostatnio kiedy?

Josephine się zastanowiła.

– Naprawdę trudno mi powiedzieć, ale wiem na pewno, że jedna z okazji wypadła w okolicach tegorocznej Wielkanocy. Pamiętam to, bo na jej widok pomyślałam, że ma bluzkę w bardzo odpowiednim kolorze. Niczym wielkanocne jajo Cadbury.

Edward uczepił się tego szczegółu z zachwytem.

– Wielkanoc, czyli... kwiecień?

– Tak.

– Zaledwie trzy miesiące przed śmiercią Maksa?

– Zgadza się.

– I jest pani pewna, że widziała wtedy nie kogo innego, tylko Leilę Syed?

– Całkowicie pewna.

– Ale widzi pani... Leila Syed twierdzi, że nigdy nie przywiozła Maksa do żłobka. Co pani na to powie?

Dyrektorka ściągnęła brwi w zamyśleniu.

– Że... że to niezgodne z prawdą.

– „Niezgodne z prawdą". – Powtórzone przez prokuratora słowa rozbrzmiały echem w sali. – Dziękuję pani. Była pani niezwykle pomocna.

Edward skłonił głowę w wyrazie szacunku.

Jak zwykle druga w kolejności do zadawania pytań była Clara. Odezwała się przytłumionym głosem, wiedząc zapewne z doświadczenia, że kobiety takie jak Josephine Allsebrook nie dają się łatwo zastraszyć.

– Proszę pani, czy mówiąc, że Leila Syed ubierała się bardzo elegancko, miała pani na myśli to, że różniła się prezencją od matek innych dzieci?

– Nie, nie porównywałam jej z nikim. Po prostu zrobiła na mnie wrażenie osoby niezwykle poukładanej, to wszystko.

– Mimo to widzi ją pani w szeregu z innymi kobietami?

Josephine się zawahała.

– Nie. Rzecz w tym, że rodzice zjawiają się o różnych porach...

– Ale widzi ją pani stojącą przy bramie żłobka i przekazującą Maksa w pani ręce?

– Nie jestem pewna, czy dosłownie przekazała go w moje ręce. Ale owszem.

– A czy nie było tak, że zobaczyła ją pani gdzie indziej i że to pani wyobraźnia przeflancowała ją na szkolne boisko? Może był to wieczorek dla rodziców i krewnych? Albo jakiś kiermasz? Bądź przyjęcie urodzinowe?

Starsza kobieta wydęła wargi.

– Nie mogę się mylić. Nie uczestniczę w prywatnych imprezach, a każdy, kto odwiedza naszą placówkę, trafia do systemu. Leila Syed w nim nie figuruje.

– Rozumiem. – Teraz to Clara się zamyśliła. – Proszę pani, wspomniała pani nieco wcześniej, że musiała widzieć Leilę Syed w kwietniu, bo zapamiętała pani jej fioletową bluzkę. – Adwokatka wskazała ekran telewizora, na którym pojawiło się zdjęcie oskarżonej. – Tej, prawda?

Fotografię ukazano na zbliżeniu, ale było na niej widać cały strój Leili. Do jasnoszarej spódniczki włożyła bluzkę w firmowym kolorze Cadbury.

Dyrektorka potaknęła z przekonaniem.

– Właśnie tej.

Pozostawiwszy zdjęcie na ekranie, Clara kontynuowała:

– Pozwoli pani, że zapytam, ile lat mają dzieci znajdujące się pod opieką pani placówki?

– Przyjmujemy dzieci w wieku od trzech do jedenastu lat.

– Czyli dwunastolatkowie kończą przygodę z Rosemont School?

– No więc... mamy też liceum, zatem można powiedzieć, że oferujemy edukację od żłobka do matury.

– Gdzie znajduje się to liceum?

– W odległości pięciu minut spacerkiem.

– Bywa tam pani?

Josephine skinęła głową.

– Tak, bardzo często. Budynek liceum jest nowocześniejszy, czasem prowadzimy tam zajęcia, a ja zwykle odbywam tam spotkania.

– Ile razy tygodniowo zagląda pani do liceum?

– Cztery, może pięć razy.

– Czyli niemal codziennie?

– Tak.

Clara się uśmiechnęła.

– Czy system jest wspólny dla wszystkich placówek?

– Nie, każda ma swoją bazę danych.

– Zatem jeśli ktoś odwiedzi liceum, nie będzie go w systemie gimnazjum, szkoły podstawowej ani żłobka?

– Nie.

Clara poprosiła woźnego, aby podał świadkowi dokument.

– Powie nam pani, co to jest?

– Pozwolenie wstępu na teren liceum – odparła Josephine, nie musząc się nawet przyglądać dokumentowi.

– Proszę odczytać datę i nazwisko gościa.

Dyrektorka zmrużyła oczy, czytając na głos:

– Leila Syed, pierwszy kwietnia.

– A powód wizyty?

– Udział w akademii.

Clara zmarszczyła brwi.

– Udział w akademii? Czemu Leila Syed miałaby brać udział w szkolnej akademii?

– Cóż, czasami zapraszamy ciekawe osoby celem zainspirowania uczniów ze starszych klas.

– Aha, to znaczy, że Leila Syed, jako odnosząca sukcesy bizneswoman, zechciała poświęcić swój czas na spotkanie z uczniami?

– Nie mogę tego wiedzieć na pewno, ale z tego dokumentu tak wynika.

Clara ponownie wskazała ekran.

– Poznaje pani? – Zrezygnowano ze zbliżenia kadru, ukazując całą fotografię, która zajmowała pierwszą stronę szkolnej gazetki. U góry widniał nagłówek „Rosemont School". – Czy to możliwe, że zapamiętała pani Leilę Syed w fioletowej bluzce nie ze żłobka, tylko z akademii?

Dyrektorka wyglądała na zawstydzoną.

– Właściwie...

Skinieniem Clara poprosiła woźnego, aby podał świadkowi plik innych dokumentów.

– Leila Syed wystąpiła na trzech akademiach w ciągu dwunastu miesięcy. Daty znajdzie pani na drukach pozwoleń wstępu. Na dużej kartce ma pani swój grafik. Uderza coś panią w datach?

Na szyi Josephine wystąpiły plamy.

– Pokrywają się.

– Aha! – ucieszyła się Clara. – Leila Syed istotnie odwiedziła pani placówkę „dwa albo trzy razy", tyle że nie część ze żłobkiem i nie po to, aby przekazać Maksa w pani ręce. Zamiast tego była w części licealnej, gdzie przemawiała do starszych uczniów, podczas gdy pani była obecna. Mając to na uwadze, czy rozważy pani możliwość, że jednak nigdy nie widziała pani mojej klientki u bram żłobka? Że w istocie widziała ją pani tylko w auli liceum?

Czerwień zdążyła wpełznąć na twarz Josephine.

– Och – powiedziała dyrektorka.

Leila była gotowa się roześmiać na widok miny, którą starsza kobieta przy tym zrobiła.

– Właśnie: „och" – powtórzyła Clara ostrzejszym tonem, już nie tak pełnym szacunku. – Dla celów protokołu: czy przyznaje pani, że w rzeczywistości widziała pani Leilę Syed w liceum?

– Tak – odparła Josephine. – To możliwe, nie, wróć, to więcej niż prawdopodobne.

– I pani wcześniejsze zapewnienia, że Leila odwoziła Maksa do żłobka, nie są zgodne z prawdą, czy tak?

– Obawiam się, że tak. Nie są.

Clara uśmiechnęła się chłodno.

– Dziękuję – powiedziała, a zwracając się do Warrena, dodała: – Nie mam więcej pytań do świadka, wysoki sądzie.

Pod koniec dnia Leila czuła coś w rodzaju nadziei, jakkolwiek niebezpieczne to było w jej położeniu. Clara Pearson po mistrzowsku zdyskredytowała zeznania Josephine Allsebrook. A rzeczony szczegół miał ogromne znaczenie: Leila nigdy nie odwoziła Maksa do żłobka – nie miała więc wyrobionych nawyków z tym związanych. W takiej sytuacji chyba każdy rozsądnie myślący człowiek uzna, że jechała do pracy na autopilocie, że niechcący popełniła błąd, jak wtedy, gdy człowiek pamięta o naładowaniu elektrycznej szczoteczki do zębów podczas mycia i zapomina o tym w momencie, w którym ją odkłada. Zwykła przypadłość ludzkiego umysłu.

Rzucając Clarze wdzięczny uśmiech, Leila zauważyła, że jeden z przysięgłych przygląda się jej cynicznie oczami zwężonymi w szparki, jakby próbował ją rozgryźć. Widząc jego wargi odsłaniające dziąsła – jak u warczącego psa – i mocno ściągnięte brwi, przez jedną szaloną chwilę zastanawiała się, czy ten dziwny nieznajomy jakimś cudem odgadł prawdę.

Ledwie mżyło, toteż wycieraczki skrzypiały i podrygiwały przy każdym zamachu po szybie. Yasmin siedziała w milczeniu, dając się hipnotyzować reflektorom nadjeżdżających z naprzeciwka aut. Nie miała pojęcia, że to były aż cztery poronienia. Wiedziała o jednym, na samym początku, przy okazji którego powiedziała siostrze, żeby się nie martwiła, bo jedna na cztery ciąże kończy się samoistnym poronieniem i nie ma o co rozdzierać szat. Niedługo potem Yasmin urodziła Toby'ego i poświęciła mu całą swoją uwagę, nie mając już sił na monitorowanie sytuacji Leili.

Sądziła, że Leila i Will mają problem z poczęciem – nie że trudność polega na donoszeniu ciąży. Przed oczami wciąż miała siostrę w biurowej łazience, w kucki doprowadzającą się do porządku, udającą, że nic się nie stało. Ożyły w niej wyrzuty sumienia z powodu tych wszystkich okazji, przy których czuła wielkie samozadowolenie, że ma coś, czego brakuje jej siostrze. Leila – taka wykształcona, bogata, poważana – nie miała Maksa.

Yasmin pamiętała tamten dzień, kiedy Leila występowała przed licealistami. Później przez dłuższy czas zaczepiały ją matki dzieci ze wszystkich poziomów nauczania. „Och, Leila Syed to twoja siostra? Moja Georgia była nią zachwycona!". Sława Leili dopadła ją nawet w jej własnej domenie.

Obsesja porównywania się z Leilą przyniosła rozdrapywanie najbardziej błahych drobiazgów: przyjęć (nigdy byśmy nie wydali tyle na dekoracje), spontanicznych wycieczek (oczywiście przy Maksie to niemożliwe), nawet reżimu fitnessowego (ty się nie musisz tak męczyć, bo nigdy nie straciłaś figury).

„Czuć u nich pustkę, prawda?" – rzuciła raz do męża, kiedy wyszli po kolacji u Leili i Willa. I była to prawda: swego rodzaju pustka zionęła od idealnie rozłożonego obrusu, doskonale czystych białych ścian bez najmniejszych śladów, nieskazitelnie równej sterty korespondencji na konsolce, nawet od leżącego byle gdzie nożyka do listów. U siostry i szwagra było cicho, spokojnie i… zimno. Yasmin naturalnie czuła się górą (patrz na moje pełne ludzi i zdarzeń życie i pogódź się z tym, że ty nic nie masz).

Świadomość, że Leila przeżyła taką tragedię, kazała Yasmin udać się do niej, przytulić ją, wybaczyć jej – i prosić o wybaczenie. Najpierw jednak musiała poznać prawdę. Przysięgli musieli odpowiedzieć jej na pytanie, czy Leila zostawiła Maksa samego celowo. Była w stanie wybaczyć siostrze, jeśli to naprawdę był niefortunny zbieg okoliczności. Bo w końcu czyż nie wszyscy rodzice, wróć, czyż nie wszyscy ludzie codziennie są o włos od tragedii? Kierowca, który wypił odrobinę za dużo do kolacji; ojciec, który zostawił wrzątek na ogniu; matka, która zapomniała wezwać fachowca do alarmu przeciwdymnego. Tyle osób codziennie cudem unikało nieszczęścia. Kto powiedział, że ci, którzy się potknęli na polu minowym życia, są gorszymi ludźmi od tych, którym się upiekło? Jeśli przysięgli uznają śmierć Maksa za wypadek, Yasmin się z tym pogodzi. Ale jeśli zapadnie werdykt, że Maks został sam w aucie w wyniku celowego działania, nigdy nie będzie mogła przebaczyć siostrze.

Leila popijała herbatę małymi łyczkami, rozkoszując się uczuciem kojącej pary na policzkach. Napar był niemal za gorący, aby go pić – właśnie taki lubiła najbardziej. Gdy zerknęła na zegar i zobaczyła, że jest już ósma, uświadomiła sobie, że przez prawie cały dzień nie miała nic w ustach. Postanowiła najpierw dokończyć lekturę maili, a dopiero potem zamówić coś z dowozem.

Pierwsza wiadomość była od Suki: przeprosiny za ujawienie informacji o jej czwartym poronieniu. Leila nie była zła na swoją asystentkę, ale wściekała się, że ta sprawa została wykorzystana przeciwko niej. Przypomniała sobie szyderczy ton prokuratora, gdy pytał: „Ważniejsza niż zajęcie się martwym dzieckiem?". Zabawne, że mężczyzn traktowano jak bohaterów, gdy na drugi dzień po tragedii osobistej wracali do pracy, od kobiet jednak oczekiwano, aby rozpaczały tygodniami. Tamto czwarte poronienie było w jej przypadku ostatnią kroplą. Słyszała historie kobiet, które poroniły sześć, nawet siedem razy, zanim w końcu donosiły ciążę do szczęśliwego rozwiązania. Leila miała dość po czwartym. Zaznała dziwnego spokoju. Tej ostatniej straty nawet porządnie nie opłakała, gdyż w gruncie rzeczy poczuła ulgę. Poddanie się to też swego rodzaju zwycięstwo. Pogodzenie się z tym, że nie można mieć wszystkiego.

Zarchiwizowała wiadomość od Suki i przeszła do następnej. Nadawcą był Robert Gardner. „Co za GNÓJ! Powiedz tylko słowo, a poderżnę mu GARDŁO!". Poczuła lekki niepokój. Robert lubił przesadzać, ale ona nauczyła się nie reagować na jego wybryki. Niemniej brak kontekstu ją zmartwił. Sięgnęła po telefon i wybrała numer partnera.

– Wypatroszę tego kutasinę – obwieścił, nie zawracając sobie głowy powitaniem.

– Robercie, co się dzieje? – rzuciła na jednym wydechu.

Z tonu jego głosu zorientowała się, że wypił kilka głębszych.

Przez moment po drugiej stronie panowała cisza.

– Nie widziałaś, co zrobił? – zacmokał Robert. – Ten twój mężulek o żabim rozumku. – Chwila przerwy. – Napisał o tobie.

Leila poczuła dudnienie w piersi.

– Źle?

– Bardzo źle. – Znowu zacmokał. – Kurwa, Leila. Tak mi przykro.

To ostatnie zdanie sprawiło, że przeraziła się nie na żarty. Z Robertem łączyło ją koleżeństwo, które nigdy nie zahaczyło nawet o większą zażyłość. Przerzucali się dowcipami, prowokowali się wzajemnie, przygadywali sobie i obrzucali się przekleństwami. Jego obecny ton – pełen powagi i współczucia – wzbudził w niej prawdziwy lęk.

– Masz na myśli jeden z jego felietonów?

– Tak.

Felietony Willa czytały dziesiątki tysięcy ludzi tygodniowo. Leila wypuściła powietrze z płuc i wetknąwszy słuchawkę między bark i brodę, wpisała w wyszukiwarkę tytuł gazety męża, po czym znalazła jego nazwisko: Will Carmichael. I zamarła jak zając pochwycony w snop reflektorów rozpędzonego samochodu. Już nagłówek pozbawił ją tchu.

DZIEŃ, W KTÓRYM MOJA ŻONA
ZOSTAŁA OSKARŻONA O ZABICIE
TRZYLETNIEGO DZIECKA

Zacharczała, biorąc gwałtowny oddech, i poczuła w ustach smak żółci.

– Leila? – odezwał się znowu Robert. – Przykro mi, że wyszłaś za takiego skurwysyna.

W uszach słyszała szum krwi.

– Dziękuję, że dałeś mi znać.

– Jeśli jest cokolwiek... – zaczął jeszcze, lecz przerwała połączenie.

Ponownie przeczytała nagłówek, aby się upewnić, że niczego nie pomyliła. Następnie kliknęła w link prowadzący do artykułu.

Człowiek nie spodziewa się usłyszeć wyznania, jakie ja usłyszałem w lipcu. Moja żona mówiła blaszanym, mechanicznym głosem jak żołnierz, który przetrwał ciężki ostrzał. Wypowiedziała słowa, które całkowicie odmieniły nasze życie: „Maks nie żyje. To moja wina".

Maks był jej siostrzeńcem, a może powinienem napisać „naszym siostrzeńcem" (czy w komplecie z małżonkiem dostaje się też siostrzeńców?). Widziałem w nim pogodne, wrażliwe dziecko – żaden ideał, bo dzieci rzadko są idealne. Dąsał się w gniewie, miał kłopoty z wyrażaniem uczuć i tryskał energią, co nie zawsze jest dobre. Był przy tym słodki, wspaniałomyślny i czuły. Na jego ostatnich urodzinach upuściłem swój kawałek ciasta, a on poprosił mamę o nóż, żeby mógł się podzielić ze mną własnym. Cieszyłem się, myśląc o tym, na jakiego mężczyznę wyrośnie, dlatego kiedy usłyszałem od żony, że zmarł – i to przez nią – mój świat na moment zamarł.

Leila przebiegła wzrokiem resztę tekstu i zatrzymała się dopiero na końcowym akapicie.

Pytam ją, jak się czuje, a ona odpowiada: „Nie chcę o tym rozmawiać". Jest w niej pewna bezbronność, rozpaczliwa potrzeba, kiedy prosi mnie, żebym „został dzisiaj", i wtulając się we mnie, delikatnymi palcami czepia się mojej koszulki niczym niemowlę, które nie chce puścić rodzica. Ta chwila uświadamia mi, co tkwi w nas wszystkich: przerażone dziecko bojące się otaczającego je świata. Obejmuję ją, a gdy nareszcie jej ciało odpręża się przy mnie, zakochuję się w swojej żonie – wkrótce być może skazanej za zabójstwo – od nowa.

Leila odepchnęła się od biurka, wstrząśnięta. Czuła się tak, jakby jej wnętrzności właśnie wykonały karkołomnego fikołka. Na moment straciła widzenie; ogarnął ją gniew tak namacalny, że mogłaby go zobrazować tylko postać z komiksu, która się zakrada, aby narzucić ci na głowę czarną pelerynę. Chciała się zamachnąć, uderzyć w coś otwartą dłonią. Will zawsze był lekkomyślny, lecz napisanie o niej w felietonie przekroczyło wszelkie granice.

Odzyskawszy jasność spojrzenia, wbiła wzrok w zdjęcie męża na ekranie. Z tymi swoimi zmierzwionymi chwacko włosami, trzydniową szczeciną i nonszalancko zadartymi brwiami doprowadzał ją do szału. Chciałaby sięgnąć do jego twarzy i zetrzeć z niej ten uśmieszek, ale zgrzytnęła tylko zębami, by odzyskać nad sobą kontrolę.

„Jak mogłeś, Will?"...

Wzięła telefon, żeby do niego zadzwonić, lecz od razu zrozumiała, że w ten sposób nie da upustu przepełniającym ją emocjom. Podjąwszy nagłą decyzję, skierowała się do samochodu wziętego w leasing po tym, jak policja odebrała jej mini coopera. Jadąc w stronę oddalonego o dziesięć kilometrów Wanstead, gdzie Will mieszkał obecnie u dawnego kolegi ze szkoły, uznała za wiele mówiące, że po tym, jak ze sobą zerwali, jej mąż wrócił do kawalerskiego życia.

Zbliżając się do celu, podsycała w sobie gniew, jakby miał być substytutem siły. Zatoczyła kilka kółek w próbie znalezienia miejsca parkingowego, a każde kolejne tylko umacniało jej wściekłość. Kiedy zaczęła walić do drzwi, była wcieloną furią. Otworzył jej Will, przez ramię wykrzykujący puentę jakiegoś żartu czy ripostę. Z wnętrza domu dobiegł ryk śmiechu. Kiedy się odwrócił, zamarł na jej widok. Zaczerpnął tchu, jakby szykując się, by coś powiedzieć, Leila jednak nie dała mu dojść do głosu.

– Jak mogłeś?! – rzuciła dziko.

Przekroczył próg, boso, w obszarpanych dżinsach, i zamknął za sobą drzwi.

– Próbowałem się z tobą skontaktować.

– Kiedy? – Wyciągnęła komórkę z kieszeni. – Bo jakoś, kurwa, nie mam żadnych nieodebranych połączeń, Will!

Uniósł ręce w przepraszającym geście.

– Leila, proszę, nie złość się. Chciałem cię zapytać, ale pomyślałem, że odmówisz bez zastanowienia.

Coś w niej pękło i tylko wielkim wysiłkiem woli nie zamachnęła się, by go uderzyć.

– Nie rozumiem, Will. Nie rozumiem, więc wytłumacz mi, proszę. Naprawdę jesteś tak ograniczony, że nie widzisz, jakie to niewłaściwe, czy po prostu masz to gdzieś?

Kuląc się na zimnie, spojrzał na nią błagalnie.

– Musiałem to zrobić – rzekł cicho. – Dla siebie samego.

Zbyła to prychnięciem.

– Wiedziałam, że jesteś egoistą, Will, ale nie miałam pojęcia, że aż taki z ciebie okrutnik!

Poczuł się skarcony, lecz tylko przelotnie.

– Zawsze powtarzasz, że nie radzę sobie z uczuciami. To był mój sposób na poradzenie sobie z nimi w tej sytuacji, Leila!

Wycelowała w niego palcem, który niemal zetknął się z jego nosem.

– Ani się waż przedstawiać tego jako szlachetnego uczynku. Wykorzystałeś mnie. Zacytowałeś mnie, do kurwy, Will!

Przypomniała sobie jego słowa – „Daj spokój, kochanie. Powiedz mi, co ci chodzi po głowie" – i miała ochotę się kopnąć, że pomyliła je z empatią.

– Posłuchaj...

Nie dała mu skończyć.

– Żeby to było najgorsze, co zrobiłeś, Will. Ale nie, ty wykorzystałeś Maksa. Nie miałeś prawa o nim pisać!

Will zesztywniał, w jego oczach zagościł lód.

– Był też moim siostrzeńcem.

– Wcale nie! Odpowiadając na twoją dygresyjkę: „czy w komplecie z małżonkiem dostaje się też siostrzeńców?", w żadnym, kurwa, razie! Zwłaszcza wtedy, gdy ich wykorzystujesz, żeby nabić sobie wierszówkę!

– Ja też go kochałem, Leila. Proszę, nie zaprzeczaj. – Wzdrygnął się dziwnie, jak bokser otrząsający się po ciosie, gdy nie chce okazać bólu. – To dla mnie ważne, abyś mi uwierzyła. Myśl, co chcesz, ale...

Popatrzyła na niego z obrzydzeniem.

– Myślę, że jesteś kiepskim pismakiem, Will. Grafomanem bez krztyny talentu i wyobraźni. – Odsunęła się od niego o krok. – Cokolwiek było między nami, to już skończone. Nie waż się do mnie odzywać. Nie dzwoń. Nie pisz. Zabierz swoje płyty i swoją przeklętą gitarę i nigdy więcej nie pokazuj mi się na oczy.

– Leila, czy możemy porozmawiać jak dorośli ludzie? W tej chwili jesteś na mnie zła…

– A ty jesteś pozbawionym kręgosłupa dziennikarzyną, który wybił się na swoim kurewstwie! Gratulacje, Will! Mam nadzieję, że dostaniesz za ten felieton nagrodę, skoro do tej pory jeszcze żadna ci nie skapnęła!

Obruszył się, a Leila niemal roześmiała mu się w twarz. Rzucona przez nią zniewaga zabolała go bardziej niż jej cierpienie.

– A, i jeszcze jedno. Jeśli choć raz wspomnisz o Maksie publicznie, pozwę cię. Użyję wszystkiego, co mam, żeby cię zniszczyć. Jeżeli mi nie wierzysz, możesz postawić przeciwko mnie te marne grosze, które zarabiasz w swoim szmatławcu.

Gapił się na nią z otwartymi ustami.

Roześmiała się okrutnie dla spotęgowania efektu.

– Ale nawet z tego niewiele ci przyjdzie! – dodała z mściwą satysfakcją, po czym odwróciła się i odeszła.

W samochodzie uderzyła oburącz w kierownicę raz, potem drugi, i zaczęła krzyczeć. Przepełniały ją emocje, których nie potrafiła nazwać, i niczym małe dziecko uciekła się do ataku złości, aby dać im upust. Will już wcześniej ją okradał, wiedziała o tym, zbierał okruchy jej życia i zamieszczał w formie anegdotek w swoich tekstach, lecz zagrabienie całej jej historii, i to bez pytania, zakrawało na najgorszą zdradę.

Opuściła głowę na kierownicę i rozpłakała się, pozwalając, by gniew znalazł ujście i zmienił się w coś słabszego. Przyjaciele ostrzegali ją od samego początku, że Will jest narcyzem, ale składała to na karb różniących ich osobowości, jego nadmiernej pewności siebie i niepohamowanego apetytu na dyskusje. Lubił perorować na temat swoich koników – polityki i mediów – lecz gdy rozmowa schodziła na coś, na czym się nie znał, milkł, a nawet zachowywał się lekceważąco. Zdarzało się, że gdy byli na kolacji ze wspólnymi znajomymi, Leila znów nakierowywała rozmowę na politykę, by udobruchać męża. Stanowili tandem, dlatego ta zdrada tak ją zabolała.

Powiedziała sobie, że musi się od niego uwolnić – nie na te krótkie chwile, gdy pozostawali osobno, lecz na dobre, aby odżałować zakończenie ich związku. Postanowiła wyjechać w jakieś kojące miejsce, kiedy już będzie po wszystkim. Tam, dla czystej przyjemności tworzenia, zaprojektuje piękny budynek. W Syed & Gardner pracowała głównie dla pieniędzy i straciła przez to kontakt z tym, co najbardziej lubiła w byciu architektem: kreślenie linii powstającej w jej wyobraźni bryły, wzmacnianie jej przyporami niczym z baśni braci Grimm. Stworzy budowlę strzelistą, w stylu czerpiącym z gotyku, nie tak znów różną od spotykanych w Schwarzwaldzie: misterny zamek pełen korytarzy i pułapek.

Mając już w głowie ogólną wizję projektu, zastanowiła się nagle, czy więźniowie mają dostęp do kartonu i ołówka. Ta mroczna myśl uderzyła ją niczym obuch między oczy, gdyż wyrok skazujący po prostu nie mieścił się w jej umyśle. W głębi duszy zwyczajnie nie wierzyła, że mogłaby zostać ukarana. Jeśli tylko przysięgli uznają, że był to tragiczny wypadek, nie wymierzą jej żadnej kary. Prawda?

ROZDZIAŁ 11

Jennifer Li zajęła miejsce dla świadków z opanowaniem typowym dla osoby, którą cechuje pewność siebie. Tego dnia włożyła granatowy sweter i zwężane ku dołowi szare spodnie, a długie czarne włosy upięła w kucyk. Wysokie kości policzkowe miała nieumalowane, co przydawało jej świeżości.

Leila obserwowała ją z przeciwnej strony sali. Z Jennifer, częstą opiekunką Maksa, łączyła ją relacja, którą mogła określić tylko słowem „dobra". Oglądały te same podcasty i rozmawiały o *Żonie idealnej*, *Newsroomie* oraz *Prezydenckim pokerze*. Czasami gdy Leila zmieniała ją wieczorem, Jennifer zostawała jeszcze przez jakiś czas i ucinały sobie pogawędkę przy kieliszku wina. Choć miała tylko dziewiętnaście lat, Jennifer zdawała się niezwykle poważna.

Edward Forshall rozpoczął od standardowych pytań: imię i nazwisko, wiek, zajęcie. A także: jak dobrze znała się z Leilą i jak często ją widywała. Potem przeszedł do jej relacji z Maksem.

– Jak Leila Syed postępowała z siostrzeńcem?

Jennifer uśmiechnęła się ciepło, jakby przywołała w myślach miłe wspomnienie.

– Była świetna! Interesowała się jego rozwojem, kupowała mu zabawki edukacyjne, dawała książeczki do czytania...

– Pomijając prezenty – przerwał jej Edward, mrużąc oczy. – Jak opisałaby pani ich interakcję?

– Maks uwielbiał się z nią bawić. Zawsze byłam zdania, że Yasmin jest wielką szczęściarą, mając taką zaangażowaną siostrę. Z nami trzema i Andrew ten chłopiec miał właściwie czworo rodziców, którzy za nim przepadali.

Leila przełknęła, żeby pozbyć się z gardła guli wzruszenia. Tak, bardzo kochała Maksa i była wdzięczna, że ktoś wreszcie powiedział to głośno. Przysięgli musieli usłyszeć, że wcale nie była królową lodu.

– To naturalne, że rodzice czasem tracą cierpliwość do swoich dzieci, prawda? – zapytał prokurator.

– Tak – potwierdziła Jennifer.

– Biorąc pod uwagę, że Leila była dla Maksa niczym druga matka, na pewno też traciła do niego cierpliwość od czasu do czasu.

Jennifer ściągnęła brwi.

– Niezupełnie.

– Mówiąc „niezupełnie", ma pani na myśli, że tak było?

Dziewczyna wykonała taki ruch, jakby chciała wzruszyć ramionami, ale w ostatniej chwili się powstrzymała.

– Może sporadycznie.

– Proszę podać przykłady.

Jennifer zaczęła tracić grunt pod nogami.

– Może raz czy dwa, gdy za bardzo się rozszalał.

– Zechce pani podać konkretny przykład?

– Pewnego dnia Maks nie chciał posprzątać swoich zabawek i Leila podniosła na niego głos. Nie spodobało mu się to, zaczął płakać, ale kiedy ruszyłam w jego stronę, zatrzymała mnie, mówiąc, że dziecko musi się nauczyć wykonywać polecenia.

Edward uniósł brwi.

– Powstrzymała panią przed pocieszeniem Maksa, mimo że był wyraźnie zrozpaczony?

Jennifer wydęła wargi powątpiewająco.

– Nie ujęłabym tego w ten sposób. Maks był niegrzeczny.

– Ale nie aż tak niegrzeczny, żeby nie uznała pani za stosowne go pocieszyć?

– Cóż, opiekunka powinna być bardziej wyrozumiała od rodzica. A Leila, będąc jego ciotką, miała prawo zachowywać się bardziej jak rodzic.

– Rozumiem. – Edward pokiwał głową w zamyśleniu. – Panno Li... Czy Leila kiedykolwiek groziła, że zrobi Maksowi krzywdę?

– Nie. Skądże.

– Jest pani pewna?

– Tak.

Prokurator poprosił woźnego, aby podał świadkowi kartkę.

– Panno Li, to zapis pani zeznań złożonych na komisariacie. Wynika z nich, iż Leila powiedziała raz przy pani, że mogłaby „udusić" Maksa.

Jennifer zamrugała.

– Ale to... to była tylko taka przenośnia – rzuciła, jąkając się, podczas gdy Leila przyglądała się jej z rosnącym przerażeniem.

Prokurator prychnął cicho.

– Słowa „mogłabym go udusić" były metaforą?

– Nie mówiła tego poważnie. Starałam się wyjaśnić policjantom, że nigdy nie skrzywdziłaby siostrzeńca. Że tylko czasem mówiła rzeczy, jakie mówi każdy rodzic. W dodatku Maks był w minionym okresie marudny i wszyscy byliśmy trochę sfrustrowani.

Leila przysłuchiwała się temu z coraz większym niepokojem. Pamiętała tamtą sytuację doskonale. Maks się popisywał, biegał po całym domu pobudzony słodyczami i w pewnym momencie wpadł do pokoju, w którym miała telekonferencję. Może i okazała lekką niecierpliwość przy wypychaniu go na korytarz, ale zgodziła się wyświadczyć Yasmin przysługę, o którą ta poprosiła dosłownie w ostatniej chwili. Jakie więc znaczenie miało, że była wobec Maksa nieco ostrzejsza, niż powinna być? Chłopiec dokazywał przez cały dzień i kiedy w końcu Jennifer przyszła po niego, Leila była skonana. Słysząc huk na piętrze, stęknęła i powiedziała: „Mogłabym go udusić". Jennifer zaoferowała się, że pójdzie na górę i spróbuje spacyfikować chłopca. Była to tylko mimochodem rzucona uwaga, sposób na rozładowanie napięcia. Skąd Leila mogła wiedzieć, że jej słowa zostaną przywołane w jaskrawym świetle sali sądowej, a ona sama posądzona o złe zamiary?

Edward przeszedł do następnego pytania:

– Czy Leila kiedykolwiek skarżyła się pani na siostrę?

Leila się skrzywiła, wiedząc, że Jennifer zeznaje pod przysięgą i jest prawnie zobligowana do mówienia prawdy.

– Wszystkie siostry skarżą się na siebie nawzajem.

– A Leila? Co dokładnie mówiła?

Spojrzenie Jennifer pobiegło ku galerii, gdzie zapewne siedziała Yasmin.

– Czasami miała wrażenie, że Yasmin nie zdaje sobie sprawy, jak ważna jest jej, to znaczy Leili, praca.

– Proszę powiedzieć coś więcej na ten temat.

Dziewczyna przestąpiła z nogi na nogę. Wyraźnie czuła się niekomfortowo.

– No więc... Leila prowadzi własną firmę, a Yasmin jest tylko... – Urwała w porę. – Yasmin jest sekretarką i jak mi się wydaje, zdaniem Leili nie rozumiała różnicy pomiędzy nimi. Na przykład potrafiła zadzwonić do Leili, oznajmić, że Maks jest chory, i zapytać, czy siostra mogłaby pracować tego dnia w domu, równocześnie mając na niego oko. Leila powtarzała, że choć jest swoim własnym szefem, nie oznacza to, że nie musi pracować. I że Yasmin byłoby o wiele łatwiej wziąć dzień wolny, a już na pewno nie miałoby to równie poważnych konsekwencji.

Edward skinął głową, zadowolony z kierunku, w jakim zmierza Jennifer.

– Jakim tonem mówiła pani to wszystko? Zagniewanym? Rozgoryczonym?

Rysy Jennifer stężały, kiedy się namyślała.

– Była raczej zła. – Po chwili milczenia się poprawiła: – Może nie zła, tylko zdenerwowana. Jakby miała tego dość. Nie mogła wykonywać swojej pracy przy Maksie.

– „Nie mogła wykonywać swojej pracy przy Maksie"? – powtórzył prokurator. – Czyli to jej praca była dla niej priorytetem?

– Generalnie tak.

– Rozumiem. – Uśmiechnął się z satysfakcją. – Dziękuję, panno Li.

Kolejne pytania miała dziewczynie zadać Clara Pearson.

– Panno Li, wspomniała pani, że Leila kupowała Maksowi zabawki edukacyjne i książeczki. Jak często to robiła?

– Och, na okrągło. Co dwa tygodnie, nawet co tydzień.

– Co to były za rzeczy? Proszę wymienić kilka.

– Zestaw młodego chemika, puzzle, łamigłówki, labirynty, gry strategiczne. Wszystko, co zmusza dziecko do myślenia.

– Czyli była zaangażowana w jego długofalowy rozwój i cieszyło ją, że wyrasta na zdrowe, szczęśliwe, ciekawe świata dziecko?

– Tak.

– Czy bawiła się z Maksem tymi zabawkami?

Jennifer się uśmiechnęła.

– Tak. Maks uwielbiał eksperymenty, zanosił się śmiechem z radości, ilekroć robili coś nowego. I zawsze wyznaczał jej jakąś rolę. Dzieci często chcą dominować, robić wszystko same, ale Maks zawsze włączał Leilę do zabawy. – Posmutniała. – Był naprawdę dobrym dzieckiem.

Clara szybko zmieniła temat.

– Chciałabym wrócić do wymiany zdań między panią i moim wielce szanownym kolegą. Powiedziała pani, że tego typu uwagę mógłby rzucić każdy rodzic. Czy słyszała pani kiedykolwiek, aby matka Maksa, Yasmin Syed, groziła, że go skrzywdzi?

Jennifer zesztywniała.

– Cóż… tak… Ale to też była tylko przenośnia.

– Co mówiła?

Jennifer wzruszyła lekceważąco ramionami, jakby chodziło o błahostkę.

– Rzeczy w rodzaju: „Zaraz go zabiję". Ale… – Zamilkła, widząc miny przysięgłych. – Nie mówiła tego poważnie.

– A jeśli chodzi o Andrew Hanssona, ojca Maksa? Czy i on mówił tego typu rzeczy?

– Czasami.

– Proszę podać przykład.

– Nooo… to samo. Jeśli mam być szczera, to wszyscy rodzice, dla których pracuję, mówią takie rzeczy… i znacznie gorsze.

– Dla ilu rodziców pani pracuje?

– Dla piętnastu rodzin, co daje około trzydzieściorga rodziców.

– Ilu z nich rzuca takie kwestie?

– Wszyscy.

– Czy zdarzyło się, że obawiała się pani o życie swojego podopiecznego po tym, jak ktoś tak powiedział?

– Nie.

– Czy to normalny, zdrowy wręcz wyraz odczuwanej frustracji?

– Tak. Zdecydowanie.

Clara pokiwała głową w zamyśleniu.

– Wspomniała pani, że „generalnie" praca Leili była dla niej priorytetem. Czy w pewnych sytuacjach miała inne priorytety?

– Tak.

– Wtedy, gdy opiekowała się Maksem?

– Tak.

– To Maks był jej priorytetem, zgadza się?

– Tak.

– Dziękuję – zakończyła Clara.

Leila widziała, że jej adwokatka jest usatysfakcjonowana, sama jednak była przygaszona, gdy sędzia zarządził przerwę na lunch. Ogarnęło ją uczucie beznadziei silniejsze niż kiedykolwiek w ciągu minionego półrocza. Dręczył ją trudny do sprecyzowania niepokój. Chodziło o coś więcej niż jej uczynek czy wiszące nad nią widmo uwięzienia. Wrażenie było nieprzyjemne, mroczne i niemal cielesne – odczuwała je nawet na skórze. Przez suchość, która zaczęła jej doskwierać, zapragnęła nagle zdjąć żakiet, podwinąć rękawy i wetrzeć w naskórek coś kojącego, jak mleczko czy krem. Nie czuła się dobrze we własnym ciele, wszystko na niej źle leżało, uwierało ją.

Na korytarzu wcisnęła się w najdalszy kąt. Clara często ją zagadywała podczas przerwy na lunch, dzisiaj jednak Leila nie miała ochoty rozmawiać ze swoją prawniczką – ani z nikim innym. Wgryzła się w kanapkę i zaczęła przeżuwać, ale odnosiła wrażenie, że ma w ustach trociny. Wszystko to, co prokurator próbował udowodnić: że Leila ceniła bardziej swoją pracę niż siostrzeńca, że była zdystansowana i nieprzenikniona, że groziła uduszeniem Maksa, stanowiło tylko upiorne przedstawienie. Ci ludzie jej nie znali. Nie wiedzieli, jak bardzo kochała Maksa ani jak rozpaczała po jego stracie.

Nękana obawami, powoli kończyła kanapkę, wzdrygając się lekko, ilekroć słyszała odgłos zbliżających się kroków. Przed wznowieniem rozprawy wymknęła się jeszcze do łazienki, by umyć ręce. Żałowała, że nie może spryskać twarzy wodą, ale nie chciała zniszczyć makijażu.

W pewnej chwili drzwi jednej z kabin się uchyliły i jak wryta stanęła w nich Yasmin. Ich spojrzenia spotkały się w lustrze, natężeniu uległy wszystkie dźwięki: szum suszarki w męskiej toalecie, kapanie wody z niedokręconego kranu, stukanie w rurach ciepłowniczych.

Leila się obróciła. Oko w oko Yasmin wydawała się szczuplejsza, a jej cera nabrała niezdrowego odcienia.

– Cześć – powiedziała Leila. – Co u ciebie?

Yasmin wciąż stała w miejscu, nie wiedząc, jak się zachować. Przez ułamek sekundy miała taką minę, jakby chciała wypluć coś z siebie gniewnie, lecz ostatecznie skinęła lekko głową.

– Wszystko dobrze. – Wargi jej drgnęły, ale zaraz je zacisnęła, hamując płacz. – A u ciebie?

– Och, no wiesz – odparła Leila, pilnując się, aby głos jej się nie załamał. – Cieszę się, że cię widzę. – Dziwna była ta wzajemna sztywność po tylu latach żartów, kłótni, śmiechów i szczerości. Leila przestąpiła z nogi na nogę. – Te słowa, które Jennifer przytoczyła... o tym, co powiedziałam o Maksie... Nie mówiłam tego poważnie. Dawałam tylko upust swojej frustracji.

Yasmin skinęła głową.

– Rozumiem. Ja... ja mówiłam gorsze rzeczy. – Suszarka w męskiej toalecie umilkła, pozostawiając po sobie namacalną ciszę. – Leila... – podjęła cicho Yasmin. – Nie miałam pojęcia. – Dotknęła brzucha. – O twoich poronieniach.

Leila zastygła w bezruchu.

– Nic się nie stało – powiedziała ostro, nie chcąc się wdawać w rozmowę na ten temat. Nie tutaj, nie w tej lodowatej łazience z przeciekającym kranem i łuszczącą się zieloną lamperią.

Yasmin zaczęła ugniatać jedną dłoń palcami drugiej.

– Sądziłam, że nie możesz zajść w ciążę, nie że doświadczasz jednego poronienia za drugim.

– Jaka to różnica? – zapytała Leila z większą goryczą, niżby chciała.

– Przestań choć na chwilę – poprosiła ją Yasmin. – Przestań udawać, że jest ci to obojętne. Straciłaś cztery ciąże. To nie to samo, co nigdy nie począć dziecka. – Przycisnęła dłoń do swojego brzucha. – Przeszłam przez to. Wiem, co to oznacza: hormony, emocje, radość, stres. Byłaś z tym wszystkim sama?

– Nie chcę o tym rozmawiać. – Głos Leili był zimny, twardy.

– Oczywiście, że nie chcesz – sarknęła siostra. – Przecież jako superwoman zawsze ze wszystkim sobie radzisz.

Leila chciała na to odpowiedzieć, lecz dostrzegła jakiś ruch za drzwiami. Natychmiast odwróciła się z powrotem do lustra – z obawy, że mogłaby zostać przyłapana na rozmowie z siostrą. Wygładziła żakiet i zatknęła niesforny kosmyk włosów za ucho.

– Miło cię było zobaczyć – rzuciła do odbicia Yasmin.

Nie czekając na reakcję, opuściła łazienkę i skierowała się na salę sądową.

Doktor Robert Morgan czuł się swobodnie na miejscu dla świadka. Stał wyprostowany na całą swoją wysokość pomimo nadprzeciętnego wzrostu. Był dobrze zbudowanym mężczyzną, odrobinę pulchnym, jak każdy, kto zaczyna wyrabiać muskulaturę, nie zrzuciwszy wcześniej zbędnego tłuszczu. Widząc jego dłonie jak bochny, Leila zastanowiła się, jak może się on wykazywać delikatnością wymaganą w jego pracy.

– Może pan do mnie mówić Bob – powiedział do Edwarda, pokazując wszystkie zęby w hollywoodzkim uśmiechu.

– Bob – powtórzył prokurator, wyraźnie zmieszany. Pojedyncza sylaba wydawała mu się nie dość poważna w tych okolicznościach. – Może zaczniesz od wyjaśnienia, czym się zajmujesz.

– Tak, oczywiście. – Bob utkwił wzrok w przysięgłych. – Jestem lekarzem medycyny sądowej. Współpracuję z policją i biurem koronera celem ustalenia przyczyny zgonu, gdy ktoś umrze nagle, nieoczekiwanie lub w wyniku niewyjaśnionych okoliczności. Przeprowadzam sekcje zwłok, czasem jestem też proszony o dokonanie oględzin na miejscu zbrodni, udzielenie wskazówek w kwestii przeniesienia ciała, a nawet zrekonstruowanie tragicznych wydarzeń.

– Przeprowadziłeś sekcję zwłok Maksa Hanssona, czy tak?

– Tak.

– Ile ogółem autopsji przeprowadziłeś w ciągu swojej kariery?

Bob wydął usta.

– Lekko licząc, ponad dziesięć tysięcy.

Prokurator uniósł brwi w wyrazie zaskoczenia.

– Imponująca liczba.

Bob przytaknął skinieniem.

– A zatem, doktorze... – Edward urwał i szybko się poprawił: – Bob... Większość tego, czym się zajmujesz, jest bardzo skomplikowana, dlatego zacznijmy od czegoś łatwego. Jaka jest prawidłowa ciepłota ludzkiego ciała?

Gdy Bob się odezwał, mówił wyraźnie i pewnie, bez wahania, które towarzyszyło poprzednim świadkom:

– Prawidłowa ciepłota wynosi trzydzieści siedem stopni Celsjusza. Zdrowi dorośli dobrze tolerują przejściowe zmiany w jej wysokości, w przedziale plus minus cztery stopnie Celsjusza. Przedział ten ulega zawężeniu w przypadku osób w podeszłym wieku oraz dzieci.

– Dlaczego dzieci są wrażliwsze na zmianę ciepłoty ciała?

– Z różnych powodów. Mają szybszy metabolizm, wydzielają mniej potu, a współczynnik wiążący powierzchnię ciała z masą i wzrostem jest u nich wyższy. Oznacza to, że u dzieci do przegrzania może dojść trzy razy szybciej niż u dorosłych.

Edward powoli skinął głową, jakby potrzebował czasu, aby przyswoić te informacje.

– Większość ludzi wie, że pozostawiony w słońcu samochód znacznie się nagrzewa, czasami do nieznośnych temperatur. Jak bardzo gorące może stać się wnętrze auta?

– Trudno to określić dokładnie. Badania wskazują, że w Wielkiej Brytanii temperatura rozgrzanego wozu może sięgać sześćdziesięciu sześciu stopni Celsjusza.

– Sześćdziesiąt sześć stopni Celsjusza? – powtórzył prokurator.

– Tak. Mało kto jednak wie, że temperatura wewnątrz wozu podwyższa się o dziesięć stopni co dziesięć minut.

Edward porwał z blatu kartkę.

– W poniedziałek dwunastego lipca we wschodnim Londynie odnotowano trzydzieści sześć stopni Celsjusza. Czy w tych warunkach wnętrze auta rozgrzałoby się do wspomnianych przez ciebie sześćdziesięciu sześciu stopni?

Bob przekrzywił głowę.

– Tego nie da się stwierdzić z całą pewnością. Wynik zależy bowiem od mnóstwa czynników.

– Niemniej temperatura w środku samochodu okazałaby się zabójcza?

– O, tak.

– W twojej opinii... każdy odpowiedzialny dorosły człowiek powinien sobie zdawać z tego sprawę, tak?

Bob zerknął na Leilę, a potem znów przeniósł spojrzenie na ławę przysięgłych.

– Tak, tak uważam.

– Wcześniej powiedziałeś, że zdrowa osoba dorosła toleruje pewne wahania ciepłoty ciała, mianowicie w przedziale od trzydziestu trzech do czterdziestu jeden stopni. Nie mylę się?

– Nie.

– Ratownicy medyczni, którzy zmierzyli temperaturę Maksowi, odnotowali zaś jaką wartość?

Bob wygładził krawat na piersi.

– Czterdzieści dwa stopnie Celsjusza.

Przysięgli zareagowali zbiorowym wciągnięciem powietrza.

– Czy to właśnie było przyczyną zgonu w przypadku Maksa Hanssona?

– Tak – potwierdził Bob bez wahania. – Maks doznał hipertermii. Jego system termoregulacji został przeciążony, co doprowadziło do podwyższenia ciepłoty ciała, to zaś spowodowało niewydolność wielonarządową.

– Skąd pewność, że powodem było przegrzanie, a nie jakieś przewlekłe schorzenie?

Bob kiwnął głową, pochwalając zadanie tego pytania.

– Po pierwsze, ciepłota jego ciała wynosiła czterdzieści dwa stopnie Celsjusza, co mieści się w przedziale podwyższonego ryzyka wystąpienia hipertermii. Po drugie, badanie krwi wykazało, że Maks był poważnie odwodniony. Po trzecie, w ścianie jego żołądka znaleźliśmy owrzodzenia trawienne wywołane ostrym stresem, które są typowe w takich przypadkach. Wziąwszy to wszystko pod uwagę, jako przyczynę zgonu podałem: „zgon z przegrzania w wyniku pozostawienia dziecka w pojeździe mechanicznym".

– W takim razie czy można stwierdzić, że osobą odpowiedzialną za śmierć Maksa Hanssona jest osoba, która zostawiła go zamkniętego w samochodzie?

Bob potaknął z ponurą miną.

– Tak.

Leila zacisnęła powieki, co spowodowało, że przed jej oczami pojawiły się jaskrawe błyski. Przez chwilę miała wrażenie nierealności. W obawie, że może się zsunąć z krzesła, podparła się o pleksiglas. Zauważywszy to, urzędnik sądowy zmarszczył brwi, na co natychmiast cofnęła rękę. Nie śmiała nawet spojrzeć na przysięgłych. Wiedziała, o czym myślą. Wszyscy w tym momencie zobaczyli małego Maksa w foteliku na tylnym siedzeniu, z policzkami czerwonymi jak jabłuszka z powodu przegrzania.

Następną godzinę Edward spędził na analizowaniu szczegółów z raportu patologa. Zanim skończył, przysięgli mieli dość. Clara jednak pozostała w dobrej formie. Podniosła się, elegancka jak rekin w wodzie, i zerknęła na trzymaną w ręku kartkę.

– Bob, powiedziałeś: „Mało kto jednak wie, że temperatura wewnątrz wozu podwyższa się o dziesięć stopni co dziesięć minut". Czyli w twojej opinii większość ludzi tego nie wie?

– Zgadza się.

– Włączając w to osoby dorosłe?

– Tak, ale...

Clara nie pozwoliła mu dokończyć.

– Powiedziałeś również, że jest „mnóstwo czynników", które wpływają na temperaturę we wnętrzu samochodu. Możesz wymienić niektóre z nich?

Bob opanował irytację.

– Przede wszystkim będzie to ustawienie wozu... czy znajduje się bezpośrednio w słońcu, czy w cieniu, jaka jest siła promieni słonecznych danego dnia, pod jakim kątem padają one na wóz...

– Czyli w grę wchodzi wiele zmiennych?

– Tak.

– A czy oczekiwałbyś, nawet od dorosłej osoby, że będzie świadoma tych naukowych niuansów dotyczących termiki wnętrza auta?

Bob się zastanowił.

– Nie, nie oczekiwałbym...

Clara wpadła mu w słowo, zanim zdążył dodać: „ale".

– Wspomniałeś, że w trakcie autopsji natknąłeś się na „owrzodzenia trawienne wywołane ostrym stresem". Co to dokładnie jest?

– Mówiąc obrazowo, są to powierzchowne czerwone ślady na wyściółce żołądka. Gdy przyjrzeć im się bliżej pod mikroskopem, okazuje się, że w miejscach tych brakuje błony śluzowej. Takie owrzodzenia świadczą o tym, że organizm znajdował się w stanie ostrego stresu fizjologicznego.

– W przypadku Maksa Hanssona ile było takich owrzodzeń?

– Dużo.

– Dużo, czyli ile?

Bob westchnął.

– Dziesiątki, ale to bez znaczenia, ponieważ jedno w zupełności by wystarczyło. Dwadzieścia owrzodzeń nie znaczy, że stres był dwadzieścia razy silniejszy. Kluczowe jest samo ich istnienie, a czy znajdziemy tylko jedno, czy dziesięć, dwadzieścia albo pięćdziesiąt, to już sprawa drugorzędna. I tak wiemy, że dziecko znalazło się pod wpływem ostrego stresu.

Clara wydawała się cieszyć ze zniecierpliwienia świadka.

– Mówiąc „ostry stres", masz na myśli wyłącznie wysoką ciepłotę ciała?

– Nie. Są to zmiany nieswoiste.

– Czyli ich przyczyną może być dowolne schorzenie?

– Tak. Tylko że w przypadku Maksa owrzodzenia miały postać ostrą. Nie powstały dzień wcześniej ani tydzień wcześniej, lecz tego samego dnia, w którym nastąpił zgon.

– Skąd wiadomo, że Maks nie cierpiał na inne schorzenie, którego rezultatem mogły być takie właśnie owrzodzenia?

Bob sapnął z irytacją.

– W przypadku każdej autopsji, również dziecka, przeprowadzamy szereg standardowych badań laboratoryjnych, aby ustalić ewentualne procesy chorobowe. Badamy krew, mocz, ślinę, oglądamy pod mikroskopem pobrane wycinki. Wyniki tych testów nie wykazały u Maksa żadnych chorób przewlekłych.

Clara uniosła kartkę.

– Wykonując „szereg badań laboratoryjnych", wykryłeś w organizmie Maksa obecność prometazyny. Możesz to potwierdzić na użytek sądu?

– Potwierdzam.

– Prometazyna jest lekiem wykorzystywanym w przebiegu alergii, bezsenności i nudności, zgadza się?

– Tak.

– Nie wzbudziło to twoich podejrzeń?

– Nie. Andrew Hansson zeznał, że podał synowi małą dawkę prometazyny rano w dniu jego śmierci. Gdyby zadała sobie pani trud przejrzenia karty medycznej chłopca, wiedziałaby pani, że pediatra zaordynował ten lek miesiąc wcześniej, aby zmniejszyć objawy kataru siennego.

– Ale prometazyna to lek rzadko stosowany u dzieci, jego działanie jest zbyt silne.

– To zależy od organizmu dziecka.

– Czy prometazyna wywołuje senność?

– Tak.

– Obniżone ciśnienie krwi?

– Wydaje mi się, że jest to jedno z działań niepożądanych.

– A czy obniżone ciśnienie krwi może prowadzić do niewydolności wielonarządowej?

– W szczególnych przypadkach tak.

– Zatem jest prawdopodobne, że to prometazyna wywołała niewydolność wielonarządową u Maksa?

Bob zmarszczył brwi.

– W takim przypadku jej schemat byłby inny.

– Przyznaje pan jednak, że Andrew Hansson podał synowi tamtego ranka lek, który mógł prowadzić do niewydolności narządowej?

– To nie prometazyna przyczyniła się do śmierci Maksa.

– Ale teoretycznie mogła się przyczynić?

– Teoretycznie wszystko może panią zabić: kowadło spadające z nieba, głaz, który rozpłaszczy panią w pół kroku. Ale nic z tego nie spotkało Maksa Hanssona.

Clara rzuciła mu chłodne spojrzenie.

– Czy dobrze słyszę protekcjonalny ton?

Nawet powietrze zamarło. Bob przełknął upomnienie, zdawszy sobie sprawę, że traktowanie adwokatki z góry nie wypadnie dobrze w oczach przysięgłych.

– Proszę wybaczyć.

Clara skinęła głową leniwie, jakby miała do czynienia z setkami takich mężczyzn jak on.

– Nic się nie stało – zapewniła, po czym, zwracając się do Warrena, dodała: – Nie mam więcej pytań do świadka, wysoki sądzie.

Zajęła swoje miejsce, wciąż z niewzruszoną miną, choć lekkie wygięcie kącików warg świadczyło, że się uśmiecha.

Yasmin i Andrew w milczeniu wsiedli do swojego SUV-a. Ona zerknęła na tylne siedzenie, wciąż jeszcze nie wyzbywszy się matczynego odruchu, który pozostał w zakamarkach pamięci jej ciała. Zdumiewało ją, że żadne z nich, mimo iż byli rodzicami Maksa, nie miało zapewnionego miejsca na sali sądowej. Oczekiwała, że machina sądowa będzie się z nimi obchodzić łagodnie, tymczasem w ogóle nie byli postrzegani jako ofiary. Traktowano ich jak część publiczności – i wśród niej zasiadali. Yasmin, która straciła już wcześniej dziecko, naiwnie uważała, że system nie ma przed nią tajemnic, ale sądy najwyraźniej działały po swojemu. Za czasów Toby'ego wyrosła na eksperta, wtrącając słowa takie jak „rokowanie" i „profilaktyka" w codziennych rozmowach. Rodzic chorego dziecka obraca się w specyficznym towarzystwie, na porządku dziennym są głośne wyrazy współczucia i jeszcze głośniejsze rady, czasami nawet pojawia się element współzawodnictwa – kto cierpi bardziej? Pod tym wszystkim jednak kryje się empatia. Sprawiedliwie lub nie, oblegani medycy występują też w roli psychologa, nauczyciela i duchownego. W porównaniu ze szpitalnym światkiem sąd okazał się bezlitosny. Yasmin nie chciała być traktowana jak dziecko – nienawidziła świergoczącego tonu, jakim wiele osób zwraca się do rodziców pogrążonych w żałobie – spodziewała się jednak, że system okaże jej nieco względów, w jakiś sposób ochroni przed okrucieństwem rozprawy sądowej. Po tym, co usłyszeli dzisiaj, nawet zwykła jazda do domu była dla nich wyzwaniem.

Zatrzymawszy się na podjeździe, pozostali w samochodzie jeszcze przez pewien czas, zbierając w sobie siły, aby zmierzyć się z pustką czekającą na nich za drzwiami domu. W końcu Andrew wysiadł, a Yasmin biernie podążyła za nim. Nie podziękowała mu, gdy przepuścił ją przodem. Podeszła prosto do kaloryfera, by ogrzać zgrabiałe dłonie. Kiedy Andrew się do niej zbliżył, oderwała się od okna i ruszyła na górę.

– Yasmin... – rzucił za nią niepewnie.

Stanęła z jedną nogą na kolejnym stopniu.

– Słucham.

– Może ten wieczór spędzimy na dole?

Poczuła sztywność ramion. Wiedziała, co tak naprawdę sugeruje mąż. Codzienny rytuał kazał jej iść do pokoju Maksa i zwinąć się tam w bujanym fotelu, ponieważ tylko w tej pozycji, tylko w tym miejscu czuła się bezpiecznie. Andrew pilnował jej niczym oddana pielęgniarka. Miesiąc wcześniej zaproponował, że powinni zacząć opróżniać pokój dziecięcy, co doprowadziło do kłótni między nimi. Zapewne źle odczytał sygnały. Po śmierci Toby'ego nalegała, by opróżnić jego pokój bezzwłocznie, pozostawiając tylko odciski rączek. Była to forma katharsis, oczyszczenia się z bólu, tyle że Yasmin zdążyła się przygotować. Tym razem strata była tak nagła, tak niespodziewana, że potrzebowała znacznie więcej czasu, aby się z nią pogodzić.

– Wolałabym nie – odparła, wspinając się dalej.

– W porządku – powiedział cicho.

Czuła na plecach jego spojrzenie, ale nie obróciła się.

– Chyba wybiorę się na spacer – dodał. – Muszę się przewietrzyć.

– Dobrze.

Naciskając klamkę drzwi do pokoju Maksa, kątem oka wypatrzyła plamkę na futrynie. Użyli powłoki kryjącej marki Polyfilla, żeby zasłonić ślady w drewnie dokumentujące etapy wzrostu Toby'ego. Była w stanie je znieść, dopóki pokój zajmował Maks, później jednak zaczęły ją przejmować nieopisanym strachem. Siedząc w fotelu, gapiła się na ciemniejszy fragment jasnoszarego dywanu, duży może na pięść. Włosie zmieniło barwę po tym, jak którejś nocy zaplamiła je krew Toby'ego. Yasmin zamknęła oczy, by wyrzucić ten obraz z pamięci. Każda matka opiekująca się poważnie chorym dzieckiem musi coś w sobie zabić, uśmiercić pewną część siebie, by nie czuć więcej bólu ani cierpienia. By pozostać przy zdrowych zmysłach. Właśnie ta jej część odmawiała przyjęcia pomocy od Andrew; była to ta część, która wierzyła, że tylko męczennica może być dobrą matką. Karmiła wtedy Toby'ego i nagle skóra wokół jego ust odpadła, nadając mu wygląd ghoula, a kiedy wyciągnął do niej rączkę, skurczyła się w sobie, niezdolna go pocieszyć. Odcięła się od niego, zaciskając powieki przed tym widokiem i zastanawiając się, czy to kara za jakiś dawno zapomniany grzech. Dopiero teraz zrozumiała, że wtedy coś w niej pękło. To dlatego przygotowała sobie kąpiel tamtego dnia i zatonęła w nicości.

Jedyne, co chciała wiedzieć, to czy Maks umarł we śnie. Gdyby miała tę pewność, być może zaznałaby choć trochę spokoju. Może znalazłaby odrobinę radości w życiu, które jej pozostało. Zaraz jednak zastanowiła się posępnie, jaką radość można znaleźć w pustym domu. Czy jej pragnienie posiadania kolejnego dziecka naprawdę było nie na miejscu? Andrew nie zmienił zdania pomimo jej łez i błagań. Może tym razem urodziłaby im się córka? Troszczyliby się o nią i chronili przed złem tego świata. Nie popełniliby już błędu. Ale Andrew stanowczo jej odmówił.

Poczuła do niego wielki żal. Odkąd się pobrali, zawsze spełniał jej zachcianki, świadom, że to on musi się starać. Fakt, że wystąpił przeciwko niej, rozpalił w jej wnętrzu destrukcyjny ogień. Wymacała w kieszeni komórkę i ostrożnie ją wyjęła. Przewinęła rozmowy na WhatsAppie i otworzyła tę z Jasonem. Ich niewinny flirt trwał z przerwami całe lata.

„A co, jeśli…?"

Nowa perspektywa rozpostarła się w jej umyśle kusząco. Myśl o Jasonie wyzwoliła w niej wspomnienia wszystkich ich niezręczności: muśnięcie jego dłoni w dole jej pleców, jego ciepły oddech na jej szyi, to, jak stała przyciśnięta do jego piersi w zatłoczonej windzie w Covent Garden. Było jeszcze tamto przyjęcie firmowe, na którym upili się w trupa.

Skoro Andrew nie chciał jej dać kolejnego dziecka, może Jason to zrobi? Mogłaby go uwieść. Przyszłoby jej to bez trudu. Zostałaby po godzinach, wyciągnęła go na parę drinków, wylądowaliby w zarezerwowanym z wyprzedzeniem pokoju hotelowym. Plan zaczął nabierać kształtów. Nie był już zwykłą mrzonką – obrastał namacalnymi szczegółami. Obracała go w głowie i udoskonalała niczym szef gangu. Ta nieoczekiwana możliwość sprowadziła na nią spokój; wielki ciężar przestał ją przytłaczać. Nie musiała nawet realizować swojego planu, wystarczało jej, że jest taka opcja – że będzie mogła się do niej uciec, jeśli Andrew nie zmieni zdania. Nagle poczuła się lekko. Trzask drzwi frontowych odebrała jako znak.

Już słysząc dzwonek, Leila rozpoznała, kto przyszedł. Kiedyś Willowi zdarzało się dobijać, jeśli zapomniał kluczy. I zawsze wciskał guzik najpierw raz długo, potem raz krótko. Chciała go zignorować, lecz obawiała się, że wtedy mąż skorzysta z klucza.

I rzeczywiście, zanim zdążyła wyjść do przedpokoju, rozległo się skrzypnięcie drzwi. Na odgłos męskich kroków zmięła papierową torebkę po jedzeniu na wynos, krzywiąc się pod wpływem woni oleju zmieszanej z charakterystycznym zapachem wnętrza lodówki. Wyrzuciła wszystko do kubła na śmieci, nie chciała bowiem dać mu tej satysfakcji, by zobaczył ją otoczoną przez materiały nadające się tylko do recyklingu.

Will stanął w progu. Z podkrążonymi oczami wyglądał o pięć lat starzej.

– Zakładam, że przyszedłeś po swoje płyty? – zapytała zgryźliwie. – Jak skończysz pakowanie, zostaw klucze na blacie.

Chciała go wyminąć, lecz zastąpił jej drogę.

– Pamiętasz dzień, w którym zabraliśmy Maksa do muzeum?

Leila spojrzała mu prosto w oczy.

– Ani się waż. – Głos miała zimny i twardy. – Ani mi się, kurwa, waż, Will.

– Myślisz, że udawałem? Myślisz, że to było tylko dla wierszówki? – Zgiął palce u jednej ręki na podobieństwo szponów. – Nie pamiętasz, jaki byłem potem rozwalony przez ileś dni z rzędu?

Leila nie zareagowała. Wiedziała jednak, o czym mówi Will. Chodziło mu o pewien październikowy ranek ubiegłego roku, wyjątkowo mroźny jak na jesień. Zgodzili się oboje popilnować Maksa, bo Andrew i Yasmin wybierali się na czyjeś wesele. Ubrali chłopca w granatową budrysówkę i czerwone rękawiczki na sznurku, po czym powędrowali razem do Muzeum Historii Naturalnej mieszczącego się na drugim końcu Londynu. Gdy stali w kolejce, coś zwróciło uwagę Maksa, który odruchowo złapał Willa za rękę.

– Tatusiu, spójrz! – wykrzyknął zachwycony.

Will i Leila wymienili spojrzenia tak intensywne, aż przeszedł między nimi prąd. Ból, który poczuli w tamtej chwili, przypomniał obojgu o tym, jakie życie było ich marzeniem. Will ukucnął przy chłopcu i zagadnął go ożywionym głosem, lecz później, nocą, uczepił się Leili kurczowo w łóżku, drżąc cały przy jej ciele. Chciała się do niego odwrócić twarzą, ale trzymał ją tak mocno, że nie mogła się ruszyć. Leżała więc w jego objęciach, po ciemku, i pozwalała mu wierzyć, że nie czuje jego płaczu.

Nazajutrz po raz pierwszy wspomniała o adopcji, Will jednak stanowczo odmówił. Pragnął mieć własne dziecko, wychowywanie cudzego nie wchodziło w grę. Leila, nie umiejąc zaakceptować jego decyzji, wracała do sprawy adopcji miesiącami. W pewnym sensie tamten moment, gdy

Maks ujął dłonią w rękawiczce palce Willa, był początkiem ich końca.

– Pamiętam – powiedziała mu teraz. – Nie rozumiem tylko jednego. Skoro cierpisz, cierp. Bądź uczciwy wobec siebie i mnie. Po co przelałeś swój ból w podły, cyniczny felieton?

Will drgnął.

– Nie miałem takiego zamiaru.

– Owszem, Will, miałeś. Ponieważ najgorsze, co może ci się przytrafić, to zdjęcie tej twojej maski choćby na minutę. Nie przeżyłbyś, gdyby twoi przyjaciele z mediów zobaczyli, że pod spodem jesteś ludzki.

– Daj spokój, Leila.

– Pozwól, że cię o coś zapytam. Wiedząc, co wiesz, wiedząc, jak bardzo mnie zraniłeś tym tekstem, napisałbyś go ponownie?

Wolno wypuścił powietrze z płuc.

– Na tak postawione pytanie nie da się odpowiedzieć.

– Nieprawda. To bardzo proste pytanie. – Ton jej głosu zmienił się na lodowaty. – Jeśli tego nie rozumiesz, co, do kurwy nędzy, jeszcze tu robisz?

Złączył dłonie w wyrazie skruchy.

– Gdybym wiedział, że przez napisanie tego felietonu mogę cię stracić, oczywiście bym tego nie zrobił. Przecież wiesz, stanowimy tandem.

– Nie, Will. Już nie. – Spróbowała go znowu wyminąć, ale złapał ją za rękę. Ten gest, ten przejaw zaborczości, wyzwolił w niej falę gniewu. Odwróciła się i odepchnęła go z całej siły. – Musisz coś zrozumieć. Już tu nie mieszkasz. Nie masz prawa wchodzić do tego domu, kiedy ci się zachce. A ja nie jestem już twoją żoną. Nie masz prawa mnie tknąć, chyba że ci pozwolę.

Nie spuścił wzroku.

– Być może już tu nie mieszkam, ale to nadal jest mój dom, a ty nadal jesteś moją żoną.

Uniosła głowę wyzywająco.

– W takim razie najwyższa pora wziąć rozwód. – Jej słowa zabrzmiały jak podzwonne, uciszając każdego, kto je usłyszał.

– Nie wiesz, co mówisz – powiedział tak cicho, że prawie szeptem.

– Dotknij mnie, a się przekonasz! – W powietrzu zawisło ostrzeżenie.

Will stał o krok od niej i przez jedną straszną chwilę Leila naprawdę się bała, że mąż wyciągnie rękę i spróbuje jej dotknąć. Ostatecznie górę wzięła nad nim duma. Cofnął się zdecydowanie.

– Nie skreślaj mnie, Leila.

– Sam trafisz do wyjścia – syknęła.

Wyminęła go i pomaszerowała na piętro. Przepełniała ją satysfakcja, ale i tak się wzdrygnęła, gdy drzwi frontowe trzasnęły, szybko i złowieszczo jak kłusownicza pułapka.

Przez cały dzień Shepa męczyło złe przeczucie. Nieprzyjemny ucisk gdzieś w głębi trzewi. Dał o sobie znać już podczas porannej odprawy, z każdą godziną przybierał na sile i nie odpuścił do wieczora. Teraz, gdy blask słoneczny gasł za oknem, a komisariat pustoszał, Shep siedział przy swoim biurku spięty, przeglądając dowody, aby się upewnić, że niczego nie pominął. Upił łyk kawy i nieobecnym ruchem odstawił kubek tak, aby nie zaplamił zdjęcia Leili. Wcześniej jeden z kolegów przystanął nad nim i zapytał:

– A to kto?

– Sprawca.

Ton jego głosu zniechęcił żartownisia. Shep wiedział, że koledzy uważają go za nudziarza, i faktycznie rzadko angażował się w rozmowy. Na samym początku służby poznał nieoficjalny akronim ŚDDD – „świadkini dobra do dupczenia" – którego używali między sobą detektywi. Jedni mówili to głośno („Dziesięć na dziesięć w skali ŚDDD"), drudzy – do których zaliczali się ci nieliczni z odrobiną ogłady – oznaczali tak dyskretnie akta. Zapytani, odpowiadali, że to tylko taka notatka na marginesie. Do użytku wewnętrznego. W policji zaszły znaczne zmiany, ale detektywi w dalszym ciągu naruszali granice: sprawdzali świadkinie na Facebooku bądź wpadali niezapowiedziani z wizytą, by zweryfikować jakiś pomniejszy fakt, tak jak on zrobił z matką Cory tyle lat wcześniej. Odebrał wtedy lekcję i poprzysiągł sobie, że więcej nie zejdzie na manowce.

Podniósł zdjęcie Leili i umieścił je na spodzie teczki z dokumentami. Materiał dowodowy był bez zarzutu, lecz sprawie wiele brakowało do zamknięcia. Prokuratura dokopała się do pewnych obciążających dowodów: Leila zostawiła Yasmin samą na trzy dni, kiedy dziewczynka miała tylko jedenaście lat; zabrała Maksa do lekarza, gdzie udawała, że jest jego matką; jakby nigdy nic kontynuowała telekonferencję po tym, jak poroniła czwarty raz. Wszystko to miało na celu ukazanie jej w określonym świetle – jako zimną, wyrachowaną, pozbawioną instynktu macierzyńskiego, wynaturzoną kobietę. Zarazem świadkowie odmalowali zupełnie inny jej obraz – kochającej ciotki, która interesuje się życiem Maksa. Choć była wiecznie zajęta sprawami zawodowymi, zawsze znajdowała czas dla swojego siostrzeńca. Tak, czasami sadzała go przed ekranem i puszczała mu bajkę na DVD, ale za to nikogo się nie skazuje na więzienie. Potrzebowali czegoś więcej.

Przebiegł wzrokiem zeznania Jennifer Li, szukając jakiegoś punktu zaczepienia. Padła w nich wzmianka o „duszeniu", ale każdy rodzic spośród przysięgłych miał na sumieniu to samo. Musiał znaleźć coś bardziej obciążającego. Godzinami ślęczał nad zapisem przesłuchań i dowodami wideo. W końcu sięgnął po karton z materiałami dowodowymi nieujętymi w akcie oskarżenia i rozłożył je na blacie. Prawnicy prokuratury już je przejrzeli, ale zdawał sobie sprawę, jacy są przepracowani. Wprawdzie nigdy nie powiedziałby im tego prosto w twarz – nie z pozycji prostego policjanta – ale tajemnicą poliszynela było, że zdarza im się przeoczyć coś ważnego.

Zaczął przeglądać dokument po dokumencie. Billingi Leili, adresy stron internetowych, które odwiedziła, wysłane przez nią wiadomości mailowe, fotografie, które ściągnęła – setki, ba, tysiące stron danych. W pewnym momencie wziął do ręki inną fotografię. Stała na niej na scenie z rękami uniesionymi wysoko w majestatycznym geście, jakby dowodziła krajem. Biła z niej potęga – poczynając od głębokiej czerwieni jej sukni, przez elegancką fryzurę, a kończąc na zgrabnej figurze. Shep zastanowił się, czy Leila Syed chodzi na siłownię. Zapoznawszy się z jej dossier, dowiedział się, że lubi biegać. Zagłębił się więc w dane z urządzenia marki Fitbit, które informowały o jej sportowej rutynie: pięć minut rozgrzewki, pięć minut treningu cardio, pół godziny treningu interwałowego o wysokiej intensywności, pięć minut ćwiczeń wyciszających aktywność serca. Ta kobieta naprawdę miała ambicje! W drugiej kolejności sprawdził lokalizacje i wynotował miejsca, które najczęściej odwiedzała. Główna piątka obejmowała jej dom, biuro, dom jej siostry za rogiem, sklep sieci Waitrose niedaleko domu i Siam Eatery, restauracyjkę nieopodal biura. Postanowił przyjrzeć się dokładniej danym dotyczącym domu Yasmin. Siostry widywały się prawie w każdy weekend, z wyjątkiem tych tygodni, w które Leila wpadała do siostry w dzień powszedni – zapewne w celu zaopiekowania się Maksem. Godzinowo był to prawdziwy miszmasz. W przeciwieństwie do tego, co Yasmin powiedziała policjantom, z tych danych wynikało, że Leila zajmowała się Maksem co najmniej raz w tygodniu. I naprawdę przez cały ten czas nie opuściła gardy ani na chwilę?

Sięgnąwszy po kubek z kawą, Shep uświadomił sobie, że naczynie jest puste. Obrzucił spojrzeniem bałagan na blacie przed sobą i zastanowił się, czy powinien na dziś skończyć. Rano musiał się stawić w sądzie przytomny, a to zajęcie zdawało się bezcelowe. Dowody były mocne, on zaś zachowywał się tak, jakby dostał obsesji. Odchylił się na oparcie krzesła i roztarł bolące miejsce pod łopatką. Postanowił dać sobie jeszcze godzinę, obiecując, że później się podda. Wstał i przeszedł do obskurnej kuchni, żeby zrobić sobie kawę – czarną i gorzką, jak lubił.

Gdy usiadł z powrotem przy biurku, przymknął na moment oczy, rozkoszując się ciepłem lampy z bursztynowym kloszem. Poruszył ramionami, żeby pozbyć się kłującego bólu. Kiedy podniósł kubek, odciśnięte beżowe kółko zakreślało datę i godzinę. Chodziło o wizytę w sklepie obok domu wcześnie rano w czwartek. Nie pasowało to do schematu dnia Leili Syed. W głowie Shepa pojawiła się mglista myśl, która szybko nabrała znaczenia, sprawiając, że natychmiast otrzeźwiał. To mogło być ważne.

– Proszę – powiedział półgłosem. – Proszę, proszę, proszę, proszę…

Przekopał teczki i wyciągnął tę, której szukał. Przejrzał ją szybko, po czym upuścił z powrotem na biurko. Zacisnął dłoń w pięść i zwycięskim gestem uniósł ją w powietrze.

ROZDZIAŁ 12

Leila źle się ubrała tego dnia. Chcąc wyglądać profesjonalnie, zdecydowała się na białą jedwabną bluzkę, która niestety w ostrym blasku lamp na sali sądowej okazała się przezroczysta: prześwitywał spod niej biustonosz, a w dodatku widać było zarys sutków. Prokurator dwoił się i troił, żeby przedstawić ją w złym świetle – jako karierowiczkę podszytą femme fatale – a tu proszę, ona sama zdawała się o tym zaświadczać. Wolałaby już zostać zaliczona do innej grupy bezdzietnych kobiet, jałowych, samotnych i smętnych. Takie przynajmniej budziły współczucie. Przycisnęła ramiona do boków i poruszyła nimi nieznacznie w próbie poluzowania nieco materiału bluzki, żeby ten nie opinał tak ciasto jej biustu.

Edward Forshall wstał i wezwał ostatniego świadka oskarżenia, którym był sierżant Christopher Shepherd z londyńskiej policji. Leila zdążyła go oczywiście poznać wcześniej. Detektyw zrobił na niej wrażenie wyniosłego, a nawet opryskliwego, i nie pomógł w niczym fakt, że kazał mówić do siebie „Shep". Teraz odnotowała z zadowoleniem, że źle dopasowany garnitur i krawat nie zdołały zneutralizować jego grubiańskiej aparycji.

– Sierżancie, dziękuję, że stawił się pan dzisiaj w sądzie – zaczął pochlebczo Edward. – Jak długo pracuje pan w policji?

– Osiemnasty rok.

– A w wydziale dochodzeniowo-śledczym?

– Czternasty rok.

Leila dokonała w głowie szybkich obliczeń. Zakładając, że miał około czterdziestu pięciu lat, wstąpił do policji jako dwudziestosiedmiolatek. Zastanowiła się, czy wcześniej służył w armii. Coś w jego sztywnej postawie sugerowało wojskowe przeszkolenie.

Przedstawienie Shepa wraz z jego doświadczeniem zajęło prokuratorowi parę chwil, po czym dopiero zagadnął go o zeznania Leili. Poruszał się w nich dość dowolnie, ale właściwie żadna część tego, co powiedziała, nie obciążała jej jakoś szczególnie – może z wyjątkiem płynności, z jaką się wysławiała. Zaczęła w tym momencie żałować, że nie zachowywała się bardziej histerycznie. Edward metodycznie omówił chronologię tamtego dnia, ustalając kolejność wydarzeń. W końcu rzucił coś, przez co Leila aż się skuliła w sobie.

– Sierżancie, usłyszeliśmy tutaj, że Leila Syed była swego rodzaju królową lodu. Jakie jest pańskie zdanie na ten temat?

Shep się zawahał.

– Rozumiem powody, dla których ktoś może tak uważać.

– Czyli osoba taka jak ona byłaby zdolna do zostawienia dziecka samego, gdyby jej to odpowiadało?

Clara zerwała się na nogi.

– Wysoki sądzie! Mój wielce szanowny kolega doskonale wie, że świadek nie jest w stanie odpowiedzieć na tak zadane pytanie.

Warren westchnął.

– Panie Forshall – rzekł tonem napomnienia.

Edward skłonił służalczo głowę.

– Oczywiście, wysoki sądzie. – Odwracając się z powrotem do świadka, podjął: – Sierżancie, czy Leila Syed zeznała, że nigdy nie zostawiła Maksa celowo ani w domu, ani w samochodzie?

– Zgadza się.

Edward poprosił przysięgłych, aby zerknęli na podaną przez niego stronę w przygotowanych dla nich materiałach.

– Sierżancie, mając w pamięci dane pozyskane z telefonu Leili Syed, jest pan w stanie wymienić pięć miejsc, które odwiedzała ona najczęściej?

Leila otworzyła szerzej oczy. Jaki to miało związek z czymkolwiek? Wiedziała, że pod tym względem jest kryształowo czysta: nie miała kochanka ani nałogu. Dlaczego więc prokurator poruszył ten temat?

Shep wymienił z pamięci kilka adresów. Znalazło się wśród nich jej miejsce zamieszkania, miejsce pracy, dom siostry, lokalny sklep sieci Waitrose oraz bistro w Canary Wharf, do którego często wyskakiwała na lunch. Niepokój Leili rósł z każdą chwilą, podnosząc włoski na jej karku. Dlaczego detektyw wymówił nazwę sklepu w taki sposób, jakby to były dwa oddzielne wyrazy – Wait Rose? Czyżby chciał zwrócić na nią uwagę przysięgłych?

– A miejsca rzadziej przez nią uczęszczane?

– Tych było wiele: kino w Bethnal Green, restauracja w dzielnicy bankowej, bank, punkt świadczący usługi poligraficzne w pobliżu jej firmy, liczne kawiarnie i bary.

– Nic, co by się odróżniało od miejsc uczęszczanych przez przeciętną osobę wiodącą życie w stolicy, można powiedzieć?

– Tak.

Leila poruszyła się niespokojnie, nie mając pojęcia, dokąd to zmierza.

– Poddał pan analizie pory, o których Leila Syed odwiedzała te miejsca. Czy dopatrzył się pan jakiegoś schematu?

– Do pewnego stopnia tak.

Edward udał, że to dla niego zaskakująca nowina.

– O? Czyżby natrafił pan na jakieś odstępstwo?

– Owszem. Pewnego wieczoru oskarżona była w lokalnym sklepie sieci Waitrose o godzinie... pierwszej nad ranem.

W tym momencie rozbłysły trzy ekrany na przodzie sali, każdy z wyświetloną mapą dzielnicy Mile End. Leila wyczuła prąd, który przeszedł przez obecnych. Nawet przysięgli przestali się garbić, na galerii dało się słyszeć szuranie.

– Czerwona linia przedstawia trasę zarejestrowaną przez urządzenie Fitbit – zaczął wyjaśniać Shep. – Można z niej wywnioskować, że Leila Syed przeszła z Tredegar Terrace do sklepu. W sklepie spędziła siedem minut, od za dwie pierwsza do pięć po pierwszej, po czym wróciła do domu.

Edward zmarszczył brwi.

– A ma to znaczenie dlatego...

– ...że Leila Syed mieszka przy Tredegar Square, nie Tredegar Terrace. Adres, spod którego wyszła, wskazuje na dom jej siostry. Leila musiała pilnować Maksa tamtego wieczoru.

– Mając pod opieką Maksa, wyszła do sklepu?

– Tak.

– Skąd pan wie, że nie zabrała go ze sobą?

– Maks został w domu.

Leila zaczerpnęła płytki oddech, aby zapanować nad emocjami. Nie chciała po sobie pokazać, że się stresuje. Niczego jej nie udowodnią. To było w lutym zeszłego roku. Nagrania z kamery sklepowej dawno zostały skasowane. Jakim więc cudem...?

– Ale jak...? – Edward jakby czytał w jej myślach.

– W ubiegłym roku Yasmin Syed zainstalowała tak zwaną nianię elektroniczną.

Zdumiona Leila otworzyła usta. Yasmin nic jej o tym nie powiedziała!

Tymczasem Shep kontynuował:

– To dyskretny system kamer wykorzystywany przez rodziców, którzy pozostawiają dziecko pod opieką innych osób. W tym przypadku system nie chodził na okrągło, ale rodzice Maksa włączali go, gdy planowali wieczór poza domem. Tak jest najoszczędniej, no i pamięć urządzenia wystarcza na dłużej.

– Jak długo dokładnie?

– Rok.

Leila zamknęła oczy, słysząc w głowie dzwonki alarmowe. Wiedziała, że powinna patrzeć przed siebie jakby nigdy nic, ale nie była w stanie rozewrzeć zaciśniętych powiek. To koniec. Niedowierzanie zaatakowało wszystkie jej zmysły – niczym zepsute mleko, które się rozlało, chwytając za gardło intensywnością, od jakiej nie sposób się uwolnić. Dlaczego Yasmin nic jej nie powiedziała? Była jej siostrą, a nie zwykłą opiekunką, którą trzeba szpiegować.

– Mamy nagrania – dodał Shep.

Na ekranach pojawił się niewyraźny szary obraz jak z kamery przemysłowej. Timer u dołu pokazywał: 20.02.2021 i 01:00:00. Maks spał w łóżeczku. Z nagraniem zestawiona była mapa ukazująca lokalizację Leili w odległości pół kilometra. Godzinę zakreślono czerwonym kółkiem.

Na sali sądowej dało się wyczuć gęstniejącą atmosferę. Leila zrozumiała, że jej dobra passa się skończyła. Jeśli chodziło o przysięgłych, byli przekonani, że zostawiła Maksa samego i udała się do sklepu. Klatki nagrania przesuwały się miarowo, podczas gdy czerwona kropka przemieszczała się ulicą w stronę domu. Trwało to do pierwszej dziesięć, kiedy to na nagraniu pojawiła się Leila zaglądająca do pokoju dziecięcego. W tym momencie czerwona kropka widniała nad budynkiem.

Na widok samej siebie zdublowanej na ekranie Leila poczuła ucisk w piersi. Przyglądała się właśnie uważnie Maksowi i ostrożnie poprawiała na nim kocyk. Później postawiła dwie butelki na komodzie obok. Wprawdzie nie sposób było dostrzec naklejek, ale Leila wiedziała, że jedna butelka zawiera wodę koperkową, druga zaś balsam kojąco-nawilżający dla dzieci marki Aveeno. Tak bardzo chciałaby wszystko wyjaśnić! Opowiedzieć, jak Maks się zachowywał tamtego wieczoru. To prawda, że był z natury pogodnym dzieckiem, lecz potrafił być nieznośny – jak wtedy. Krzyczał non stop sfrustrowany z jakiegoś powodu, a ona nie miała pojęcia, jak mu pomóc. Zatelefonowała do Yasmin i tylko dodatkowo się zdenerwowała, ponieważ jej siostra w odróżnieniu od innych matek, wychodząc, zapominała o dziecku całkowicie i nie zwracała uwagi na dzwoniącą komórkę. W pewnej chwili Leila pomyślała nawet: „Co z niej za matka", i to bynajmniej bez ironii. Wydała osąd w pełni świadoma, że nikt nie przygotował Yasmin do tej roli. Leila wykąpała Maksa, mocno trzymając go za rączki, gdy zaczął rozchlapywać wodę i zabrał się do rozdrapywania strupa, a następnie grzebania w otwartej od nowa rance. Po kąpieli wytarła go, nakarmiła, przewinęła i wyniosła do ogrodu na świeże powietrze. Następnie jęła przekopywać szafki w poszukiwaniu czegoś, co by go uspokoiło. Wiedziała, że w takiej sytuacji może pomóc woda koperkowa albo delikatny masaż balsamem kojąco-nawilżającym, nic takiego jednak nie znalazła. Nie widziała również nigdzie kosmetyczki z lekami, co dodatkowo ją poirytowało.

Ułożenie Maksa do snu zajęło jej dwie godziny, po których była gotowa płakać z ulgi. Mając wciąż w pamięci słowa Yasmin: „W razie czego podaj mu wodę koperkową, potrafi zdziałać cuda", zaczęła od nowa myszkować po domu i tym razem znalazła butelkę, ale tylko z resztką płynu na dnie. Z doświadczenia wiedziała, że Maks nie przesypia nocy ciurkiem, dlatego podjęła nagłą decyzję. Wyskoczy do sklepu za rogiem. Zajmie jej to góra dziesięć minut. Zamknie wszystkie drzwi i nastawi alarm, tak by w razie najgorszego sąsiedzi zostali od razu powiadomieni. Poziom ryzyka był znikomy. Zresztą jakie miała inne wyjście? Walczyć z dzieckiem do rana, podczas gdy Yasmin bawiła się na imprezie urodzinowej?

Jak pomyślała, tak zrobiła, nie czekając, aż zmieni zdanie. Co mogło się stać? Najwyżej Maks się obudzi i popłacze przez dziesięć minut. Co za różnica? Wszystko będzie dobrze, powiedziała sobie. I rzeczywiście było. Kiedy wróciła kilka minut później, Maks spał jak zabity. Obudził się dopiero po kolejnej godzinie, marudząc i płacząc, ale wtedy już mogła napoić go wodą koperkową i wymasować balsamem, co faktycznie go uspokoiło. Po powrocie siostry nie wspomniała ani słowem o śródnocnej wyprawie. Nie mogła nawet przypuszczać, że konsekwencje podjętej na szybko decyzji okażą się dla niej kiedyś bardziej niż katastrofalne.

Edward Forshall nie drążył tematu. Po prostu pozwolił, aby fakty przedostały się do świadomości przysięgłych, pewien, że w ten sposób przeciągnął ich na swoją stronę. Zwróciwszy się do Warrena, pokornie powiedział:

– Nie mam do świadka więcej pytań, wysoki sądzie.

– Dziękuję – odparł Warren. – To dobry moment, żeby zrobić przerwę na lunch.

Leila opuściła swoje miejsce i natychmiast wpadła na Clarę Pearson. Adwokatka zaciągnęła ją do pokoju dla świadków, tam zdjęła perukę i usiadła naprzeciw klientki, patrząc na nią nie tyle z gniewem, ile z dezaprobatą.

– Wielokrotnie powtarzałaś, że nigdy nie zostawiłaś Maksa samego. Czy kiedy ty robiłaś zakupy w Waitrose, pilnował go ktoś inny?

Leila otworzyła usta, żeby odpowiedzieć, ale w tym samym momencie dostrzegła u Clary dziwny wyraz twarzy: zwężenie oczu niewiele się różniące od ostrzeżenia.

– Ja... – zaczęła i umilkła.

– Poprosiłaś sąsiadkę, żeby cię na chwilę zastąpiła? Zadzwoniłaś po męża? W końcu wasz dom znajduje się w odległości tylko pięciu minut spacerkiem.

Leila zastanawiała się gorączkowo. To był luty, czyli zdążyła się już rozstać z Willem.

– Ja... – powtórzyła. Czuła się skołowana, przez natłok myśli nie mogła wydobyć z siebie słowa. Najchętniej poddałaby się w tej chwili i rozpłakała na całego, mówiąc Clarze, że zasługuje na więzienie, że chce zmienić zeznania, że nie jest w stanie tego dłużej ciągnąć. Nie uległa jednak temu impulsowi i w końcu z siebie wyrzuciła: – Nie pamiętam.

Clara zacisnęła wargi.

– Zastanów się, Leila – poradziła jej znacząco. – Nie brak ci inteligencji. Na pewno wiesz, że to oznacza dla ciebie wóz albo przewóz.

To powiedziawszy, wstała i wymaszerowała z pokoju w stanie absolutnego opanowania.

Leilę ogarnęła panika. Musiała znaleźć rozwiązanie, i to jak najszybciej, ale bez wątpienia nie poprosiła o pomoc żadnej sąsiadki. Jedyną osobą, która miała powód tam wtedy być, był Will. Tylko on mógł ją z tego wyciągnąć. Na oślep odnalazła telefon w torebce. Przewijała kontakty tak długo, aż dotarła do jego imienia. Zanim zdążyła się rozmyślić, napisała esemesa:

Możemy porozmawiać? Jutro o siódmej przy kolacji?

Ku jej uldze odpowiedź nadeszła błyskawicznie, rozbita na kilka wiadomości, co było w stylu Willa.

Bardzo chętnie.

Przepraszam, kochanie.

Wynagrodzę ci to.

Ulżyło jej. Zanotowała sobie w pamięci, aby w drodze do domu kupić butelkę whisky Jura, ulubionego alkoholu Willa. Stanęła przed poważną decyzją. Jak daleko była gotowa się posunąć dla udowodnienia swojej niewinności? Zaczęła znowu poruszać palcami po wirtualnej klawiaturze.

Mam taką nadzieję.

Zaraz po napisaniu tych słów skasowała je i spróbowała ponownie.

Nie mogę się doczekać.

Skrzywiła się i znowu wykasowała całą linijkę. W końcu napisała:

Do zobaczenia.

Drżączka uświadomiła jej, że nie miała nic w ustach od minionego wieczoru. Nie podobała się jej jednak myśl o wyjściu do restauracji. Siedząc przez cały dzień na cenzurowanym w sądzie, wpadła w lekką paranoję. Bojaźliwość nie leżała w jej naturze, ale odkąd została oskarżona o popełnienie przestępstwa, jej poczucie godności znacznie ucierpiało. Wolała trzymać się z dala od ludzi, na wszelki wypadek chodziła ze wzrokiem wbitym w ziemię, żeby unikać nawet kontaktu wzrokowego. Wiedząc, że gdy tylko opuści ten pokój, dostanie się pod ostrzał spojrzeń, postanowiła zostać. Kolejny niezjedzony lunch nie uczyni wielkiej różnicy, po tym jak wiecznie odmawiała sobie posiłku w ciągu dnia pracy. Objęła się ramionami, aby przepędzić katakumbowy chłód, i zaczęła odliczać minuty do końca przerwy. Na pięć minut przed czasem wróciła na salę sądową i zajęła miejsce za pleksiglasową osłoną. Czuła się jak złota rybka w szklanej kuli.

Miejsce dla świadków zajął ponownie sierżant Shepherd. Przywitał Clarę uśmiechem, lecz był wyraźnie spięty, o czym świadczył sposób, w jaki trzymał ramiona. Leila spostrzegła też wilgoć na jego włosach, jakby przed powrotem na salę sądową przygładził je wodą.

– Sierżancie – zaczęła Clara oziębłym tonem zaprawionej w boju prawniczki. – Potwierdził pan wcześniej, że Leilę Syed można uznać za królową lodu. Czy mógłby pan nam przybliżyć, na jakiej podstawie doszedł pan do takiego wniosku?

Shep strzelił oczami w stronę Leili, co jednak było chyba tylko nerwowym tikiem.

– Połączenie mowy jej ciała i jej słów.

Nie doczekawszy się rozwinięcia, Clara poprosiła:

– Byłby pan łaskaw powiedzieć coś więcej? Co pan rozumie przez „mowę jej ciała"?

– Leila Syed wydała mi się zimnokrwista.

– Tak, wiemy, co pan rozumie przez słowa „królowa lodu". Moje pytanie dotyczy tego, co konkretnie w mowie jej ciała wywołało w panu to skojarzenie.

Detektyw poruszył się niespokojnie na swoim miejscu.

– No więc... po pierwsze, nie płakała. Zwykle przy przesłuchaniu w sprawie małego dziecka ludzie płaczą, a ona była kompletnie opanowana.

– Co jeszcze?

– Po drugie, była taka nieruchoma... Siedziała tam z ramionami skrzyżowanymi na piersi i z... – Zmarszczył czoło, szukając właściwego wyrażenia. – I z wyrazem wyższości na twarzy.

Clara wydała z siebie odgłos, który miał świadczyć, że tą odpowiedzią policjant wiele ujawnił. Następnie wzięła do ręki kartkę.

– Sierżancie, czy to prawda, że zaprosił pan Leilę Syed na kawę?

Spojrzał na nią, zaskoczony tym pytaniem.

– To nie było to, na co wygląda.

– A na co wygląda? – zapytała niewinnie.

– To nie była randka.

Adwokatka uśmiechnęła się lekko. Wydawała się zadowolona, że sam z siebie użył ostatniego słowa.

– Nie? W takim razie co to było? Czy jest przyjęte, że policjant prowadzący sprawę o zabójstwo zaprasza główną podejrzaną na kawę?

Zaczął się wić pod jej spojrzeniem.

– Rzuciłem tylko niezobowiązująco coś w stylu: „Jeśli przypomni sobie pani coś jeszcze, proszę mnie zawiadomić i będziemy mogli omówić to przy kawie".

– Rzucił pan niezobowiązująco? – powtórzyła z niesmakiem. – Zatem nie służbowo?

– Nie, tak, to znaczy... Oczywiście, że służbowo... w sytuacji służbowej, ale zaproszenie samo w sobie było niezobowiązujące. Mogła je przyjąć albo odrzucić.

Clara przechyliła głowę.

– Leile je odrzuciła, prawda? Czy dlatego uważa ją pan za królową lodu? Ponieważ odrzuciła pańskie niezobowiązujące zaproszenie na kawę?

Ściągnął brwi.

– Przedstawia to pani w niezgodzie z faktami.

– Nie sądzę – zaprzeczyła łagodnie, jakby czyniła banalną uwagę. – Sierżancie, rozdmuchał pan tę nocną wizytę w sklepie ponad miarę. Skąd w ogóle pewność, że Leila zostawiła Maksa samego?

– Było to widać jak na dłoni dzięki nagraniu.

– Skąd pan jednak wie, że w tamtym domu nie było innej osoby dorosłej?

– Stąd, że żadna nie pojawia się na nagraniu – obstawał przy swoim Shep.

– No tak, ale to jeszcze nie dowód na to, że taka osoba nie przebywała w innym pomieszczeniu.

– Jak na przykład kto?

– Na przykład mąż Leili.

– Ona jest rozwiedziona – rzucił z uśmieszkiem policjant.

– Mówiąc ściśle: pozostaje w separacji – poprawiła go gładko Clara. – Powinien pan to wiedzieć po tylu godzinach ślęczenia nad informacjami na temat Leili. – Wskazała ręką na oskarżoną. – Zapytał pan Leilę Syed, czy kiedykolwiek zostawiła Maksa samego?

– Tak.

– Co odpowiedziała?

– Że nie, nie zostawiła.

– A zapytał pan ją, czy kiedykolwiek zostawiła Maksa samego ze swoim mężem?

Shep zacisnął szczęki.

– Nie.

– Zatem nie wie pan, czy jej mąż był wtedy pod tym samym dachem, czy nie?

– Myślę, że gdyby był, tobyśmy go zobaczyli na nagraniu.

– „Gdyby", „toby"? – Clara udała oburzenie. – My tutaj rozmawiamy o faktach, sierżancie. Nie gdybamy. W oparciu o dowody czy jest pan pewien, że Leila Syed zostawiła siostrzeńca samego tamtej nocy?

– Gdyby...

– Błagam! – To jedno słowo zabrzmiało bardziej jak szczeknięcie w jej ustach. – Powtórzę pytanie. Czy jest pan pewien, że Leila Syed zostawiła siostrzeńca samego tamtej nocy?

Na szyję detektywa wypełzł rumieniec.

– Nie – odparł.

– Dziękuję. – Clara odwróciła się zwinnie plecami do przysięgłych, aby nie dostrzegli jej szerokiego uśmiechu.

Leila przełknęła ślinę, znalazłszy odpowiedź na pytanie, które wcześniej zadała sobie w głowie: „Jak daleko jest gotowa się posunąć dla udowodnienia swojej niewinności?".

Była gotowa na wszystko.

Leila wsunęła palce we włosy i potrząsnęła nimi energicznie, próbując nadać fryzurze młodzieńczą, zmierzwioną formę. Starła chusteczką higieniczną rozmazaną szminkę, po czym się skrzywiła, widząc, że uniosła tym ruchem płatek suchej skóry, który starała się zatuszować. Rozpięła jeszcze jeden guzik i przesunęła kosmyk włosów tak, by dotykał jej dekoltu. Odsuwając się od lustra, poczuła przypływ mdłości na myśl o manipulacji, której zamierzała się dopuścić. Dziwnie było się przekonać, że choć przez całe życie uważała się za osobę o określonym systemie wartości, w chwili próby okazała się kimś zupełnie innym. Leila nie łamała reguł. Wierzyła w porządek, uczciwość i sprawiedliwość. Wierzyła, że pod przysięgą zezna samą prawdę i tylko prawdę. Jednak teraz, gdy ważyły się jej losy, moralność przestała mieć dla niej znaczenie. Nie chciała iść do więzienia. Była gotowa na wszystko, byle tam nie trafić. Nawet jeśli to „wszystko" oznaczało uwiedzenie Willa i wmówienie mu, że mogą być znowu razem.

Na dźwięk dzwonka – jeden długi, jeden krótki – udała się na dół, żeby go wpuścić.

– Uznałem, że lepiej będzie, jeśli z nich nie skorzystam. – Will z głupią miną pokazał jej klucze. Odłożył telefon na konsolkę, jak miał w zwyczaju, i zwrócił się do niej ponownie: – Fantastycznie wyglądasz.

Stała tam nieco niepewnie, nigdy bowiem nie opanowała do perfekcji sztuki uwodzenia – w przeciwieństwie do Yasmin, na której widok mężczyźni wrastali w ziemię, gdy tylko spojrzała na nich spod wachlarza długich rzęs. W odróżnieniu od siostry Leila składała się z samych kości. Teraz zaprowadziła męża do kuchni, nie poprosiła go jednak, by usiadł.

– Napiszesz o tym? – pozwoliła sobie na uszczypliwość.

Will się zarumienił.

– Nie, oczywiście, że nie.

Pohamowała cisnącą się jej na usta odpowiedź. Ta sprawa wymagała taktu.

– Leila, dałem ciała, ale to nie może być koniec. Prawda? – Czekał. – Daj spokój. Rozwód? Obiecaliśmy sobie nigdy nie użyć tego słowa, chyba że nie będzie innego wyjścia. – Zebrał się w sobie. – Uważasz, że z nami koniec?

Przyłożyła dłoń do piersi.

– Zraniłeś mnie, Will.

Wiedziała, że ten gest, to wyznanie sprawią, że pęknie w nim jakaś tama. Uwielbiał, gdy okazywała słabość.

– Och, kochanie. Nie chciałem cię zranić. Po prostu musiałem uporać się z tym wszystkim, a to był jedyny sposób, jaki znam.

Założę się, że lajki i udostępnienia nie przyprawiły cię o ból głowy, chciała powiedzieć. Zamiast tego tylko zmarszczyła czoło – nie zanadto jednak.

– Przepraszam za swoją reakcję. To było niepotrzebne – powiedziała.

Potarł sobie kark.

– Ostatnie lata były dla nas naprawdę ciężkie. Mam na myśli nas oboje. Ignorowałem to zbyt długo, a kiedy przyszło co do czego, naprawdę się pilnowałem, żeby okazać wrażliwość. Chcę powiedzieć... Czy ty w ogóle przeczytałaś całość?

Oho. Wylazła z niego niepewność. Nawet w takiej chwili pokazał, na czym najbardziej mu zależy.

– Oczywiście – odparła. – To świetny kawałek. – Pozwoliła tej opinii zawisnąć w powietrzu. – Rzecz w tym, że dotyczył mnie osobiście, a ja wciąż byłam zbyt poobijana, aby go docenić.

Rozpromienił się i dumnie wypiął pierś. Następnie schylił się nad blatem i podparł brodę jedną ręką.

– Nie przeciągnąłem zbytnio środka?

Uśmiechnęła się do niego wyrozumiale.

– Ani trochę. Zawsze powtarzasz, że zadaniem pisarza jest sprawić, aby czytelnik chciał przeczytać następne zdanie. Tak było z tym kawałkiem. Myślę, że jest... – potrząsnęła głową, jakby szukała właściwego określenia – wyjątkowy.

– Naprawdę tak uważasz?

– Tak – potwierdziła z emfazą.

Odetchnął głęboko.

– Jak dobrze to słyszeć! – Jego ulga znalazła ujście w śmiechu. – Ale, do licha, nigdy jeszcze nie widziałem cię tak wściekłej. To, co powiedziałaś o nagrodach... Auć! Zabolało! – Mówił wesołym tonem, lecz wyczuwała w nim powagę.

– Zasłużyłeś sobie... – Rzuciła mu żartobliwie spojrzenie.

Uśmiechnął się chłopięco.

– Może i tak.

Rozmowa się urwała i Leila na gwałt musiała szukać tematu, aby wypełnić ciszę.

– Napijesz się czegoś? Powinnam mieć tu gdzieś tę twoją whisky...

Wcześniej celowo pozbyła się jednej trzeciej, żeby obecność butelki wyglądała na przypadkową. Nalała miarkę Willowi i dodała nieco wody sodowej. Podając mu szklankę, niby niechcący musnęła jego dłoń małym palcem. Dziwnie było się bawić w uwodzenie męża, z którym pobrała się dziewięć lat temu.

Will upił łyczek i skrzywił się lekko.

– Leila, posłuchaj, naprawdę cię przepraszam – powiedział, poważniejąc. – Wiem, że powinienem był z tobą o tym porozmawiać, i przysięgam, miałem taki zamiar, ale słowa same ze mnie wypływały i tak bardzo chciałem je pokazać redaktorowi. Był zachwycony, machina ruszyła i zanim się spostrzegłem, trafiły na stronę. – Oczy zaczęły mu lśnić. – Mój tekst ma prawie milion odsłon, możesz w to uwierzyć?

Leila zmusiła się do uśmiechu.

– Niesamowite.

– To ty jesteś niesamowita – wpadł jej w słowo. – Nie, nie – dodał szybko, spostrzegłszy cyniczny błysk w jej oku. – Naprawdę jesteś niesamowita. – Odstawił szklankę. – Dzięki tobie stałem się lepszym człowiekiem... Jezu, wiem, że to brzmi jak wyświechtany frazes, ale mówię szczerze, Leila. Dzięki tobie nadaję się na ojca. – Przełknął ślinę. – Wiem, że jest już za późno, nie udało nam się, ale z drugiej strony to musi coś znaczyć! – Wyciągnął rękę, aby jej dotknąć, lecz pohamował się w ostatniej chwili. – I znaczy.

Leilę zalała fala emocji. Odetchnęła głęboko, aby nad nią zapanować, po czym udawała, że dalej udaje. Will, widząc jej walkę, zrobił ostrożnie krok ku niej. Gdy nie zaprotestowała, zamknął ją w objęciach.

Poczuła, jak całe napięcie ją opuszcza.

– Tęsknię za tobą – powiedziała w kołnierzyk jego niebieskiej koszuli.

I choć miała to być z jej strony tylko zagrywka, najczujniejszą częścią siebie zrozumiała, że jest to prawda. Leila tęskniła za fizyczną obecnością męża – za ciężarem jego ciała we wspólnym łóżku, za odgłosem kroków w gabinecie na piętrze, za dźwiękiem jego głosu dobiegającym z nieprzewidzianego miejsca: ze strychu, który eksplorował, albo z piwnicy, gdzie zrobił sobie archiwum.

– Ja też za tobą tęsknię – odparł i przycisnął usta do jej włosów. – Myślisz, że odnajdziemy drogę z powrotem do siebie?

Zamknęła oczy, aby uspokoić zamęt przepełniających ją uczuć.

„To tylko sprawa do załatwienia – powiedziała sobie. – Zwykła transakcja".

– Ja myślę, że tak – dodał. Choć wzmocnił uścisk, mówił cicho. – Może teraz, gdy sprawę adopcji mamy wyjaśnioną, uda nam się dojść do porozumienia?

– Za dużo się w tej chwili dzieje. – Leila dostrzegła swoją szansę. – Jeśli uznają mnie za winną, nie będziemy mieli do czego wracać. Nie będzie żadnych „nas".

– Nigdy do tego nie dojdzie – zapewnił Will, podnosząc głos.

Oswobodziła się z jego objęć.

– Wczoraj w sądzie padła pewna wzmianka... – Zaczęła wykręcać sobie dłonie w geście bezradności. – A ja nie mogę sobie przypomnieć, o który wieczór chodzi.

– Jak to?

Wcisnąwszy mu z powrotem szklankę w rękę, zrelacjonowała wydarzenia z sądu, skupiając się na wizycie w sklepie Waitrose.

– Pamiętasz, jak czasem opiekowaliśmy się Maksem razem? – Nie czekając na odpowiedź, dodała: – No i właśnie nie pamiętam, czy to był jeden z tych razów.

Will zmarszczył czoło.

– Kiedy to było?

– Dwudziestego lutego.

Poszedł po telefon i zaczął przeglądać kalendarz.

Leila kontynuowała:

– Później spędziliśmy parę wieczorów razem, więc równie dobrze mógł to być jeden z nich. Gdybym zostawiła Maksa samego, na pewno bym to zapamiętała, z czego wynika, że musiałeś wtedy być ze mną.

Will dalej przeglądał kalendarz.

– Ale dwudziestego lutego to już po tym, jak...

– Wiem – ucięła ostro.

Poderwał na nią wzrok i nagle coś w jej twarzy uzmysłowiło mu, co Leila sugeruje. Rozstali się trzy tygodnie przed tą datą, zatem dwudziestego lutego było jeszcze za wcześnie, żeby do siebie wrócili, co faktycznie nastąpiło nieco później i było początkiem wspólnie spędzanego czasu, najczęściej wieczorami. Ale gdyby wtedy z nią był, oznaczałoby to, że nie zostawiła Maksa samego. Zamrugał, rozejrzał się dokoła, jakby w domu mogli czaić się szpiedzy.

– Twierdzisz... twierdzisz, że spędziliśmy tamtą noc razem?

– Twierdzę, że musiało tak być – odparła głucho.

Przejechał dłonią po włosach.

– Ja... – Zerknął ponownie na swój telefon, na otwarty w nim kalendarz, który Leila także widziała z miejsca, w którym stała, i który pokazywał tylko jedno spotkanie tamtego dnia. Późnym popołudniem. – Przypuszczam, że tak właśnie było.

Nie spuszczała z niego oka.

– Jesteśmy małżeństwem, więc nie mogą cię prosić o świadczenie przeciwko mnie. – Wskazała na telefon. – Chciałam się tylko upewnić, że jednak dobrze pamiętałam.

Skinął głową, najpierw niepewnie, potem bardziej zdecydowanie.

– Tak. Dobrze zapamiętałaś.

Ulga przeniknęła Leilę na wskroś. Will rozumiał, o co toczy się gra.

– Nie będziesz o tym pisał? – zapytała, robiąc do niego słodkie oczy.

– Nie. Obiecuję.

– Dziękuję – powiedziała głosem chropawym ze wzruszenia.

Skoro przeciągnęła Willa na swoją stronę, nikt nie zdołała jej udowodnić, że zostawiła Maksa samego. Wiedząc to, mogła nareszcie się rozluźnić. Musiała jednak najpierw zignorować pytanie, które tłukło się w jej sumieniu: „Kim ty, u licha, jesteś?”.

Yasmin obrzuciła wzrokiem przestylizowane wnętrze restauracji i natychmiast pożałowała swojej decyzji. Nic tu nie było takie, jakie powinno być. Jej czarna obcisła sukienka, pufiaste kanapy, jaskrawozielona podłoga podświetlona od spodu. Wyczuwała w tym wszystkim jakiś fałsz. Rzuciwszy spojrzenie na swoje odbicie w oknie, zauważyła worki pod oczami, których nie udało jej się zatuszować makijażem, i strzępiące się włosy. Szybko zaczęła je upinać, ale pośpiesznie zebrane, tylko odsłoniły skórę jej głowy w różnych miejscach, co pogorszyło jeszcze sprawę. Rozpuściła je więc ponownie. Ledwie opuściła ręce, dostrzegła go, jak wchodzi. Wstała na powitanie i nie obruszyła się, gdy pomknął wzrokiem do jej dekoltu. Cmoknęli się niezręcznie na dzień dobry, po czym Jason wślizgnął się na miejsce naprzeciwko niej.

– Zaskoczyła mnie wiadomość od ciebie. – Głos miał obcy, pozbawiony zwykłej nuty flirtu.

– Domyślałam się, że tak będzie…

Pozwoliła sobie dojrzeć w nim przystojniaka, za jakiego zawsze go miała. W biurze występował przeważnie gładko ogolony, ze schludnie ułożonymi włosami, zaprasowanymi na kant spodniami i wypolerowanymi na wysoki błysk butami. Teraz, z dwudniowym zarostem, w dżinsach i kraciastej koszuli, prezentował się nawet lepiej. Złapała szklankę z wodą, nagle zdezorientowana. Przywykła, że to ona sprawuje kontrolę; na ogół wiedziała, jak usiąść, żeby przyciągnąć uwagę mężczyzny na dłużej. Obecnie jednak czuła się wyczerpana i brzydka.

– Co u ciebie? – zapytał ją.

Machnęła ręką, niezdolna wydusić z siebie odpowiedzi.

– Co u ciebie? – zrewanżowała się.

Przejechał palcem po kancie serwetki.

– Po staremu.

Cisza trwała zbyt długo, aby mogli się z tym czuć swobodnie. Jason zamówił butelkę wina, po czym zaczął monologować, głównie o pracy. W pewnym momencie chyba zauważył, że ją nudzi, bo sięgnął do jej ręki.

– Chciałabyś o tym porozmawiać?

Pokręciła głową. Była ciekawa, jak by zareagował, gdyby wyrzuciła to z siebie: „Chcę czegoś więcej". Słowa paliły ją w język, nie musiałaby się nawet zmuszać, by je wypowiedzieć. Łatwizna. Poszliby do hotelu naprzeciwko, zapłacili gotówką i udali się na piętro. Nie odmówiłby jej. Nawet w tym stanie, z matowymi włosami i bladą skórą, nawet z ciągnącym się za nią odorem żałoby, chętnie zdjąłby z niej ubranie i wszedł w nią.

– Zatem czego chcesz? – zapytał. Wyczuła w tym pytaniu cień sugestii. Badał grunt. Pogładził jej dłoń opuszką palca wskazującego. – Nie musisz odpowiadać. Chyba już wiem.

Nie spuściła wzroku.

– No i? – Rozchyliła usta, wcielając się w uwodzicielkę z łatwością węża zmieniającego skórę.

– Chyba nie muszę mówić głośno, co? – Oczami błądził po jej dekolcie.

Siedziała tam, zawieszona w przestrzeni, trzymana wciąż na uwięzi uczciwości. Wiedziała, że jeśli się z niej zerwie, nie będzie mogła winić alkoholu ani sprzyjających okoliczności na imprezie. To była jej świadoma decyzja. Chwile przed tym, jak zapadła, pieściły jej ciało niczym jedwabna sukienka. Nikt by się nie dowiedział. Jason dowiódł już swojej dyskrecji. Zaczerpnęła głęboko tchu, uwydatniając przy tym biust, i – w tym samym momencie, gdy miała to powiedzieć – przy ich stoliku zatrzymała się kelnerka. Napięcie prysło jak bańka mydlana.

– Czy chcą państwo złożyć zamówienie? – zapytała, pokazując w uśmiechu zęby lśniące niczym szkło.

– Tak. – Yasmin wróciła na ziemię, co wcale jej nie zmartwiło. – Tak, chętnie.

Wybrała najobfitsze danie: stek wołowy z szalotką na chrupko i dodatkowymi frytkami. Jeśli zostaną tu i zjedzą lunch, nie pójdą gdzie indziej i nie zrobią czegoś innego. I jeśli udowodni sobie, że zdoła wysiedzieć w jego obecności spokojnie i nie uciec, może jednak nie jest taka, jak się obawiała: samolubna, słaba, kłamliwa.

– A dla pana? – Kelnerka cierpliwie czekała.

Gdy Jason zamawiał, głos drżał mu ze zdenerwowania. Po odejściu kelnerki ponownie zwrócił spojrzenie na Yasmin.

– Wygląda na to, że zjemy lunch – powiedział nie swoim głosem.

– Tak, na to wygląda.

Uśmiechnęła się z przesadną radością i sięgnęła po wino.

ROZDZIAŁ 13

Tego ranka Leila wyjątkowo się przyłożyła przy wyborze stroju. Ostatecznie zdecydowała się na wysmakowaną granatową sukienkę, której niewiele brakowało do wytworności. Była to stonowana kreacja w stylu Kate Middleton, długa do połowy łydki. Włosy zostawiła rozpuszczone, aby złagodzić ostry zarys szczęki, ale teraz tego żałowała, ponieważ oklapły jej na głowie i sprawiały wrażenie przylizanych, z czym niedobrze się czuła. Wszystkie mięśnie miała napięte jak postronki, gdy prostowała się z wysiłkiem na całą swoją wysokość dla jak najlepszego wrażenia; czuła drżenie jak u ciężarowca, który trzyma sztangę nad głową – jeden fałszywy ruch i wszystko runie. Zdawała sobie sprawę, że jeśli dzisiejszy dzień pójdzie nie po jej myśli, już za tydzień – czyli w Boże Narodzenie – może znaleźć się w więzieniu. Ta myśl przepełniała ją przerażeniem, ponieważ znała swoje braki. Można o niej było powiedzieć wiele rzeczy: była silna, wytrzymała, ambitna, ale niezbyt dawała się lubić. Tymczasem przysięgli musieli do niej zapałać sympatią. Kiedy tak czekała na wezwanie woźnego, uświadomiła sobie, że nie jest gotowa zeznawać przed sądem. Powinna była przećwiczyć wszystko to, co jej siostrze przychodziło z taką łatwością: robienie niewinnych oczu, nieśmiały uśmiech, drżący głos, który wzbudzał u słuchacza pragnienie, by ją chronić. Na naukę było już jednak za późno. Clara Pearson właśnie się podniosła, aby uraczyć obecnych mową otwierającą.

– Panie i panowie przysięgli. – Popatrzyła im kolejno w oczy. – Ta sprawa toczy się w związku ze śmiercią dziecka. Powtórzę dla pewności: w związku ze śmiercią dziecka. Dam wam teraz moment, abyście ochłonęli, gdyż wiem, jakie wrażenia te słowa robią na ludziach. Są niczym uderzenie w splot słoneczny, ale ja nie zamierzam używać eufemizmów ani frazesów. To, o czym tu będziemy mówić, jest straszne, tragiczne wręcz. Nie sposób temu zaprzeczyć. – Poprawiła mankiet. – Możecie się teraz zastanawiać, dlaczego ja, obrońca, podkreślam wagę tego, co się stało. – Zacisnęła wargi w ponurą kreskę. – Robię to po to, byście zrozumieli własne uczucia. Przyznajcie sami przed sobą, że czujecie ból i gniew, i szok, i smutek z powodu tego, z czym wiąże się ten proces. Czynię to też jednak z jeszcze innego powodu: otóż wiem, że to, czego od was oczekuję, wymaga wyjątkowej siły i wyjątkowych umiejętności. – Złączyła dłonie opuszkami. – A oczekuję, byście poczuli ten ból i ten smutek, następnie zaś odsunęli je od siebie, ponieważ potrzebna wam jest jasność spojrzenia. Zostaliście wybrani, gdyż nasz system prawny wierzy, że potraficie myśleć racjonalnie. Umiecie przyjrzeć się faktom trzeźwo, ponieważ tego wymaga sytuacja. Mam świadomość, że to trudne zadanie, lecz wierzę, że jesteście zdolni sprostać oczekiwaniom.

Clara wskazała na Leilę, która starała się nie kulić pod ostrzałem spojrzeń.

– Leila Syed to kochająca ciotka oraz odnosząca sukcesy bizneswoman. Prowadzi własną firmę i jest szanowaną członkinią społeczności. Mieszka blisko swojej siostry, Yasmin Syed, i swojego szwagra, Andrew Hanssona. W poniedziałek dwunastego lipca Andrew zadzwonił do niej i zapytał, czy mogłaby odwieźć Maksa, jego syna, a jej siostrzeńca, do żłobka, ponieważ on sam miał sytuację kryzysową w pracy. Jak wspomniałam, mieszkają niedaleko od siebie i nie byłby to pierwszy raz, gdy Leila w ostatniej chwili zgodziłaby się podjąć opieki nad Maksem. Usłyszeliśmy od kilkorga świadków, że Leila żywo się interesowała rozwojem siostrzeńca i z radością się nim zajmowała.

Pozwoliła, aby te słowa zapadły wszystkim w pamięć.

– W rzeczony ranek Leila podjechała pod dom siostry i zaczekała, aż jej szwagier umieści fotelik z Maksem na tylnym siedzeniu jej samochodu. Dla przypomnienia, fotelik był mocowany tyłem do kierunku jazdy, a że chłopiec spał, nie uczynił najmniejszego dźwięku przez całą drogę. Gdyby tylko się przebudził, do tragedii nigdy by nie doszło. Albo gdyby jego ojciec pamiętał o położeniu na fotelu pasażera jakiegoś przedmiotu należącego do dziecka, co czyni wielu rodziców. Bądź gdyby żłobek znajdował się po drodze do biura Leili, a nie pięć minut jazdy dalej. Którakolwiek z tych rzeczy nie pozwoliłaby Leili zapomnieć o dziecku. – Westchnęła teatralnie. – Maks jednak smacznie spał, a Leila przełączyła się na autopilota, jak czyni to wielu z nas każdego ranka. Po drodze do pracy odebrała telefon z biura, co też nie było niczym wyjątkowym. Specjalnie w tym celu ma nawet zamontowany zestaw głośnomówiący. W pewnym momencie dostrzegła swój biurowiec, skręciła w jego stronę i zaparkowała na swoim stałym miejscu. Weszła do budynku, wjechała windą na górę i rozpoczęła dzień jak co dzień. Nie wątpię, że niektórzy z was zastanawiają się w tej chwili, jak, u licha, mogła zapomnieć o dziecku.

Tym razem przerwa w jej wypowiedzi była niemal niezauważalna.

– Sama jestem matką. Część z was również jest rodzicami. Pamiętacie choć jeden podobny przypadek, kiedy straciliście dziecko z oczu? Może było to na pikniku albo w supermarkecie czy na plaży. Zareagowaliście w porę i do niczego złego nie doszło. „Palec boży", mówimy przy takich okazjach, wiedząc, że uniknięcie tragedii zawdzięczamy nie sobie, lecz szczęśliwemu zbiegowi okoliczności. W przypadku Leili Syed chwila zapomnienia doprowadziła do tragedii, a wszystko dlatego, że zgodziła się pomóc szwagrowi, który znalazł się pod ścianą. Wrodzona przyzwoitość, każąca jej podać pomocną dłoń, przywiodła nas tutaj, do tego miejsca, do tej chwili. Leila Syed nie jest jednak winna żadnego przestępstwa. To kochająca ciotka, którą spotkała wielka tragedia. Zaklinam was, nie karzcie jej dodatkowo.

Leila chłonęła każde słowo z oczami pełnymi łez. Całe jej ciało pokrywała gęsia skórka, a gdy zamrugała, poczuła wilgoć na rzęsach. Przejechała po nich palcem, dyskretnie, aby nikt nie pomyślał, że to oznaka wyrachowania. Nie miała pojęcia, jaki wyraz twarzy przybrać, aby wzbudzić współczucie w przysięgłych, zasygnalizować im swoją niewinność. Moment później została wezwana przed sąd.

Złożyła przysięgę, dziwiąc się, że znajoma fraza może wydać się tak obca. „Prawdę, całą prawdę i tylko prawdę". Poczuła się niczym komik, któremu kazano poprowadzić smutną uroczystość. Jak powinien się zachowywać człowiek oskarżony o zabójstwo?

Clara przybrała łagodny ton. Bez wątpienia była to zagrywka mająca na celu pokazanie, że Leila jest warta współczucia.

– Przed tobą długi dzień, może nawet dwa. Musimy omówić szeroki zakres materiału, dlatego jeśli będziesz potrzebowała przerwy, daj znać.

Leila skinęła głową, w głębi ducha wiedząc, że nie wystąpi o przerwę. Nie śmiała marnować czasu przysięgłych.

– Zacznijmy od ranka dwunastego lipca. W jakim stanie psychicznym byłaś, gdy twój szwagier zadzwonił z prośbą o pomoc przy Maksie?

Leila cofnęła się w myślach do pamiętnej rozmowy przez telefon.

– Ja... Dobrze się czułam. To był normalny dzień.

– Ale miałaś dużo na głowie?

– Tak.

– I trochę się złościłaś na szwagra?

– Nie – skłamała Leila.

– Z zeznań złożonych przez ciebie na policji wiemy... – Clara urwała, by poinstruować przysięgłych, na którą stronę materiałów powinni spojrzeć – że Maks spał, gdy go odebrałaś. Możesz opisać dokładniej jazdę samochodem? Co się podczas niej wydarzyło?

Leila pamiętała, że jechała wyjątkowo ostrożnie, jakby to mogło zapobiec tragedii.

– Nic szczególnego – odparła, modulując głos tak, aby wydał się miększy. – Maks spał, a ja jechałam tą samą trasą co zawsze. W pewnej chwili odebrałam telefon z biura.

– Czego dotyczyła rozmowa?

– Mój współpracownik zapodział gdzieś kluczowe plany, które miał zabrać ze sobą na spotkanie z klientem, a zapasowy komplet znajdował się w moim gabinecie. Musiałam go tam wpuścić.

– Jak to wpłynęło na twój stan psychiczny?

Leila się zastanowiła.

– Zdenerwowałam się – przyznała.

– Myślałaś o tych zapodzianych planach?

– Tak. Irytowała mnie nierozwaga współpracownika. Jak można zgubić tak ważne materiały? Rozważałam, czy punkt usług drukarskich po drugiej stronie ulicy otworzy się dla nas wcześniej niż zwykle, a nawet czyby nie pokazać tych planów w wersji elektronicznej, mimo że klient wyraźnie prosił o wydruki.

– Czyli głowę miałaś zaprzątniętą różnymi myślami?

– Tak.

– Co wydarzyło się potem?

Leila wytarła dłonie o sukienkę, mając nadzieję, że przysięgli nie zwrócą na to uwagi.

– Podjechałam pod biuro, zaparkowałam na swoim miejscu i pobiegłam na górę.

– „Pobiegłaś" na górę. Byłaś spanikowana? – Clara zwęziła oczy.

– Nie, nie biegłam dosłownie. Po prostu chciałam znaleźć się w biurze jak najszybciej.

– Uznałaś, że lepiej będzie najpierw załatwić tę sprawę w biurze, a dopiero potem zawieźć Maksa do żłobka? – zapytała Clara, jakby była to logiczna i akceptowalna kolej rzeczy.

Leila poruszyła się niespokojnie.

– Nie, nic podobnego. – Głos jej się lekko załamał, za co była wdzięczna; dzięki temu jej słowa wypadły bardziej szczerze. Biła z nich uczciwość i skrucha.

Adwokatka kontynuowała:

– Dyrektorka placówki, do której uczęszczał Maks, pani Josephine Allsebrook, twierdziła, że widziała cię przed wejściem, ale jak już ustaliliśmy, to mało prawdopodobne. Pozwól jednak, że się upewnię: nigdy nie odwiozłaś Maksa do żłobka?

– Nie. – Leila stanowczo pokręciła głową.

– Mimo wszystko moją obawę budzi fakt, że zdaniem sierżanta Shepherda zostawiłaś raz Maksa samego, żeby pójść do sklepu sieci Waitrose. Zrobiłaś to?

Leila mocowała się z tym pytaniem od wielu dni. Zastanawiała się, ilu oskarżonych kłamie w sądzie. Towarzyszące rozprawie pompa i przepych teoretycznie mogły wskazywać, że wszyscy mówią prawdę, ale nie wydawało się jej, aby tak było. Jaką siłę miała święta księga w obliczu czyjegoś zamiaru, by oszukiwać?

– Nie – odparła, zmuszając się do neutralnego tonu.

Clara przechyliła głowę.

– Ale poszłaś do sklepu sieci Waitrose o pierwszej nad ranem dwudziestego lutego minionego roku?

– Tak.

– A gdzie był wtedy Maks?

– W domu. – Leila spostrzegła poruszenie wśród przysięgłych.

– Sam?

– Nie. – Wiedziała, że nie może okazać wahania. – Z moim mężem, Willem Carmichaelem.

Miała nadzieję, że znane nazwisko przyda jej osobie więcej powagi, choćby takiej z drugiej ręki.

– Jesteś tego pewna?

– Tak. – Najbardziej ze wszystkiego Leila bała się, że zdradzi ją twarz. Okazało się, że kłamanie w obliczu dwanaściorga przysięgłych jest trudniejsze, niż sądziła.

Clara skinęła głową.

– Czyli wnioski sierżanta Shepherda były czystym wymysłem?

Leila przełknęła ślinę, zanim odpowiedziała:

– Tak.

Clara zwróciła się do przysięgłych, wyraźnie skonsternowana:

– Jak widać, ktoś tu chciał naciągnąć fakty. – Westchnęła ciężko, po czym poprawiła na sobie togę, jakby nadeszła pora, aby przejść do sedna. – Niemniej pozostaje prawdą, że twoja siostra w dzieciństwie została sama na parę dni. Opowiesz nam o tym? Co wpłynęło wtedy na twoją decyzję?

Leila milczała, formułując wypowiedź w myślach. W końcu zmusiła się, aby spojrzeć na ławę przysięgłych.

– Często słyszymy o „porządnych rodzinach". Mówi się o nich w telewizji i podczas wieców politycznych, pisze w gazetach. Całe nasze społeczeństwo zasadza się na „porządnej rodzinie", lecz na ogół jest ona pojmowana w bardzo wąskim zakresie. Musi się równać modelowi dwa plus dwa, ewentualnie plus dwa. Matka i ojciec, dwoje dzieci, względnie dziadkowie służący pomocą w razie potrzeby. To zawężenie wyrzuca poza margines normalności wiele innych rodzin. Tych z samotnym rodzicem, tych z osieroconymi dziećmi, tych, gdzie konkubent wspiera zawodową matkę zastępczą, wreszcie tych, gdzie nastolatka opiekuje się młodszą siostrą. Byłyśmy tylko we dwie, a ja miałam porządną pracę. Do której grupy nas to kwalifikuje? – Musiała się pohamować przed zaciśnięciem dłoni w pięść. – Starałam się, jak mogłam. To był jedyny raz… jedyny… kiedy zostałam postawiona pod ścianą. Myślałam o tym, żeby zostawić siostrę u sąsiadów, ale oni mieli trzech synów i uznałam, że Yasmin będzie bezpieczniejsza w naszym mieszkaniu. – Rozczapierzyła palce. – Ludzie uprzywilejowani nie są w stanie zrozumieć nieuprzywilejowanych. Sądzą, że zawsze jest ktoś, kto posłuży pomocą. Ale to nieprawda. Ludzi, którzy pozostają niezauważeni przez system, spisuje się na straty, traktuje się ich jak niezbędne poświęcenie dla dobra większości. Oni sami jednak... – Zrobiła pauzę, żeby się opanować. – Czują się opuszczeni. – Wzięła drżący oddech. – Robiłam wszystko, co konieczne, aby nie rozdzielono mnie z siostrą.

Słowa Leili przebrzmiały, lecz Clara nadal się nie odzywała. Chciała, aby ich znaczenie dotarło do świadomości wszystkich. Przemówiła dopiero po dłuższej chwili:

– Chciałabym porozmawiać o Maksie. Usłyszeliśmy tu o skaleczeniu na placu zabaw i o uwadze rzuconej przez ciebie w obecności opiekunki, ale przyjrzyjmy się twojej relacji z siostrzeńcem dogłębniej.

Leila zjeżyła się wewnętrznie. W tej kwestii panowała między nimi różnica zdań. Ona pragnęła wrócić do sprawy upadku i skaleczenia, aby się wytłumaczyć, Clara odradzała jej to, twierdząc, że nie ma sensu wdawać się w takie szczegóły.

– Opowiedz nam o Maksie – poprosiła teraz prawniczka.

Leila nie wiedziała, od czego zacząć. Czy w ogóle da się podsumować życie tak małego dziecka?

– Podziel się z nami jakimś miłym wspomnieniem, które zachowałaś w związku z siostrzeńcem.

Uśmiechnęła się smutno. Nie patrzyła w stronę galerii, ale była pewna, że Yasmin w tej chwili płacze.

– Maks był bardzo pogodnym dzieckiem. Gdy w zeszłym roku zapytałam go, co chce dostać na urodziny, zamyślił się na chwilę, po czym odparł, że chciałby dostać pięć niebieskich guzików. – Musiała zaczerpnąć tchu, aby poradzić sobie ze wzruszeniem. – Spojrzał na mnie poważnie i dodał: „Ale ciociu, każdy musi być inny". – Choć łzy płynęły jej po policzkach, nie przerwała. – Kolejny tydzień spędziłam na odpruwaniu guzików ze starych rzeczy, oczywiście też kupiłam mu inne prezenty, ale kiedy podarowałam mu te guziki, rozpromienił się, jakby zależało mu na nich najbardziej na świecie. – Przełknęła ciężko. – Kochałam go. Kochałam Maksa bardziej, niż jestem to w stanie wyrazić.

Clara skinęła głową i przeszła płynnie do telefonu od Andrew tamtego ranka. Resztę przedpołudnia poświęciła na wałkowanie szczegółów: jak ciepło było w aucie, jaka temperatura panowała na zewnątrz, czy Leila włączyła klimatyzację, czy użyła ogrzewania, ile warstw ubrania miała na sobie, czy zdjęła z siebie cokolwiek, czy się pociła, czy uchyliła okno. Leila wiedziała, co adwokatka chce w ten sposób udowodnić: jeśli nawet zostawiła Maksa w aucie celowo, nie mogła mieć pojęcia, że to go zabije. Odpowiadała więc na kolejne pytania ze spokojem stoika – jawiła się jako osoba bardzo opanowana, lecz nie bez serca.

W końcu Clara zadała swoje ostatnie pytanie:

– Leila, jak dotąd wszystkim umykało, że i ty straciłaś kogoś, kogo kochałaś. Powiedz, co w związku z tym czułaś?

Leilę opuściła cała energia, dosłownie zniknęła niczym kropka pośrodku starego typu telewizora, tuż przed tym, zanim ekran poczerniał zupełnie. Domyślała się, czego Clara od niej oczekuje: teatralnego pokazu żalu. Ale ta rozpacz nie była jej; należała do Yasmin. Nie miała prawa na oczach siostry bezczelnie opłakiwać Maksa. Nie mogła powiedzieć przysięgłym, że jego śmierć zaburzyła grawitację, przez co zawsze była bliska upadkowi. Jej ból musiał pozostać prywatny, niewysłowiony. W tym sensie przypominał podziemną rzekę, która płynie niezauważona – nierzadko z wielką prędkością. Nie zdołałaby opisać bólu, który wywołało w niej pytanie zadane przez Maksa jednego dnia: „Ciociu, czy ty masz dziecko?". Szczególnie że obecnie ta sama odpowiedź była prawdziwa w przypadku Yasmin. „Nie". Yasmin nie miała dziecka, ponieważ ona, Leila, je zabiła.

– To najgorsze, co mnie spotkało w życiu. – Spojrzała na ławę przysięgłych. – Żałoba jest przytłaczająca sama w sobie, lecz gdy samemu przyczyniło się do tragedii… Tego nie da się opisać.

Clara pokiwała głową z powagą.

– Dziękuję za twoją szczerość. – Przyglądała się Leili jeszcze przez moment, po czym skinęła głową ponownie, bardziej zdecydowanie, postanawiając, że nie będzie dalej drążyć. Zwróciła się do Warrena ze słowami: – Nie mam więcej pytań, wysoki sądzie.

Edward Forshall podniósł się ze swojego miejsca i przyszpilił Leilę wzrokiem. Zaskoczyło ją jego zachowanie. Dotąd udawał powściągliwego patrycjusza, cierpliwie zadając pytania, starając się dociec prawdy. Teraz przybrał agresywną pozę: zmrużył oczy, uniósł ramiona. Przypominał żmiję szykującą się do ataku.

– Pani Syed, czy cierpi pani na kompleks superwoman?

Leila zamrugała.

– Nie jestem pewna, czy rozumiem, o co panu chodzi.

Zatoczył ręką koło, okazując niecierpliwość.

– Kompleks superwoman. Czy chciałaby pani, żeby wszystko się pani udawało. Czy chciałaby pani być niezawodna, osiągać wszystko bez wysiłku, nigdy… by tak rzec… nie przepuścić piłki. Postrzega się pani w ten sposób?

Leila próbowała zignorować jego ton: wyniosły, uszczypliwy, krytyczny.

– Nie, nie postrzegam się w ten sposób – odparła. Clara poradziła jej, aby odpowiadała zwięźle i rzeczowo dla kontrastu z dramatyzowaniem Edwarda.

– Nie? – podchwycił sceptycznie. – Zatem nie występuje pani w szkołach i na konferencjach, przedstawiając się jako kobieta sukcesu?

Musiała się zastanowić, jakiej odpowiedzi udzielić, aby nie sprawić wrażenia zarozumiałej.

– Owszem, występuję w szkołach i na konferencjach.

– I przy tych okazjach przedstawia się pani jako kobieta sukcesu, tak?

– Tak, ale…

– Umie pani podejmować trudne decyzje, prawda? – nie dał jej dokończyć. – To dlatego zostawiła pani Maksa samego, udając się tamtej nocy do sklepu sieci Waitrose?

Leila okryła się rumieńcem. Mogła mieć tylko nadzieję, że nie rzucało się to zbytnio w oczy.

– Nie zostawiłam Maksa samego. Mój mąż z nim był.

– Skoro tak, dlaczego nie ma go tu dzisiaj, aby poświadczył to przed przysięgłymi?

Leila pohamowała się, aby nie powiedzieć: „To pytanie do mojej prawniczki".

– Przykro mi, ale nie wiem.

Wcześniej z ulgą się dowiedziała, że dopóki Clara nie wezwie Willa na świadka, prokuratura nie może go przesłuchać z uwagi na to, że wciąż pozostawali małżeństwem. Wprawdzie Will zgodził się ją wesprzeć, ale ktoś, kto lubi się popisywać tak jak on, nie powinien nigdy trafić na takie forum. Za bardzo by mu zależało na zdobyciu uwagi publiczności.

Edward uniósł jedną brew z powątpiewaniem.

– Cóż, jak sądzę, nikt z nas nigdy się tego nie dowie – rzekł znacząco. I momentalnie zmienił kierunek ataku. – Czy ma pani dzieci?

– Nie – odparła obojętnie.

– Zatem nie ma pani wszystkiego w tradycyjnym sensie?

– Nie, ale nigdy nie...

Przerwał jej:

– Czyli mimo że przedstawia się pani jako kobieta sukcesu, bynajmniej nie osiągnęła pani wszystkiego. Czy to panią martwi?

Leila nie wiedziała, co kryje się za tym pytaniem.

– Nie wydaje mi się, aby jakikolwiek człowiek osiągnął wszystko.

– A pani siostra? Miała dobre, pogodne dziecko, kochającego męża, ładny dom i interesującą pracę.

– Yasmin nienawidziła swojej pracy – rzuciła Leila i natychmiast tego pożałowała.

– Aha. – Prokurator pokiwał znacząco głową. – Wszystko jasne. Pani siostra miała wszystko z wyjątkiem jednej rzeczy: pracy, za którą by przepadała. Za to pani mogła jej tym machać przed nosem, prawda? – Nie czekając, aż odpowie, dokończył swoją myśl: – Pani praca była jedynym, dzięki czemu mogła jej pani powiedzieć: „Patrz, jestem lepsza od ciebie".

– Nieprawda.

– Ależ prawda, prawda. Czy pani mąż mieszka z panią pod jednym dachem?

Zamrugała.

– Nie.

– A dlaczego?

– Jesteśmy w separacji.

– Z jakiego powodu?

Leila miała ochotę odpowiedzieć, że to nie jego sprawa, lecz Clara wyraźnie jej przykazała nie konfliktować się z Edwardem.

– Nie ma jednego konkretnego powodu – odparła.

– Może pani wymienić kilka.

– Nie mogliśmy mieć dzieci i to nas rozdzieliło.

– Ach? – zareagował, jakby nie wiedział o tym wcześniej. – Jak długo starali się państwo o dziecko?

Wcisnęła czubek paznokcia w wał paznokcia kciuka i zaczęła nim przesuwać tam i z powrotem.

– Siedem lat.

Usłyszawszy sapnięcie, skrzyżowała spojrzenia z przysięgłą, młodą blondynką po trzydziestce z krótkimi sterczącymi włosami. Dostrzegła w jej oczach nie współczucie, lecz strach – jakby nawet przebywanie w jednym pomieszczeniu z bezpłodną kobietą narażało ją na to samo.

– Po tym, jak nie doszło do zapłodnienia drogą naturalną, skorzystaliśmy z metody in vitro – wyjaśniła.

– Ile razy? – zapytał szybko.

– Pięć.

– Zatem poniosła pani porażkę nie tylko w małżeństwie, ale też w macierzyństwie. Jedyne, czym mogła się pani pochwalić, to pani kariera. Chyba prawdziwe będzie stwierdzenie, że praca była dla pani ważna? – Gdy Leila nie od razu odpowiedziała, prokurator ją ponaglił: – Pani Syed? Zadałem pani pytanie.

– Tak.

Czuła coraz większy ucisk w piersi. Edward Forshall wyciągał na wierzch wszystko to, co przeżywała nocami w ciemnościach. Pomimo dużego domu, nowoczesnego samochodu i eleganckiego przeszklonego biura ludzie dostrzegali pustkę jej życia.

– Czując się niespełniona jako kobieta, w życiu zawodowym to pani rozdawała karty i nie wyobrażała sobie pani, by mogło być inaczej. Dlatego, gdy przyszło do wyboru pomiędzy zawiezieniem Maksa do żłobka a potencjalną utratą intratnego kontraktu, zdecydowała się pani postawić na pierwszym miejscu interesy i zostawiła Maksa samego w aucie.

– To nieprawda.

– Przeszkadzało pani, że siostra nieustannie prosi panią o pomoc przy dziecku, gdy pani miała tyle własnych obowiązków, nieprawdaż?

– Nie.

– Z tego samego powodu zdecydowała pani tamtego dnia, że to pani praca jest priorytetem.

– Nie. – Leila poczuła, że pod kolanami zbiera jej się pot.

– Nie da się zaprzeczyć, że przywykła pani do podejmowania trudnych decyzji. – Znów zatoczył ramieniem koło, obejmując nim salę sądową. – Wszyscy słyszeliśmy, że poroniła pani w biurze i pięć minut później rozmawiała dalej przez telefon. Zostawiła pani siostrę samą, gdy ta była dzieckiem. Postępowała pani niewłaściwie, byle praca nie ucierpiała. Czy tak?

– Ja…

– Zostawiła pani Maksa w samochodzie celowo.

– Nie.

– Zdając sobie sprawę, jaki upał panował tamtego dnia, zostawiła go pani w samochodzie.

– Nie.

– Wiedziała pani… jak wiedziałaby każda odpowiedzialna dorosła osoba… że zostawiony sam w aucie może umrzeć, a mimo to zostawiła go pani.

– Nie.

– Tak.

– Nie!

– Właśnie że tak! – zagrzmiał. – Zostawiła go pani. Zostawiła pani Maksa świadomie w zamkniętym i nagrzanym samochodzie, wiedząc, że w tych warunkach może umrzeć. I Maks umarł. To czyni panią winną. Jest pani winna przestępstwa, pani Syed.

Wystawienie na działanie nagiej, bezwzględnej prawdy Leila odebrała jako fizyczny atak na swoją osobę. Najprymitywniejszą częścią siebie chciała się rzucić na ziemię, unieść ręce nad głowę niczym tarczę i w ten sposób obronić się przed bezlitosną salwą raniących ją słów. Zamiast to jednak zrobić, przymknęła tylko oczy, odcięła się od rzeczywistości i skupiła na tym, by się nie rozszlochać.

– Nie – szepnęła. – Ja... zapomniałam.

– Nie zapomniała pani – zaprzeczył okrutnie Edward. – Takie kobiety jak pani nie zapominają o niczym. Takie kobiety jak pani podejmują świadome decyzje i to właśnie pani uczyniła. Zostawiła pani Maksa, doskonale wiedząc, jakie to niebezpieczne. Jest pani winna.

Porażka oplotła się wokół jej szyi niczym sznur. Leila zrozumiała, że prokurator ma rację. Kobieta taka jak ona, kobieta, która kontynuowała telekonferencję tuż po czwartym poronieniu, nie zapominała o niczym. Kobieta taka jak ona analizowała na zimno i podejmowała trudne, lecz w pełni świadome decyzje. Leila nie miała najmniejszych wątpliwości co do tego, jak postrzegają ją przysięgli. Z paniką w oczach pojęła, że jej los został właśnie przypieczętowany.

Will siedział na szczytowym stopniu, patrząc na Tredegar Square. Dłonie trzymał wsunięte pod pachy, a skórę miał zaróżowioną z zimna. Obok niego leżała bawełniana torba o spodzie zawilgłym od mokrego kamienia.

Leila przystanęła na dolnym schodku.

– Co ty wyprawiasz? – zapytała, mrużąc oczy. – Jak długo tutaj siedzisz?

– Och, jakieś pół godziny – odparł jakby nigdy nic.

– Jest koło zera! Dlaczego nie wszedłeś do środka?

Odsunął brodą szalik z twarzy i posłał w jej stronę sardoniczny uśmiech.

– Moja żona mi zabroniła.

Leila usłyszała ciche skrzypienie skóry na palcach rękawiczki, gdy zwinęła w pięść trzymaną w kieszeni dłoń. Niebywałe, że dwa krótkie słowa w ustach Willa i to, jak za ich pomocą rościł sobie do niej prawo, wciąż przepełniało ją poczuciem bezpieczeństwa. „Moja żona". Oznaczało to, że Leila przynależy do kogoś. Że nie jest sama.

Will wstał i otrzepał tył płaszcza.

– Wpuścisz mnie?

Leila postanowiła obrócić wszystko w żart.

– Jeśli tego zrobię, nabawisz się odmrożeń.

Znalazłszy się wewnątrz, odwiesił płaszcz na kaloryfer i przeszedł za nią do kuchni. Tam rozpakował zakupy: dwa zawiniątka w papierze, dużą główkę czosnku, pęczek rozmarynu i butelkę wina. Potem sięgnął po nóż, najwyraźniej czując się jak u siebie w domu.

– Will, ustaliliśmy, że nie będziemy się śpieszyć.

Ukucnął i zaczął przetrząsać dolną szafkę. W końcu dobył z jej czeluści blachę do pieczenia i odłożył ją na blat.

– Ja tylko gotuję, Leila.

– Widzę. Ale nie taka była umowa.

Wyprostował się i spojrzał jej prosto w oczy.

– Byłem dzisiaj w sądzie. Szukałem cię potem, ale powiedziano mi, że rozmawiasz ze swoją prawniczką.

Leila zesztywniała.

Zatem musiał słyszeć, jak kłamię przed sądem, pomyślała.

– Widziałem, jak cię potraktowali, i nie chciałem, żebyś była sama. Wiem, że potrzebujesz czasu. Po prostu pozwól mi dziś ugotować coś dla ciebie.

Zawahała się.

– Will... Jutro ostatni dzień procesu. Nie mam pojęcia, czym się skończy. – Mówiąc to, pragnęła powściągnąć nadzieje; nie tylko jego, ale także swoje.

Przyjrzał się jej z czułością.

– Tym bardziej powinniśmy spędzić ten wieczór razem.

Leila wiedziała, że przytaknięcie mu nie stanowiłoby dla niej najmniejszego problemu, gdyby wciąż chodziło o udawanie. Jednak jego bliskość, sama jego obecność rozprawiła się z tą iluzją. Pomyślała o wszystkich wspólnych latach i choć nie wiedziała, co przyniosą najbliższe dni – ani czy w ogóle będzie w stanie mu wybaczyć – mogła powiedzieć tylko jedno:

– Masz rację.

– Świetnie – rzucił ochryple. Następnie zakasał rękawy i zabrał się do roboty.

Leila przysiadła na taborecie i zapatrzyła się na niego, czerpiąc otuchę ze znajomej krzątaniny: pryskający na wszystkie strony rozgrzany olej, zamaszysty gest solniczką, aż kryształki posypały się na podłogę. I on sam – zuchwały, nieustępliwy Will, który nie przestał jej kochać. Przez moment nie obawiała się tego, co może przynieść jutro. Był tutaj – z nią – i nie obchodziło go, że skłamała przed sądem ani że jest królową lodu. Nie osądzał jej za to, że podjęła służbową rozmowę przerwaną czwartym poronieniem. Nie dbał, że zachowuje przytomność umysłu w obliczu śmierci. Kochał ją pomimo wszystko.

ROZDZIAŁ 14

Doktor Bell był żylastym mężczyzną z krótkimi siwymi włosami i delikatnymi dłońmi, których używał do podkreślania tego, co mówi. Zeznawał jako ostatni świadek podczas procesu, ale choć jego wystąpienie było kluczowe, z racji kolejności sprawiało wrażenie doczepionego na siłę. Obrona Leili sprowadzała się do dwóch punktów. Po pierwsze: nie zostawiła celowo Maksa w samochodzie. W to przysięgli musieli uwierzyć na słowo. Na szczęście nie było żadnych twardych dowodów, które by świadczyły o czymś przeciwnym. Po drugie: nawet jeśli zostawiła Maksa celowo, nie miała podstaw uważać, że doprowadzi tym do jego śmierci. Zdaniem jej samej to twierdzenie nie miało większych szans się obronić. Każdy przecież wie, że nie jest bezpiecznie zostawić dziecko w samochodzie. Clara jednak powiedziała jej, że może się jeszcze zdziwić. Mimo wszystko Leila pozostała nieprzekonana. Przypominało to rozwieszenie niezbyt mocnej siatki ochronnej pod pierwszym twierdzeniem. Skoro nie zostawiła Maksa celowo, po co było w ogóle poruszać kwestię: „ale nawet jeśli to zrobiła"? Ponieważ jednak Clara utrzymywała, że właśnie to może uratować jej skórę, Leila zdusiła w sobie protesty.

– Panie doktorze, czy zechciałby pan wyjaśnić najprościej, jak się da, czym jest hipertermia, a dokładniej mówiąc: hipertermia w wyniku pozostawienia w pojeździe mechanicznym?

– Ujmując najprościej, jest to termin używany w odniesieniu do zostawionego w samochodzie dziecka, które doznało przegrzania.

– Ile dzieci umiera rocznie z tego powodu?

Doktor Bell zaczął skubać dolną wargę w namyśle.

– Trudno to stwierdzić z całą pewnością, gdyż jako oficjalną przyczynę zgonu często podaje się odwodnienie lub nagłe zatrzymanie krążenia albo inny powiązany z przegrzaniem skomplikowany czynnik. Jeśli jednak chodzi o liczby, w Stanach Zjednoczonych jest to trzydzieści siedem przypadków.

Clara uniosła brwi.

– A w Wielkiej Brytanii?

Lekarz machnął ręką.

– Och, zdecydowanie mniej.

– Czyli ile? Jeden przypadek rocznie? Dwa?

Mężczyzna zrobił przerażoną minę.

– Nie, nie. Jeden albo dwa przypadki na dekadę, ale raczej mniej. Królewskie Towarzystwo Zapobiegania Wypadkom nie prowadzi statystyk w tej materii, ponieważ sytuacje takie są nader rzadkie.

Clara odetchnęła teatralnie, wyrażając ulgę.

– Zatem w Wielkiej Brytanii to się praktycznie nie zdarza? – Gdy doktor Bell pokiwał twierdząco głową, zapytała: – Dlatego, że brytyjscy rodzice zachowują większą czujność?

Lekarz zmarszczył czoło.

– Nie, nie. Nie zrozumieliśmy się. – Poruszył palcem w powietrzu jak nauczyciel, który upomina dziecko. – Rodzice zostawiają dzieci w samochodach dziesiątkami, lecz dzięki chłodniejszemu klimatowi bardzo rzadko prowadzi to do zgonu.

– Powiedział pan: „dziesiątkami" – podchwyciła Clara. – Czy użył pan hiperboli?

– Nie. Mówiąc o dziesiątkach takich przypadków, miałem na myśli statystyki policyjne, które zawdzięczamy na przykład przechodniom. Kolejne dziesiątki przypadków dotyczą sytuacji, w których nikt nie zgłasza przestępstwa, ponieważ rodzic zdążył wrócić wcześniej do auta.

– Dla podsumowania: brytyjscy rodzice często zostawiają dzieci w samochodzie, lecz to rzadko prowadzi do zgonu. Czy rozumuję poprawnie?

– Jak najbardziej.

– Hm. – Clara udała zaskoczenie. – Zatem w pańskiej opinii specjalisty rozsądnie będzie założyć, że dziecko pozostawione na krótko w samochodzie w Wielkiej Brytanii nie umrze z przegrzania?

– Owszem.

– Panie doktorze, pański poprzednik, patolog Robert Morgan, powiedział, że organizm małego dziecka przegrzewa się trzy razy szybciej niż organizm osoby dorosłej. Czy to się zgadza?

– Tak, zgadza się.

– Oczekiwałby pan od laika, aby o tym wiedział?

– Nie.

– Doktor Morgan powiedział również, że wysokość temperatury w samochodzie zależy od mnóstwa czynników. Czy może je pan wymienić?

– Jak sama pani powiedziała, jest ich mnóstwo. Pozycja samochodu, gęstość zabudowania, materiały użyte do wykończenia wnętrza auta. Nawet kolor karoserii.

Zdziwiona Clara przekrzywiła głowę.

– Naprawdę?

– Tak. Z badań wynika, że ciemny samochód nagrzewa się szybciej niż biały.

– Rozumiem, że cała masa zmiennych decyduje o tym, jakie jest ryzyko doznania przez dziecko hipertermii.

– Dobrze pani rozumie.

– Czy oczekiwałby pan od laika, aby o tym wiedział?

– Nie, nie oczekiwałbym.

– Dla pewności powtórzę: rozsądnie jest założyć, że dziecko pozostawione na krótko w samochodzie w Wielkiej Brytanii nie umrze z przegrzania…

– Potwierdzam.

– …a Leila Syed nie mogła wiedzieć, że pozostawienie Maksa w aucie doprowadzi do jego śmierci.

– Potwierdzam.

– Dziękuję, panie doktorze. – Zwracając się do Warrena, adwokatka dodała: – Nie mam więcej pytań do świadka, wysoki sądzie.

Leila wypuściła wstrzymywane w płucach powietrze, zadowolona, że jednak zaufała Clarze. Jakimś cudem chłodne, analityczne podejście doktora Bella umniejszyło skalę jej zbrodni, uczyniło jej postępek mniej strasznym, nawet jeśli był celowy.

Do ostatniej rundy podniósł się prokurator.

– Panie doktorze, wypowiedział się pan na temat tego, jak prawdopodobne jest, że laik będzie wiedział o tym, czy organizm dziecka przegrzewa się trzy razy szybciej niż osoby dorosłej, oraz tego, że białe auta nagrzewają się wolniej niż czarne. – Ton głosu Edwarda był opryskliwy, a on sam zniecierpliwiony, jakby nic z tego, co poruszył Bell, nie miało znaczenia. Strzepnął trzymaną w ręku kartkę, po czym przyjrzał się jej z nadmierną uwagą. – Czy oczekiwałby pan od laika, aby wiedział, że pozostawienie dziecka w samochodzie na trzy godziny i dwanaście minut poważnie naraża zdrowie i życie tegoż dziecka?

– Nie wiadomo, czy...

– Tak czy nie, doktorze? – zirytował się Edward.

– Ja... – Lekarz zgarbił ramiona. – Tak.

– Wie pan może, na jak długo Leila Syed zostawiła swojego siostrzeńca samego w aucie?

Doktor Bell uniósł jedną brew.

– Na trzy godziny i dwanaście minut? – rzucił z sarkazmem, lecz jego słowa i tak zabrzmiały śmiertelnie poważnie.

– W rzeczy samej – przytaknął Edward.

I na tym zakończyło się składanie zeznań przez ostatniego świadka.

Leila przerzucała po talerzu wystygłą sałatkę z makaronem. Pozbawione smaku kawałki mozzarelli przejmowały jej zęby zimnem, gdy je rozgryzała. Rukola była gorzkawa, a suszone na słońcu pomidorki zbyt kwaśne, do tego miały twardą skórkę. Zmusiła się, żeby przełknąć to, co miała w ustach, choć czuła, że jej żołądek zaciska się z nerwów. Dziś miały ostatnią szansę zwrócić się bezpośrednio do przysięgłych, przekonać ich o jej niewinności.

Zamarła, gdy padł na nią cień. Odwracając głowę, spodziewała się zobaczyć Yasmin, lecz za jej plecami stał sierżant Shepherd, co dodatkowo wyprowadziło ją z równowagi.

– Dobrze sobie pani poradziła – rzekł.

Nie potrafiła rozszyfrować jego tonu. Sarkastyczny? Podejrzliwy? A może biła z niego szczerość? Zignorowała rzuconą przez detektywa uwagę i upiła łyk wody.

Przysiadł się do niej, przybierając taką pozycję, aby móc ją obserwować.

– Co tak naprawdę wtedy zaszło, Leila?

Włożyła do ust widelec z nakręconym na niego makaronem, z którego ściekał wodnisty płyn.

– No powiedz, jesteśmy tylko we dwoje. – Poklepał kieszenie, pokazując, że nie nagrywa rozmowy. – Zapomnij, że jestem policjantem, i wyrzuć to z siebie. – Skinął do niej zachęcająco. – Powiedz mi, co naprawdę się wydarzyło tamtego dnia, bo jestem cholernie pewien, że nic nie było tak, jak to opisałaś.

Leila przełknęła oślizgły makaron, po czym wbiła wzrok w Shepa.

– Dlaczego próbuje mnie pan zastraszyć?

Odchylił się do tyłu, jakby go obraziła.

– Nie chcę cię zastraszyć. Podziwiam cię.

Przygotowała się na obelgę. „Podziwiam twój spryt i twoje kłamstwa"... Nic takiego jednak nie dodał.

– Uważam, że jesteś godną podziwu kobietą, i nie rozumiem, jak coś takiego mogło ci się przytrafić.

– Mam dość podważania moich słów. – Głos miała ostry, w każdej chwili mogła zacząć krzyczeć. – Zapomniałam. Ludzie zapominają. Popełniają błędy. – Przyłożyła dłoń do piersi. – Dlaczego wszyscy oczekują ode mnie, że będę idealna?

– Bo jesteś idealna.

– Nic pan o mnie nie wie. Nie zna mnie pan.

– Właśnie się staram cię poznać.

Przyjrzała mu się uważniej, nie wiedząc, do czego zmierza. Groził jej? Prosił o wyjawienie prawdy?

– A tak w ogóle… chyba nie powinien pan ze mną rozmawiać bez obecności mojego adwokata.

Skrzywił się z żalem.

– Nie powinienem. Mogę mieć przez to kłopoty.

Leila zamrugała.

– To co pan tutaj robi?

– Jestem to winien Maksowi.

Jego pokryta bruzdami na kształt orzecha włoskiego twarz zmiękła, stała się bardziej ojcowska, i Leila poczuła nagłą chęć, aby dać mu to, o co prosił. Zamiast to jednak zrobić, podniosła z blatu plastikową tackę i sztućce.

– Próbuję ci tylko pomóc – dodał, gdy wstawała.

– Jasne – sarknęła i oddaliła się szybko.

Wyrzucając resztki do kubła, zobaczyła, że publiczność zaczyna już wchodzić na salę sądową. Pora na mowy końcowe.

Edward Forshall poprawił na sobie togę i powitał przysięgłych pełnym szacunku skinieniem głowy. Leila spodziewała się po nim gwałtowności, lecz on rozpoczął na spokojną nutę.

– Panie i panowie przysięgli, nikt nie twierdzi, że Leila Syed nie dbała o swojego siostrzeńca. Wiele z tego, co dla niego robiła, jest godne pochwały. – Złożył razem dłonie. – Problem w tym, że dobre intencje nie mogą stanowić ani nie stanowią usprawiedliwienia dla poważnego zaniedbania. W tym konkretnym przypadku działanie pani Syed miało tragiczne konsekwencje, które zasługują, aby je starannie zbadać. – Poruszył złączonymi palcami. – Oto fakty. Po pierwsze, tamtego dnia Leila Syed miała zaopiekować się swoim siostrzeńcem. Była zobowiązana do dochowania „należytej dbałości" o Maksa, ale zostawiła go w samochodzie. Sama oskarżona nie kwestionuje tego faktu. Po drugie, pozostawienie chłopca w samochodzie doprowadziło do jego śmierci. Biegły patolog zeznał, że ciepłota ciała Maksa wynosiła czterdzieści dwa stopnie Celsjusza, co przekracza limit wytrzymałości człowieka. Doszło do odwodnienia i powstania w żołądku licznych owrzodzeń trawiennych wywołanych ostrym stresem. Przyczyna zgonu nie budzi wątpliwości. Była nią hipertermia, a konkretnie przegrzanie w wyniku pozostawienia w pojeździe mechanicznym. Obrona zalała wysoki sąd i państwa przysięgłych zbędnymi detalami. Wysłuchaliśmy opowieści o tym, jakiego koloru był samochód, jaki miał kształt i pod jakim kątem stał, a także o tym, jakie panowały tamtego dnia warunki pogodowe. Wszystko to w próbie usprawiedliwienia postępowania pani Syed tamtego ranka. Ale wystarczy, że zadadzą sobie państwo jedno pytanie: czy można oczekiwać od osoby dorosłej, iż będzie wiedziała, że pozostawienie dziecka w samochodzie, zwłaszcza w środku lata, może poskutkować jego śmiercią? Myślę, że wszyscy odpowiemy twierdząco. Oznacza to, że Leila Syed naraziła swojego siostrzeńca na śmiertelne zagrożenie. Samo to z definicji jest rażącym zaniedbaniem. Pani Syed twierdzi, że zwyczajnie zapomniała, z czego by wynikało, że ma nadzieję, iż zaklasyfikujecie jej czyn jako tragiczny wypadek. Przenalizujmy więc raz jeszcze, co usłyszeliśmy w trakcie procesu. – Prokurator wskazał na Leilę. – Wiemy o pani Syed cztery rzeczy, które są istotne dla tej sprawy. Po pierwsze: gdy jej siostra miała zaledwie jedenaście lat, Leila Syed zostawiła ją w mieszkaniu samą na całe trzy dni. – Ostatnie trzy słowa wypowiedział tak, jakby to były osobne zdania, każde zakończone kropką. – Po drugie: ona sama skłamała, gdy Maks doznał urazu głowy pod jej opieką, urazu poważnego na tyle, że musiała udać się z nim do szpitala. Otóż pani Syed poinformowała lekarza, który opatrywał chłopca, że jest matką Maksa. Później na dodatek okłamała własną siostrę, zatajając przed nią informację o wypadku.

Edward potrząsnął głową, jakby nie był w stanie uwierzyć w skalę oszustwa.

– Po trzecie – podjął – przy jednej okazji powiedziała, że „mogłaby udusić Maksa". Bynajmniej nie sugeruję, że mówiła poważnie. Przyznaję z własnej woli, że rodzice mówią przeróżne rzeczy. – Uniósł palec dla przykucia uwagi. – Fakt ten jednak świadczy, że pani Syed miała pewne problemy. Że wcale nie radziła sobie z Maksem tak świetnie, jak twierdzi.

Zamilkł na moment.

– Po czwarte: Leila Syed przedstawia się jako kobieta sukcesu, lecz tak naprawdę poniosła porażkę zarówno w małżeństwie, jak i w macierzyństwie. W próżni, która przez to powstała, zajęła się swoją karierą, stawiając ją ponad wszystko inne. Słyszeliśmy przecież, że poroniwszy w biurze, wróciła jakby nigdy nic do przerwanej telekonferencji. – Z jego ust wydobyło się sarknięcie. – Widać jak na dłoni, że pani Syed przywiązuje wielką wagę do swojej pracy i że... gdy ponownie została obciążona opieką nad siostrzeńcem i sama znalazła się pod ścianą... podjęła decyzję, jakiej większość z nas nigdy by nie podjęła. Postanowiła zostawić Maksa w samochodzie na czas, gdy ona będzie zażegnywać sytuację kryzysową w firmie.

Wydął z żalem usta.

– Wyobrażam sobie, że mogą być państwo niechętni uznaniu jej za winną. Mogą państwo pomyśleć: „Przecież nie chciała go zabić". I poniekąd będą państwo mieli rację, tyle że to, co Leila Syed uczyniła, okazało się zabójcze. Zostawiła małego chłopca w swoim samochodzie w najgorętszy dzień roku i była to jej świadoma decyzja. Pani Syed jest odpowiedzialna za śmierć siostrzeńca. Jej działanie doprowadziło do śmierci Maksa Hanssona. Konkludując, postępek Leili Syed poskutkował pozbawieniem życia wskutek rażącego zaniedbania, zatem Leila Syed jest winna zarzucanego jej czynu. Wydadzą państwo ten werdykt raczej w smutku niż w gniewie, nie mam co do tego wątpliwości, jednak nie mogą państwo zawyrokować inaczej.

Kończąc, skłonił się lekko przed przysięgłymi.

Leila wypuściła powietrze, by złagodzić ucisk w piersi, i poczuła, jak w jej gardle rodzi się bulgoczący dźwięk. Zaryzykowała i rzuciła spojrzenie na przysięgłych, lecz wszyscy siedzieli bez ruchu, nie okazując żadnych emocji. Wydawało jej się absurdem, że tym właśnie osobom, niemającym pojęcia, co się faktycznie wydarzyło, i znającym tylko wypaczoną wersję prawdy, powierzono decyzję o jej losie. Jak niby mieli tę decyzję podjąć?

Nie miała czasu się nad tym zastanowić, ponieważ Clara Pearson już wstała, by wygłosić mowę końcową. Prawniczka przez moment wpatrywała się w niebieski notes, jakby zapomniała, co miała powiedzieć, a gdy wszyscy stracili już nadzieję, że się odezwie, zatrzasnęła go i wbiła wzrok w ławę przysięgłych. Jej przekaz był czytelny: będzie mówić z głębi serca, porzucając wyuczoną przemowę.

– Panie i panowie przysięgli, na początku tego procesu poprosiłam was, abyście zrobili rachunek sumienia. Czy naprawdę nikt z was nigdy nie popełnił żadnego błędu? Może zostawiliście włączony palnik w kuchni albo nie zamknęliście drzwi frontowych. Ktoś, kto nawet przypadkiem spali własny dom, zostaje okrzyknięty przestępcą. Co jednak w sytuacji, gdy przypomni sobie o pomyłce w ostatniej chwili i zakręci gaz, i ostatecznie nic złego się nie stanie? Czy z moralnego punktu widzenia ta druga osoba jest w czymkolwiek lepsza od pierwszej? – Przechyliła głowę pytająco. – Wszyscy popełniamy błędy. Często możemy powiedzieć po fakcie: „Palec boży". – Głos Clary spoważniał. – W przypadku Leili Syed siła wyższa nie interweniowała. Bóg, opatrzność, los, łut szczęścia... nic z tego nie zadziałało tamtego dnia. Jej pamięć zawiodła i to zmieniło całe jej życie. – Pokiwała smutno głową. – Zadajcie sobie teraz pytanie: czy Leila Syed stanowi zagrożenie dla społeczeństwa? Czy istnieje ryzyko, że zrobi to samo ponownie? Odpowiedź na oba pytania jest negatywna, dlatego musimy zapytać: czy Leila Syed trafiła przed sąd po to, aby można ją było ukarać? Komu i czemu miałoby to służyć? Jeśli wyślemy ją do więzienia, jej firma upadnie i pięćdziesiąt siedem osób, które zatrudnia, straci pracę. Kogo ochronimy, skazując ją na pozbawienie wolności? Kogo ocalimy? – Każde „kogo" podkreśliła ruchem dłoni. – Yasmin Syed i Andrew Hansson zasługują na spokój ducha, lecz czy na pewno go osiągną, widząc najbliższą im osobę w więzieniu? Szukają spokoju ducha, nie zemsty – podkreśliła i wskazała na oskarżoną. – Każdy aspekt życia Leili Syed został tutaj poddany drobiazgowej inspekcji. Pozwólcie jednak, że powiem wam coś o niej. Praktycznie wychowała swoją młodszą siostrę. Studiowała i pracowała równocześnie, aby ich nie rozdzielono. A mogła przecież scedować opiekę nad Yasmin na państwo. Nie uczyniła tego, zaopiekowała się nią mimo wielkich trudności.

Clara zamilkła na moment.

– Choć praca we własnej firmie szalenie ją absorbowała, Leila zawsze znajdowała czas dla Maksa. Była odpowiedzialną opiekunką, czego dowodzi fakt, że gdy chłopiec upadł na placu zabaw, jak miliony dzieci na całym świecie, Leila zabrała go do lekarza, mimo że wedle słów opatrującej go medyczki skaleczenie „nie wymagało nawet plastra". Prawdą jest, że Leila wysoko ceni swoją karierę. Dodatkowo mój wielce szanowny kolega Edward Forshall położył duży nacisk na fakt jej bezdzietności. Czyżbyśmy tak gardzili bezdzietnymi kobietami, że pragniemy je odmalowywać jako dzieciobójczynie? Takie mamy o nich zdanie? Że wpadają w szaleństwo z powodu niemożności reprodukcji? Nigdy nie słyszałam czegoś bardziej obraźliwego.

Clara posłała prokuratorowi spojrzenie pełne pogardy.

– To prawda, że Leila podjęła obowiązki zaraz po poronieniu. Ale czy nie jest to przypadkiem cecha, którą pochwalamy u mężczyzn? Gdy premier wrócił do pracy dwa dni po śmierci syna, wszyscy byli pod wrażeniem jego oddania dla kraju. Ale broń Boże, żeby kobieta zachowała się w taki sposób.

Clara uniosła palec.

– Kobieta, którą tu widzicie, wymyka się przyklejanym jej łatkom. Nie jest superwoman ani królową lodu, jak sugeruje prokuratura. Jest zwyczajną kobietą, którą spotkała olbrzymia tragedia. Leila nigdy wcześniej nie odwoziła Maksa do żłobka. Chłopiec siedział w foteliku mocowanym tyłem do kierunku jazdy. Spał. W takich okolicznościach nietrudno o popełnienie błędu. Zwykłego ludzkiego błędu. Proszę, nie uznawajcie jej za winną tylko dlatego, że „ktoś musi zapłacić". Nie. Wydarzyła się tragedia, potworna tragedia, nikt jednak nie jest za nią bezpośrednio odpowiedzialny. To po prostu jeden z tych pechowych momentów zwrotnych w historii. Błagam, nie niszczcie życia Leili Syed. Nie popełniła przestępstwa. Nie popełniła go. Jedyny słuszny i sprawiedliwy werdykt w tej sprawie to: niewinna. Panie i panowie przysięgli, musicie oczyścić Leilę Syed z zarzutów. – Adwokatka złączyła dłonie i skłoniła głowę. – Dziękuję.

Emocje wzięły górę nad Leilą. Pochyliła się i wsparła łokcie o kolana. Czując w ustach chemiczny posmak, przełknęła ciężko, aby się go pozbyć. Coś – obawa, panika, ulga – ożyło jej w piersi, tak że musiała kilkakrotnie głęboko odetchnąć, aby się uspokoić. Jej biust przy tym zafalował. Była wypompowana z sił. Rozsądek podpowiadał jej, że powinna się wyprostować, gdyż skulona w ten sposób sprawia wrażenie przytłoczonej poczuciem winy. Drżąc na całym ciele, odchyliła się do tyłu i spojrzała na ludzi, którzy dzierżyli jej przyszłość w swoich rękach. Przechwyciwszy spojrzenie jednej z przysięgłych, spróbowała przekazać jej telepatycznie wiadomość: „Jestem niewinna, proszę mi wierzyć". Gdy kobieta odwróciła wzrok, Leila odebrała to jako omen. Sprawy nie szły po jej myśli.

Shep obserwował Leilę z przeciwnej strony korytarza. Chciał zdążyć do sądu na mowy końcowe, lecz zatrzymały go obowiązki przy bieżącej sprawie. Zjawił się na miejscu, gdy sala sądowa pustoszała, ale pozostał chwilę dłużej, mając nadzieję, że nie minął się z Leilą. Już miał się poddać, kiedy usłyszał charakterystyczny stukot jej szpilek. Wyprostował się, licząc, że zauważy go stojącego w rogu. Ona jednak udała się prosto do wyjścia. Kierowany niewytłumaczalnym odruchem, podążył za nią, niepewien, co właściwie robi. Wsiadł do samochodu zaparkowanego trzy miejsca dalej od niej. Dziennikarze ją opadli, ale ona usiadła za kierownicą i odjechała, pozornie nieporuszona.

Wiedziony intuicją, włączył się do ruchu z zamiarem śledzenia jej. Było w niej coś, co nie dawało mu spokoju. Trzymał się trasy A11, tak jak ona, uważając, aby nie zbliżyć się zanadto. Nie wykonywał obowiązków służbowych, zatem gdyby Leila go spostrzegła, mogłaby go oskarżyć o nękanie. Kiedy dojechali do Tredegar Square, Shep zaparkował w pewnym oddaleniu. W bezruchu obserwował, jak Leila zmierza ku drzwiom. W pobliżu wypatrzył czekającą postać i zastanowił się, czy to jej mąż. Podjąwszy decyzję w ułamku chwili, wysiadł z auta, cicho zamknął za sobą drzwi i zakradł się nieco bliżej. Spostrzegł, że nieznajomy jest blondynem, i ze zdumieniem uświadomił sobie, że to szwagier Leili.

„Co on tu robi?", pomyślał.

Mrużąc oczy, aby lepiej widzieć w zapadającym zmroku, usiłował przejrzeć reakcję Leili. Była zła? Zadowolona? Szczęśliwa? W pewnym momencie wyrzuciła przed siebie rękę. Wyglądało na to, że się sprzeczają. Po chwili otworzyła drzwi i wpuściła Andrew do środka. Przez ułamek sekundy stali podświetleni blaskiem zapalonej wewnątrz lampy, po czym zniknęli za zamkniętymi drzwiami. Ulica była pusta. Czując walenie serca i przypływ adrenaliny, Shep zrozumiał, że coś jest na rzeczy. Przeszedł na drugą stronę jezdni, stawiając cicho kroki. Jak na tak potężnego mężczyznę potrafił być bardzo zwinny. Ojciec zawsze miał do niego o to pretensje. „Skradasz się jak kot", powtarzał.

Zatrzymawszy się po prawej stronie furtki, spróbował zajrzeć przez okno. W pokoju od frontu nikogo nie było. Rozejrzał się szybko i uświadomił sobie, że za ciągiem szeregowców jest alejka, którą mógłby się dostać na tyły. Przyśpieszył kroku, ponieważ ta okolica przyprawiała go o ciarki. Wszechobecna cisza i rzucające cienie budynki sprawiały wrażenie jak z horroru. Skręcił w lewo. Bingo! W kuchni paliło się światło, przyćmione jak do romantycznej sceny. Podszedł bliżej, lecz murek okazał się za wysoki nawet jak dla niego. Obrzucił wzrokiem drugą stronę ulicy i zobaczył uśpione domy. Przeciął jezdnię zdecydowanym krokiem i wdrapał się na ogrodzenie jakiejś posesji. Przyczaił się tam pomiędzy dwoma drzewami, wiedząc, że jeśli ktoś go zauważy, bez wątpienia wezwie policję.

Dostrzegł w kuchni jakiś ruch. Leila odpychała Andrew od siebie, ale on chwycił ją za ręce. Shep wstrzymał oddech, spodziewając się, że zaraz obrazy zaczną mu się przewijać przed oczami w zwolnionym tempie, gdy bohaterowie nachylą się ku sobie, żeby się pocałować. Nic takiego jednak się nie stało. Andrew przycisnął dłonie Leili do swojej piersi na wysokości serca. Zdaje się, że płakał, w każdym razie ona go objęła. Widok ten sprawił, że detektyw zdał sobie sprawę, jak bardzo naruszył granice prywatności tych dwojga. Nie wyglądało to na żadną potajemną schadzkę. Leila i Andrew przeżywali razem żałobę. Czemu jednak Shepowi się wydawało, że powietrze jest aż naelektryzowane od ich emocji?

W końcu Leila się odsunęła, zostawiając jednak dłoń na piersi szwagra. Zmięła jego sweter w garści, powiedziała coś i puściła materiał, by popchnąć Andrew z wyraźną agresją. Nie, to nie była tylko żałoba. Działo się tu coś jeszcze. Gdyby tylko mógł słyszeć, o czym rozmawiają... Zastanowił się przelotnie, czy zdoła się zakraść bliżej, natychmiast jednak odrzucił ten pomysł, wiedząc, że byłoby to przekroczenie kolejnej granicy. Pozostał więc na swoim miejscu i obserwował parę jeszcze przez dziesięć minut. Po tym czasie Andrew wyszedł z kuchni. Shep czekał, aby zobaczyć, co zrobi Leila. Może czegoś się dowie z jej poczynań w samotności? Ale ona tylko zgasiła światło, pozostawiając policjanta przycupniętego w ciemnościach.

Na sygnał dzwonka u drzwi Leila jęknęła z frustracji. Kazała Andrew iść do domu, ponieważ potrzebowała czasu na osobności, żeby pomyśleć. Wróciła na dół, nie zawracając sobie głowy dopinaniem guzików bluzki. Otworzyła drzwi z zamiarem udzielenia szwagrowi reprymendy... i zdębiała.

W progu stała Yasmin. Jej siostra straciła parę kilogramów, przez co wyglądała mizernie. Wydawała się też jakaś rozlazła – zwykłą dla niej werwę zastąpiło ponuractwo. Co ciekawe, poczyniła pewną próbę zadbania o swój wygląd – miała pomalowane na czerwono usta i włosy zakręcone w luźne loki. Sprawiała przez to dość niesamowite wrażenie, niczym wojenna wdowa, która wciąż nosi w sercu nadzieję.

– Yasmin?

– Przyszłam nie w porę?

Leila spojrzała ponad jej ramieniem na ulicę. Czy Yasmin mogła widzieć wychodzącego Andrew?

– Skądże – odparła swobodnie. Zbyt swobodnie. Otwierając drzwi szerzej, zaprosiła siostrę do środka. – Wejdź.

Yasmin nawet poruszała się nerwowo, jakby przeciągająca się sprawa sądowa wyzuła ją z pewności siebie. Przeszły razem do kuchni, jak czyniły to tysiące razy w przeszłości. Yasmin usiadła przy kominku, a Leila zajęła się robieniem herbaty – earl grey dla niej, zielona dla Yasmin. Wyłożyła na talerz maślane ciasteczka z Waitrose, wiedząc, że są to ulubione herbatniki siostry. W końcu zasiadła naprzeciwko niej.

Yasmin oplotła kubek palcami.

– Dlaczego przestałaś się do mnie odzywać? – zapytała tak cicho, że prawie szeptem.

– Jestem tu gdzie zawsze – odparła Leila. – Przecież wiesz.

– W ubiegłym tygodniu praktycznie uciekłaś z łazienki w sądzie, kiedy chciałam z tobą porozmawiać.

Leila nie odpowiedziała. Wbiła wzrok w parującą zawartość kubka i obserwowała rozbłyski światła.

– Powinnaś była mi powiedzieć o tych poronieniach – dodała Yasmin łagodnie.

– Nie chciałam cię tym obciążać. Toby był chory i... W porównaniu do twoich moje przeżycia wydawały mi się trywialne.

Yasmin wyglądała na urażoną.

– Mimo to mogłaś mi powiedzieć. Powinnaś była mi powiedzieć.

– Nie chodzi tylko o to.

– A o co jeszcze?

Leila chciała skłamać, może nawet obcesowo uciąć dyskusję, ale czuła, że nadeszła pora na prawdę.

– Nie chciałam przyznać, jak bardzo mi zależy, bo wtedy porażka bolałaby jeszcze mocniej. To, że zawiodłam...

– Porażka? – powtórzyła Yasmin, wpadając jej w słowo. – W niczym nie zawiodłaś!

– Zawiodłam. – Leila pokiwała głową. – „Brak reakcji na leczenie". „Niewydolność szyjki macicy". Zawiodłam na całego i nie chciałam, żebyś wiedziała.

– Ale dlaczego? Przecież mówimy sobie o wszystkim!

Leila uśmiechnęła się smutno.

– Nie, Yasmin. Nigdy nie mówiłam ci wszystkiego.

– Na przykład? – zażądała odpowiedzi siostra.

Chwilę trwało, zanim Leila odezwała się ponownie:

– Na przykład... że jak czasami na ciebie patrzę, zżera mnie zazdrość.

– Zazdrość? – Yasmin otworzyła usta ze zdziwienia. – O co?

– Przez całe życie starałam się wszystko ci ułatwiać, ale równocześnie byłam na ciebie zła, że masz tak łatwo. Kiedy zachowywałaś się niegrzecznie, miałam ochotę cię uderzyć albo potrząsnąć tobą, żebyś zrozumiała, przez co ja muszę przechodzić, by tobie było lepiej. Potem wyszłaś za mąż, zaszłaś w ciążę... Wciąż miałaś życie usłane różami.

– Ale to ja tobie zawsze zazdrościłam! – wykrzyknęła Yasmin. – To ty wiecznie odnosiłaś sukcesy. Wszyscy cię podziwiają. Kurwa, jestem sekretarką! Jak myślisz, dlaczego cały czas narzekałam? Bo byłam zazdrosna. Ja... – Wykonała nieokreślony gest. – Naprawdę powinnaś była mi powiedzieć. Nie miałam pojęcia, przez co przechodzisz.

Leila upiła długi łyk herbaty, by zyskać na czasie i zebrać się w sobie, zanim zagłębi się w ten temat.

– Powiedziałam ci przy pierwszym razie. Zgodziłyśmy się wtedy, że nie ma czym się martwić, że była to jedna z milionów ciąż biochemicznych. Za drugim razem czułam wstyd. Nie chciałam o niczym mówić, dopóki problem nie zostanie rozwiązany. Kiedy poroniłam trzeci raz, Toby był już na świecie, usłyszałaś jego diagnozę i miałaś dość własnych problemów. Czwarte poronienie... – Leila urwała.

– Już po śmierci Toby'ego?

– Nie. Przed. – Nie chciała wracać do tamtego czasu, do najgorszego okresu życia Toby'ego: nocy przepełnionych wyciem, gdy skóra schodziła z niego przy najlżejszym dotyku.

Yasmin rozczapierzyła palce, chcąc w ten sposób pozbyć się bólu.

– Pamiętasz ten wieczór, kiedy do mnie przyszłaś?

Leila skinęła głową. Jak mogłaby zapomnieć? Toby wył na górze, ale kiedy chciała do niego pójść, siostra ją powstrzymała, mówiąc, że jak się zmęczy, to sam zaśnie. Yasmin siedziała wtedy na podłodze w kuchni, z tłustymi włosami, z wystającymi kośćmi, i trzymała w ręku list poplamiony od ciągłego czytania. Napisał do niej zarząd dzielnicy, przekazując skargi sąsiadów, mimo że wszyscy wiedzieli, z czym musi się mierzyć.

– Pamiętasz, co ci powiedziałam?

– Powiedziałaś... – Leila urwała, żeby przełknąć gulę w gardle – że nie miałaś pojęcia, nie miałaś pojęcia, że dzieci takie jak Toby wciąż przejawiają podstawowe ludzkie potrzeby, że łakną dotyku, choć sprawia im ból.

– I co jeszcze?

– Wspomniałaś o rekinie polarnym, który mieszka w głębinach oceanu. Atakują go pasożyty, które wrastają mu w oczy. Stwierdziłaś, że coś podobnego rośnie w tobie.

– I co jeszcze? – drążyła Yasmin głosem pnącym się coraz wyżej.

– I powiedziałaś... – Leili zabrakło tchu.

– „Czasami chciałabym, żeby umarł" – dokończyła za nią siostra. Łzy rozpuściły jej tusz, który pociekł aż na policzki linią tak prostą, że mogłaby być narysowana ołówkiem. – Potraktowałaś to ze spokojem, nie oceniałaś mnie, ale nie masz pojęcia, Leila, nie masz pojęcia, jak poważnie wtedy mówiłam.

Leila sięgnęła do ręki siostry.

– Mam pojęcie...

– Nie masz! – Yasmin się jej wyrwała. – Myślisz, że mówiłam to jak każda matka, która chce, żeby cierpienie jej dziecka nareszcie się skończyło, żeby biedactwo odnalazło spokój i odeszło spokojnie. – Potrząsnęła głową z goryczą. – Nie. Ja byłam przepełniona złością, byłam wobec niego bezwzględna. Chciałam, żeby umarł i przestał się ciągle drzeć. Chciałam, żeby dał mi, kurwa, spokój! – Gniew wciąż w niej buzował, gdzieś głęboko pod powierzchnią. – Nie winię cię, że powiedziałaś, że mogłabyś udusić Maksa. Sama mówiłam takie rzeczy, ale z Tobym... z Tobym to było na poważnie. Teraz najbardziej mnie boli fakt, że go nienawidziłam. W noce takie jak tamta szczerze, gorąco nienawidziłam własnego dziecka.

Leila pokręciła głową.

– Nie, Yasmin. Nie nienawidziłaś Toby'ego. Znalazłaś się w sytuacji, w jakiej żadna matka nie powinna się znaleźć… żaden człowiek nie powinien się znaleźć.

Podeszła do siostry i objęła ją ramieniem.

– Zasłużyłam sobie na to. Zasłużyłam sobie na to, by Maks został mi odebrany.

– Nie. – Leila ucałowała Yasmin w czubek głowy. – Nie. Byłaś wspaniałą matką.

– Życzyłam śmierci własnemu dziecku.

– To nic. Toby już nie cierpi. Żaden z nich już nie cierpi. Masz moje słowo. – Zaczęła kołysać siostrę w ramionach. – Masz moje słowo.

ROZDZIAŁ 15

Leila wstała i zapięła guzik jednym płynnym ruchem. Mając dwadzieścia sześć lat, dowiedziała się, że tego wymagają dobre maniery. Do tamtej pory zawsze pozostawiała sweter zapięty, nawet gdy siadała. Aż pewna kobieta, która przeprowadzała z nią rozmowę o pracę i najwyraźniej miała silnie rozwinięty instynkt macierzyński, przy pożegnaniu szepnęła jej na ucho, jak to się powinno robić. „Tak przy okazji, jeśli chcesz ich przekonać, że jesteś jedną z nich, odpinaj guzik marynarki przy siadaniu i zapinaj go ponownie, jak już wstaniesz", powiedziała, puszczając do Leili oko. Leila zaczerwieniła się aż po koniuszki uszu, myśląc, że była to nagana. Na przestrzeni lat zdążyła się jednak przekonać, że mężczyźni tacy jak Robert Gardner zwracają uwagę na podobne drobiazgi, traktując je jak wyznacznik tego, kto jest swój, a kto nie. Leili udało się go omamić do tego stopnia, że choć ukończyła zaledwie politechnikę, był gotów oceniać ją po wynikach jej pracy. Obecnie, gdy nosiła kosztowne garsonki i eleganckie fryzury, mało kto był ją w stanie przejrzeć.

Wsunęła stopy w czółenka i obrzuciła się spojrzeniem w lustrze. Czerpała pewną ulgę z faktu, że nic więcej nie może już zrobić: koniec z maskami, koniec z kłamstwami. Jej los był w rękach przysięgłych.

Przy drzwiach dołączył do niej Will. Był świeżo ogolony, ubrany w garnitur, i choć nie cierpiał ulegać konwenansom, prezentował się niezwykle przystojnie. Kiedy wyciągnął do niej rękę, ujęła ją niemal automatycznie. Po poniedziałkowej kolacji zapytał, czy może zostać na noc, Leila jednak nie wyraziła zgody. Powiedziała mu, że potrzebuje czasu. Ale dziś, gdy stanął w jej progu o poranku, poczuła wielką ulgę. Nie miała teraz głowy do analizowania własnych uczuć. Cokolwiek ich łączyło, cokolwiek jeszcze ich połączy – musiało zaczekać do zapadnięcia werdyktu.

Razem wyszli na Tredegar Square, gdzie natychmiast opadł ich tłum dziennikarzy. Wślizgnęli się każde na swoje miejsce w samochodzie, przy czym prowadził Will, wciąż figurujący w polisie Leili, która odczekała do pierwszego zakrętu, zanim sprawdziła swój wygląd w lusterku. Sięgnęła po karminową szminkę i poprawiła jeden kącik ust, woląc to zrobić teraz, zanim dojadą na miejsce. Nie chciała, by jakiś reporter uchwycił na zdjęciu, jak koryguje makijaż, ponieważ mogłaby przez to wyjść na nieczułą.

Will zerknął na nią z ukosa.

– Zdenerwowana?

Potaknęła skinieniem.

– Wszystko będzie dobrze, zobaczysz.

– Nie możesz tego wiedzieć.

– Masz moje słowo, Leila. Kobiet takich jak ty nie wsadza się do więzienia.

– Kobiet takich jak ja przede wszystkim się nienawidzi. – Gorycz w jej głosie zdumiała go, dlatego Leila poczuła się w obowiązku wyjaśnić: – Nie jestem pewna, czy przysięgli dostrzegli prawdziwą mnie. Próbowałam się przed nimi odsłonić, ale nie wiem, czy zapałali do mnie sympatią. Ja... – zawahała się, wciąż wątpiąc, czy może być z nim do końca szczera.

Wyczuł jej brak zaufania, lecz nie skomentował tego w żaden sposób, jej pozostawiając decyzję, czy jednak mu się zwierzy.

– Nie masz pojęcia, jak to jest, Will – podjęła po chwili. – Tyle lat towarzyszył mi strach. Że stracę siostrę, że i za dekadę wciąż będzie nam ciężko, że Yasmin może cierpieć na tę samą przypadłość co nasza matka. Żyłam w ciągłym stresie i tak już pozostało. Zawsze mam się na baczności, przez co trudno być osobą, jaką ludzie by polubili: pełną ciepła, zabawną i beztroską. Nic z tego nie przychodzi mi naturalnie. Ja po prostu wiem, że nie jestem lubiana.

Will zmarszczył czoło, okazując powątpiewanie.

– Myślę, że jesteś dla siebie zbyt surowa. Ludzi ciągnie do kobiet takich jak ty.

– To, że kogoś może do mnie ciągnąć, nie oznacza jeszcze, że ta osoba zostanie ze mną na stałe. – Posłała mu znaczące spojrzenie. – Powinieneś o tym wiedzieć najlepiej.

Jej mąż milczał przez chwilę.

– Nigdy nie chciałem od ciebie odejść. Chyba to wiesz.

Wpatrywała się w drogę przed nimi bez słowa, mając w pamięci to, jak okrutnie go potraktowała na koniec. Zarzuciła mu, że śmie pragnąć czegoś innego niż ona, i próbowała wzbudzić w nim palące poczucie winy.

Will zacisnął palce na kierownicy.

– Kiedy w zeszłym tygodniu wspomniałaś o rozwodzie, wybiegłem myślą do przodu, wyobraziłem sobie, jak to będzie, i ogarnęła mnie słabość. – Odchrząknął. – Chcę, żebyśmy do siebie wrócili, Leila.

Położyła mu dłoń na ramieniu.

– Porozmawiamy o tym później, dobrze?

Nie była w stanie zastanawiać się teraz nad przyszłością, najchętniej w ogóle nie myślałaby o tym, co może stracić. Włączyła radio i zaczęła manipulować przy pokrętle, szatkując piosenki na urywane fragmenty. Nawet gdy znalazła stację, której szukała, nie pomogło jej to wyzbyć się złych przeczuć, które tym bardziej się wzmagały, im bliżej byli sądu.

Will zaparkował i delikatnie dotknął jej kolana.

– Gotowa?

Złapała go za rękę, żeby uspokoić własne drżenie.

– Tak – wychrypiała.

Wysiedli z samochodu prosto w błysk fleszy i ramię przy ramieniu weszli do budynku.

Yasmin ponownie przeczytała esemesa, którego dostała od Jasona.

Kiedy to powtórzymy?

Skrzywiła się, po czym jednym ruchem wykasowała wiadomość. Poprzednie dwie także zignorowała, ale Jason nie należał do mężczyzn, którzy się łatwo poddają. Położyła telefon na toaletce, ekranem do dołu, żeby zielona dioda informująca o nadejściu esemesa nie zwróciła uwagi jej męża. Następnie wróciła do przewlekania kolczyka przez dziurkę w uchu i zaklęła, gdy znów nie udało jej się tego zrobić.

Andrew, który był w trakcie wiązania krawata, odwrócił się do niej i zapytał:

– Potrzebujesz pomocy?

Rzuciła kolczyk na toaletkę.

– Nie – odpowiedziała, poddając się.

To, co czuła, wydawało jej się nienaturalne, coś jakby perwersyjne podekscytowanie. Ten dzień, koniec rozprawy, przyniesie jej wreszcie domknięcie ostatniego złego rozdziału w jej życiu, powtarzała więc sobie nieustannie, że weźmie werdykt przysięgłych za dobrą monetę. Jeśli Leila zostanie uniewinniona, Yasmin jej przebaczy. Ale jeśli zostanie uznana za winną, ich wzajemna relacja nigdy nie ulegnie poprawie.

Sprawdziła, która godzina, i stwierdziła, że są już spóźnieni. Wrzuciła kosmetyczkę, kluczyki i portfel do torby, zachowując się przy tym lekko histerycznie. Jaką trzeba być matką, żeby się spóźnić na ogłoszenie wyroku w takiej sprawie? Dostrzegłszy, że Andrew czeka z opuszczonymi wzdłuż boków rękami, naskoczyła na niego: stojąc tak, tylko wywiera na nią większą presję.

– Uruchomię silnik – rzekł cicho.

Yasmin obiegła pokój, zmieniając długi rozpinany sweter, w którym wyglądała jak kompletne bezguście, na krótszy, za to wymięty. Upchnęła jeszcze w torebce garść chusteczek higienicznych i pognała na dół. Przez chwilę szukała swoich czółenek, aż wreszcie przyszykowana dołączyła do Andrew czekającego na nią w aucie.

Po drodze minęli dom Leili, sporo wyższy od ich. Od dawna wiedziała, że siostra wsparła ich finansowo przy zakupie nowego lokum, nigdy jednak nie dała tego po sobie poznać. Dopóki będzie udawać, że nic nie wie, Leila nie będzie mogła pławić się w poczuciu wspaniałomyślności.

Domyśliła się pewnego razu przy kolacji, gdy weszła niespodziewanie do kuchni. Andrew odskoczył od Leili, lecz napięcie jego barków powiedziało jej, że coś przed nią ukrywa. Dostrzegła, jak Andrew wsuwa do kieszeni kawałek papieru. Uśmiechnęła się do obojga szeroko, jakby nigdy nic, choć serce jej waliło. Dopiero później, gdy przeszukała kieszenie męża, jej podejrzenia się potwierdziły. W jednej znalazła bowiem czek na pięć tysięcy funtów. Zatem nową sofę zawdzięczali Leili. Nie poczuła się z tego powodu upokorzona ani obrażona. Leila miała obowiązek dzielić się swoim bogactwem, w końcu niczego jej nie brakowało. Odtąd była bardziej wyczulona na ich poszeptywanie i skrycie czerpała satysfakcję ze świadomości, że przejrzała oboje. Jedyne, co ją wzburzyło, to tamten raz na ulicy, kiedy zobaczyła, jak się obejmują. Leila zapewniała, że było to niewinne niesienie sobie nawzajem pociechy, ale coś nie dawało Yasmin spokoju. Aż do tamtego dnia zachowywali się wobec siebie neutralnie, prawie nigdy nie dotykając się nawet dłońmi. Wtedy jednak zaobserwowała pewną intensywność, która zaparła jej dech w piersi.

„Nie, Yasmin. Nigdy nie mówiłam ci wszystkiego”...

Słowa Leili wypłynęły na powierzchnię jej umysłu w ślad za niebezpieczną mieszaniną emocji. Yasmin prześladowała nowo nabyta wiedza o czterech poronieniach siostry. Miała wyrzuty sumienia, że Leila postanowiła jej się nie zwierzać. Ale pod tym wszystkim czaiła się też nieżyczliwość: nie musisz robić z siebie męczennicy, Leila! Nie były już dziećmi, Yasmin nie chciała być chroniona za wszelką cenę.

Z zamyślenia wyrwało ją trąbienie. Zerknęła od razu na Andrew, którego nozdrza lekko się rozdęły w wyrazie frustracji. Jak zwykle tamował ruch na skrzyżowaniu. Odkąd sięgała pamięcią, jeździł zbyt ostrożnie. Potrafiła to docenić, póki żył Maks, jaki jednak to miało sens teraz?

Spojrzała wymownie na zegarek.

– Spóźnimy się – oznajmiła ostrzej, niż zamierzała.

Andrew wreszcie ruszył z miejsca i włączył się w rząd samochodów jadących trasą A11.

Zdała sobie sprawę, jaki jest milczący.

– Wszystko dobrze? – zapytała krótko.

– A jak myślisz? – odparował. Zanim jego słowa przebrzmiały, przeprosił: – Stres mnie wykańcza. Martwię się... martwię się, że uznają ją za winną.

Siła troski Andrew o Leilę w porównaniu z jej własną zmusiła Yasmin do zmierzenia się z niewygodną prawdą. Jeśli jej siostra zostanie uznana za winną, po części będzie zadowolona, ponieważ przynajmniej będzie mogła zrzucić na kogoś odpowiedzialność za to, co się stało. Ta tragedia nagle zyska... może nie sens, ale na pewno jakiś nowy wymiar. Błędowi człowieka dało się zapobiec, zaradzić, przypisać złe zamiary, co do bezosobowego losu jednak... Jeśli Leilę uniewinnią, co Yasmin pocznie ze swoim bólem, jak sprawi, by się nie powtórzył?

– Leili nic nie będzie – powiedziała oschle, gdy byli już prawie na miejscu. – Nigdy jej nic nie jest.

Andrew zaparkował i wyłączył silnik. Cisza, która nagle zapadła, była jak zimniejszy prąd w morzu, nagły i przejmujący, każący pływakowi natychmiast szukać cieplejszej toni. Yasmin wysiadła z samochodu i skrzywiła się, gdy zaraz otoczyli ją reporterzy. Mąż znalazł się u jej boku w mgnieniu oka. Razem przeszli przez drzwi obrotowe, aby poznać werdykt.

Miarowy stukot w instalacji grzewczej nie przekładał się na przyjazną temperaturę w sali sądowej. W dodatku na zewnątrz padało, a zapach wilgoci przesączał się przez ściany, co razem przydawało temu pomieszczeniu atmosfery niepokoju.

Siedząca na swoim miejscu Leila drżała na całym ciele. Musiała zwalczać w sobie chęć, by rzucić spojrzenie na galerię, skoro z powodu kąta patrzenia oraz specyfiki wnętrza i tak nic by nie zobaczyła. Wcześniej wysłuchała Clary, która powiedziała jej, co nastąpi zaraz po ogłoszeniu werdyktu. W razie uznania za winną zostanie wyprowadzona pod strażą i odtransportowana do więzienia, gdzie już czekało na nią miejsce – ta perspektywa dosłownie zaparła jej dech w piersi. Choć miała miesiące na to, by się przygotować, nagła świadomość, że straci wolność, nie chciała jej się pomieścić w głowie. Przez większość życia unikała kontaktów z systemem, a tu proszę, znalazła się tuż przed jego paszczą, która w każdej chwili mogła ją pochłonąć.

– Jak rozumiem, przysięgli są gotowi do ogłoszenia werdyktu – zakomunikował Warren.

Leila zacisnęła pięści, czując suchą skórę na opuszkach.

– Niech oskarżona wstanie – polecił urzędnik sądowy.

Leila się podniosła i drżącymi palcami zapięła guzik.

– Panie przewodniczący, czy osiągnęliście jednogłośny werdykt?

Jeden z dwanaściorga przysięgłych, łysiejący mężczyzna w zielonym swetrze w serek, wstał i odpowiedział:

– Tak, wysoki sądzie.

Kiedy zerknął na Leilę, jej żołądek fiknął koziołka. W spojrzeniu przewodniczącego dostrzegła tylko jedno: współczucie.

– W kwestii zarzutów czy znajdujecie oskarżoną winną czy niewinną pozbawienia życia Maksa Hanssona na skutek rażącego zaniedbania?

Leila wstrzymała oddech i nagle czas zwolnił, rozciągając się w próżni, która tętniła czymś pierwotnym. Serce chciało jej wyskoczyć z piersi, ona sama zaś w pewnym momencie się zastanowiła, czy przewodniczący ławy przysięgłych może zdążył już odpowiedzieć, tylko ona to przegapiła. Spanikowana powiodła wzrokiem od sędziego do przewodniczącego, czując w ustach metalowy posmak.

– Niewinną – odparł przewodniczący.

– Znajdujecie oskarżoną niewinną i jest to werdykt jednogłośny?

– Tak – potwierdził przewodniczący.

Ściany przed nią się zakołysały. „Niewinna"... Jej twarz się zmarszczyła, ale Leila nie zalała się łzami. Doznała nieopisanej ulgi. Clara już zerwała się na nogi i rozmawiała właśnie z Warrenem, który – jak się zdawało Leili – powiedział:

– Jest pani wolna.

Pleksiglasowe drzwi się otworzyły, a ona popatrzyła na powstały otwór – drogę do wolności – jakby to było coś z kosmosu. Przez jedną szaloną chwilę nie chciała opuścić swego schronienia. Strażnik ponaglił ją gestem, ostrożnie przestąpiła więc przez próg. Clara podeszła do niej zamaszystym krokiem i uścisnęła jej ramię.

– Jesteś wolna, Leila.

Skinęła prawniczce głową.

– Ale j... – zająknęła się. – Ale jak?

Clara uśmiechnęła się do niej szeroko.

– Przysięgli nie mają obowiązku uzasadniać swojego werdyktu. Przyjmujemy go takim, jaki jest.

Leila rozpaczliwie szukała sposobu, by wyrazić swoją wdzięczność, co widząc, Clara tylko kiwnęła głową. Wyciągając rękę na pożegnanie, dodała:

– W razie pytań skontaktuj się z moim biurem.

Wymieniła z adwokatką uścisk dłoni.

– Tak zrobię. Dziękuję.

Przez moment jeszcze stała tam oszołomiona. Gdy się odwróciła, spostrzegła, że ława przysięgłych opustoszała. Ludzie, którzy zwrócili jej wolność, którym zawdzięczała tak wiele, zdążyli wyjść. Czy to naprawdę już koniec? Nadal drżąc, opuściła salę sądową i odkryła, że Will cały czas czekał na nią za drzwiami. Wtuliła twarz w jego pierś, dając upust przepełniającym ją emocjom, głównie uldze i wdzięczności. Płakała, ponieważ przysięgli oczyścili ją z zarzutów, zdjęli z jej ramion brzemię winy.

Will gładził ją teraz po włosach, a ona – wyglądając ponad jego prawe ramię – zobaczyła, że Yasmin obserwuje ich z przeciwnego krańca korytarza. Wiedząc, że siostrzana relacja uległa wykolejeniu, nie czując się ani starszą, ani mądrzejszą, Leila ułożyła usta do szeptu:

– Yasmin...

W odpowiedzi tamta wyciągnęła rękę i pokręciła głową. Leila usiłowała się domyślić znaczenia tego gestu. Co znaczył: „Nie teraz" czy „Już nigdy"? Z ruchu warg siostry odczytała jednak: „Do zobaczenia" – i poczuła obezwładniającą ulgę.

Rozpłakała się od nowa. Yasmin się obróciła i zniknęła za drzwiami wyjściowymi, trzymana za rękę przez Andrew. Tyle cierpienia spadło na ich rodzinę, nadeszła jednak pora na lizanie ran. Z czasem Yasmin pogodzi się z tym, że wydarzył się tragiczny wypadek. W to wierzyli przysięgli i Yasmin też będzie musiała w to uwierzyć.

Yasmin zdjęła skarpetki i włożyła je do butów. Obok stały zielone kalosze Maksa. Wpatrywała się w nie przez chwilę, po czym ukucnęła i przejechała palcem po zaschniętym błocie. Pamiętała, jak wzięła synka na dwór w żółtym płaszczyku przeciwdeszczowym, a on zaczął rozchlapywał kałużę. Gdy mijała ich para młodych ludzi, Yasmin rzuciła: „Przepraszam, ale to jego pierwsza kałuża", na co roześmieli się wesoło, ujęci tym premierowym przeżyciem chłopca. Na tym, jak przypuszczała, polegała radość z posiadania dziecka – że wszystkiego się doświadcza, patrząc jego oczami: frajdy z łaskotek, zdumienia na widok książki z rozkładanymi obrazkami. Życie Maksa było jedną wielką obietnicą. Świadomość, że jej syn nigdy nie dorośnie, nie pozna przyjaciół, nie zakocha się, przepełniała Yasmin głuchą rozpaczą. Jak nazwać matkę, której dwoje dzieci umarło?

Sięgnęła po torbę z towarzystwa charytatywnego, którą wcześniej odłożyła na bok wraz z reklamami, i potarła krawędź, by rozdzielić dwie warstwy folii. Ostrożnie umieściła oba kalosze w środku. Potem ujęła jego zwykłe buty – wciąż zapinane na rzepy, nie wiązane na sznurówki – i dołożyła do worka.

Wyczuła obecność męża za swoimi plecami, a nawet lekki powiew powietrza, gdy otworzył usta, aby coś powiedzieć. Andrew nie wydobył z siebie jednak żadnego dźwięku, po chwili odwrócił się i wyszedł do ogrodu. Było to dla niego zbyt trudne. Po śmierci Toby'ego chciał wszystko zatrzymać: na wpół zużytą butelkę szamponu, wodę koperkową, mleko w proszku... Nie potrafiła tego zrozumieć. Jak można zachować wszystkie te rzeczy, skoro każda z nich sprawia nieopisany ból? Ona czerpała pociechę z wiedzy, że jakiś inny mały chłopiec będzie w tych samych kaloszkach rozchlapywał swoją pierwszą kałużę.

Obiecywała sobie, że się nie załamie, pakując życie Maksa do worków i pudeł. Wciąż pamiętała poprzedni raz, gdy musiała zrobić to samo – i kiedy skończyła w wannie ze stygnącą wodą, z pasmami włosów przyklejonymi do ciała, z kolanami wystającymi spod powierzchni. Wspomnienie podziałało na nią jak prąd, jej rozpacz była wręcz namacalna, pozbawiła ją tchu. Yasmin padła na klęczki i zaczęła szukać telefonu. A potem, nie wiedząc, czy czyni to z dobroci, czy z okrucieństwa, wysłała do Leili esemesa:

Pakuję rzeczy Maksa. Czy możesz przyjść mi pomóc?

Kilka minut później rozległo się pukanie do drzwi. Po ich otwarciu Yasmin zobaczyła w progu siostrę, drżącą na zimnie, z włosami podświetlonymi blaskiem latarni ulicznej. Przez moment tylko przyglądały się sobie. Później Yasmin wyciągnęła ręce i Leila wpadła jej w ramiona, z całych sił starając się nie wybuchnąć płaczem. Yasmin oplatała ją mocno, jakby w ten sposób mogła skompaktować jej ból do znośnych rozmiarów.

Leila zachwiała się na widok zielonych kaloszy w worku. Następnie, niczym galaretka zachowująca swój kształt, zamarła w bezruchu i ciszy. Nie mówiąc ani słowa, obydwie uklęknęły na podłodze i zaczęły sortować buty. Potem przeszły po domu, zbierając pamiątki po krótkim życiu Maksa: rysunek czerwoną kredką, porzucony kawałek plasteliny, zapodziany klocek Lego, łańcuszek z dzwoneczkiem wielkanocnego czekoladowego królika Lindta. To, co robiły, okazało się na więcej niż jeden sposób oczyszczające.

Było po północy, gdy Leila wróciła do siebie. Yasmin wyszła na taras za domem, owinięta kołdrą i z kieliszkiem wina w dłoni. Upiła łyk i zaraz się skrzywiła. Czerwone wino zdążyło skwaśnieć w lodówce, ale i tak postanowiła je dopić. Była pogodna noc jak na grudzień, a aksamitny kobierzec w górze wydawał się zaprojektowany, by budzić nostalgię. Leila nauczyła ją w dzieciństwie, że im dłużej się patrzy w niebo, tym więcej gwiazd się widzi, zupełnie jakby powoływało się je do życia za sprawą magii.

To był naprawdę wielki przywilej, pomyślała.

Starsi braci i siostry, niedoceniani bohaterzy dzieciństwa każdego z nas. Mówi się, że człowieka kształtują rodzice, nauczyciele i przyjaciele, jednak w rzeczywistości największy wpływ ma na nas właśnie starsze rodzeństwo.

Na skraju upojenia poczuła, jak uśmiech wypełza jej leniwie na usta. Andrew, który do niej dołączył, pokazał palcem na zaanektowaną kołdrę, a ona odchyliła jej róg, po czym opatuliła mu szczelnie nogi.

– Zimno – stwierdził, zadzierając głowę.

– Idealna noc na papierosa – rzuciła cierpko.

Nie zaprzeczył. Yasmin rzuciła palenie, gdy zaszła w ciążę z Tobym, a potem popalała tylko sporadycznie.

Położył rękę na jej dłoni.

– Jak się czujesz?

Odstawiwszy kieliszek, odparła:

– O dziwo, ulżyło mi. Sądziłam, że pragnę jej znienawidzić, ale… – Machnęła ręką, jakby odganiała muchę. – Muszę jej przebaczyć.

– Będziesz umiała? – zapytał łagodnie.

– Tak. Do pewnego stopnia już jej przebaczyłam.

Andrew w milczeniu wpatrywał się w niebo.

– Nie chcę kolejnego dziecka – powiedziała cicho. – Nie chcę kolejnego dziecka.

Uścisnął jej dłoń.

– Moim zdaniem to właściwa decyzja.

Yasmin poprawiła się na swoim miejscu, tworząc na kołdrze małe wzniesienia.

– Andrew, muszę ci coś powiedzieć. – Poczuła, że jego dłoń sztywnieje. – Po tym jak powiedziałeś, że nie chcesz następnego dziecka, wysłałam esemesa koledze z pracy, Jasonowi. Wiesz, temu z kręconymi włosami. Byliśmy razem na lunchu.

Dostrzegła urażony wyraz jego twarzy.

– I?

– I nic. Zjedliśmy lunch. Od tamtej pory przysłał mi parę wiadomości. Uznałam, że powinieneś wiedzieć.

– Co do ciebie pisze?

– Chce się ze mną znowu zobaczyć.

Andrew drgnął.

– Na randce?

– Nie, tak, nie wiem. – Splotła z nim palce. – Odmówiłam. Jutro poproszę go, żeby zostawił mnie w spokoju.

Wyrwał się z jej uścisku.

– Ale po co w ogóle do niego pisałaś? Chciałaś...? – zamilkł, niezdolny dokończyć pytania.

– Nie. Niczego nie chciałam – skłamała. – Działałam na oślep. Byłam wściekła, że – strzeliła palcami – śmiesz mieć odmienne zdanie niż ja, pogrążyłam się w żałosnym nastroju, może miałam zamiar ci się odgryźć. Przysięgam, że niczego nie planowałam.

Gdy odetchnął, przed jego twarzą pojawiła się mała biała chmurka.

– Boże, Yasmin...

– Przepraszam.

Utkwił w niej spojrzenie.

– Nigdy go nie lubiłem. Wydaje mu się, że może flirtować z żonami innych mężczyzn, bo oczywiście są zajęte, więc to musi być niewinne. Po kiego diabła z nim esemesowałaś?

– To było głupie i przysięgam, nic nie znaczyło.

– Po co w takim razie w ogóle mi o tym mówisz?

– Uznałam, że powinnam.

Ściągnął brwi.

– W porządku.

Ale mars z jego czoła nie zniknął.

Yasmin nalała mu wina.

– Obiecaj mi – poprosiła.

Wziął od niej kieliszek, ale odstawił go na ziemię.

– Co mam ci obiecać?

Zaczekała, aż na nią spojrzy.

– Obiecaj, że zrobimy coś ze swoim życiem. Że nie będziemy jednym z tych bezdzietnych małżeństw, które zajmują się ogródkiem i oglądają filmy na Netfliksie. Będziemy jeździć w różne miejsca, oglądać różne rzeczy i żyć pełną piersią.

Na twarzy Andrew zagościł smutek.

– Obiecaj – nalegała.

– Obiecuję. – Znowu złapał ją za rękę. – Obiecam ci, co zechcesz, Yasmin.

Oparła się o niego, a on poprawił kołdrę na nich dwojgu, na niej i na sobie – tej nowej, mniejszej wersji ich rodziny.

CZĘŚĆ III

ROZDZIAŁ 16

Pomysł wyszedł od Willa, lecz o ile kiedyś Yasmin przystałaby na niego bez zastanowienia, o tyle teraz się wahała.

– Proszę – naciskał. Wisiał nad nią, ale nie złapał jej za ramię w nazbyt intymnym geście, który niegdyś tak niepokoił Leilę i Andrew. Pokazał na jacuzzi. – Pogoda jest wprost idealna na kąpiel.

Yasmin się skrzywiła.

– Jest luty!

– I co z tego? – zareagował agresywnie.

„W sumie racja", pomyślała Leila.

Wieczór był chłodny, ale nie za zimny; w sam raz, żeby zanurzyć się w ciepłej wodzie.

– Nie mam kostiumu kąpielowego – wymawiała się wciąż Yasmin.

– Jakby to kiedykolwiek stanowiło dla ciebie przeszkodę! – rzucił żartobliwie.

Yasmin wciąż nie wybaczyła mu całkiem tego, że napisał o Maksie, toteż ilekroć się spotykali, starał się zakraść od nowa w jej łaski.

Leila obserwowała ich z przeciwnego krańca ogrodu. W pewnym sensie współczuła Willowi wiary, że ożywione starania zdołają odciągnąć myśli ich wszystkich od śmierci.

– Tak bardzo chce, żeby było jak dawniej...

Andrew przetoczył puszkę piwa w dłoniach.

– Mogę to zrozumieć. Wszystko teraz wydaje się takie skomplikowane.

Leila mruknęła coś na zgodę. Od werdyktu minęło sześć tygodni i każde ich spotkanie od tego czasu, a było ich kilka, wypadło sztucznie i niezręcznie, jakby zapomnieli, jak to jest być rodziną. Will, pomimo wszystkich swoich wad, pomógł jej, i to znacznie. Bronił jej przed fotoreporterami, aż stracili nią zainteresowanie, robił większość zakupów i zajmował się innymi zwykłymi, codziennymi sprawami, pozwalając, by skoncentrowała się na firmie. Jednym słowem stanął na wysokości zadania i szczerze pragnął skleić pęknięcie nie tylko między nimi dwojgiem, ale też między nimi i siostrą ze szwagrem. Podawał drinki, opowiadał anegdoty z pracy, jak na przykład ta o śledzeniu słynnego piłkarza, o którym pisał.

– No więc policja go zatrzymuje i pyta, skąd ma pięć tysięcy w portfelu. – Tu Will przebiegle zmrużył oczy. – A Mario patrzy gliniarzowi prosto w twarz i jakby nigdy nic rzuca: „Bo jestem bogaty". Żałujcie, że nie widzieliście miny tamtego policjanta! – I wybuchnął śmiechem, zarażając nim całą resztę.

Teraz, kiedy już udało mu się zwabić Yasmin na skraj jacuzzi, zagroził jej, że ją do niego wepchnie.

Przyglądająca się temu Leila poczuła przypływ czułości.

– Wepchnij ją! – krzyknęła, a tamci dwoje poderwali na nią zdziwione spojrzenia.

Ośmielony błogosławieństwem żony, Will pchnął Yasmin, która niezdarnie wpadła do wody. Gdy parsknęła w szoku i zachwycie, Leila nie zdołała powstrzymać śmiechu. No, nareszcie. Yasmin znów zachowywała się jak jej młodsza siostra, którą tak dobrze znała.

Andrew także to dostrzegł.

– Myślę, że sobie poradzi – powiedział.

Leila uścisnęła jego dłoń.

– Ja też tak myślę.

Pochylił się i cmoknął ją w policzek.

– Dziękuję. Że się nią opiekujesz.

– Wchodzicie czy nie?! – wrzasnął Will.

Leila zerknęła na szwagra z uniesioną brwią. Andrew przewrócił dobrotliwie oczami. Podnieśli się równocześnie i ruszyli w stronę jacuzzi, on rozbierając się do bokserek, ona do biustonosza i fig.

Już po chwili, półleżąc w wodzie, we czwórkę pili wino. Yasmin przysunęła się bliżej siostry i złożyła jej głowę na ramieniu. Leili od razu zrobiło się lżej na sercu. Ostatnimi czasy w ich wzajemnej relacji było mniej takich fizycznych gestów. Yasmin zawsze dążyła do dotyku. Trącała rozmówcę dla emfazy, podpierała się o nieznajomego, żeby poprawić sobie but, ściskała Maksa tak mocno, że musiał się wić, aby się oswobodzić. Była ukierunkowana na innych ludzi, dlatego ostatnia oziębłość ich stosunków coraz bardziej przypominała przepaść. Lecz teraz, czując na swoim ramieniu głowę młodszej siostry, Leila znów czuła, że są jednością. W pewnym momencie Yasmin usiadła prosto i podsunęła Willowi kieliszek, by dolał jej wina.

– Maks przepadał za tym jacuzzi – powiedziała. – Pamiętacie? Ilekroć tu był, zrzucał z siebie ubranie i wskakiwał do wody. Uwielbiał to.

Leila poruszyła się nerwowo. Nie rozmawiali o Maksie od dnia, w którym zapadł werdykt.

Yasmin odsunęła z twarzy kosmyk włosów. Podświetlona od spodu, jej twarz nabrała upiornego sinego odcienia.

– Jest mi najbardziej smutno z tego powodu, że Toby i Maks nigdy się nie spotkali. Odegrali tak wielką rolę w naszym życiu, lecz każdy przeżył swoje, nie znając drugiego. – Andrew sięgnął do niej, lecz go odtrąciła. – Nie, nic mi nie jest. Ja tylko... Ja tylko chcę ich pamiętać, rozumiecie?

– Ja rozumiem – zapewnił ją Andrew. Oczy mu lśniły, choć nie było jasne, czy to łzy, czy tylko odbicie wody.

– Pamiętasz, jak Toby zawsze żuł sobie prawy policzek i Maks robił to samo? Czy coś takiego jest w ogóle dziedziczne? Jeśli tak, co jeszcze mieli wspólnego?

– Potrafili zasnąć dosłownie wszędzie – dodał Andrew. – Pamiętasz, jak omal nie nadepnąłem na Maksa śpiącego na dolnym stopniu schodów?

Leila się uśmiechnęła.

– Wymyślali przeróżne rzeczy. Gdy raz powiedziałam, że mam coś w oku, Toby zasugerował: „Może to kość dinozaura?".

Wszyscy się roześmieli. I oto, tak po prostu, dzięki wspólnym wspomnieniom pokonali ziemię niczyją i dotarli na znane terytorium, uświadamiając sobie przy tym, że obaj chłopcy mogą dalej żyć w ich pamięci.

Shep przysłuchiwał się cichemu pobrzękiwaniu kubków, które Karen, biurowa sprzątaczka, wkładała do zlewu. Mycie naczyń nie należało do jej obowiązków, ale już dawno przestał ją przepraszać za swoich kolegów. Smętnie zajrzał do własnego kubka. Kawa zdążyła wystygnąć, nie chciał jednak plątać się

Karen pod nogami, żeby zrobić sobie nową. Zawsze pracowali w pełnej wzajemnego szacunku ciszy. Nawet witali się milcząco: uniesieniem brwi i skinieniem głowy. Ona nie oceniała go, kiedy siedział przy biurku długo po tym, jak wszyscy rozeszli się do domów. Była to jedyna pora, o której pozwalał sobie na wyciągnięcie tych dokumentów z dolnej szuflady: grubego pliku kartek na siłę wepchniętych do szarej koperty. Wiedział, że powinien odpuścić. Od werdyktu minęło już sześć tygodni i wszyscy wrócili do dawnego życia, tylko on wciąż uparcie myślał o Leili Syed.

Pracując w policji, widział chyba wszystko, lecz fakt uwolnienia Leili szczerze go zdumiał. Przysięgli nienawidzili dzieciobójczyń, zwłaszcza takich jak ona: bystrych, ładnych i odnoszących sukcesy. Chwilami sam miał ochotę jej doradzić: nie możesz tak siedzieć ani tak się czesać, nie możesz być taka spokojna i nieprzenikniona, musisz się załamać, musisz się rozpłakać. Jednak jak się okazało, nic z tego nie miało znaczenia. Leilę i tak oczyszczono z zarzutów.

Shep dopił duszkiem zimną kawę i skrzywił się, czując, jak płyn ścieka mu do żołądka. Odchylił się na oparcie krzesła i spojrzał na leżącą przed nim kopertę. Powinien odłożyć ją do szuflady. Powinien zamknąć biuro i zabrać się stąd, ale było mu tu wygodnie, w cieple lampki, wśród szmerów w tle. Rozglądając się, zauważył kątem oka pocztówkę przedstawiającą samotnego psa pasterskiego. Dostał ją od dawno zapomnianej dziewczyny. Na odwrocie widniały banalne pozdrowienia, nie pamiętał już dokładnie jakie. Sięgnął ręką i odczepił pocztówkę od płyty pilśniowej. Białe niegdyś brzegi były zażółcone. Odwrócił ją i przeczytał: „Gdy się gubię, prowadzisz mnie do domu". Kiedy mu ją dała, przewrócił tylko oczami i burknął coś, do dzisiaj jednak pamiętał, że wywołała w nim uczucie ciepła. Kiedy brał dziewczynę w ramiona, naprawdę myślał, że tym razem mu się uda, że się pobiorą, będą mieli dzieci i że będzie odbierał swoje córki z lekcji gry na skrzypcach albo treningów piłki nożnej i prowadził je do domu. Czy czterdziestopięcioletni mężczyzna miał jeszcze szanse na rodzinę?

Przyglądał się, jak dochodzi, a potem mija ósma. Z westchnieniem zaczął wyjmować dokumenty z szarej koperty. Znowu przejrzał wszystkie zeznania, wszystkie zapiski, starając się znaleźć szyfr, który coś ujawni. Przeczytał ponownie raport toksykologa. Prometazyna. Był to jedyny lek, którego obecność znaleziono w organizmie Maksa, ale nie budził on podejrzeń: został przepisany chłopcu w ramach walki z katarem siennym. Shep skorzystał z wyszukiwarki internetowej, lecz szybko się zniechęcił przez medyczny żargon i złapał za słuchawkę, żeby zadzwonić do patologa, który przeprowadził autopsję Maksa.

– Bob przy telefonie – zgłosił się biegły sądowy. Głosem, w którym pobrzmiewało echo śmiechu, jakby został złapany w trakcie opowiadania dowcipu.

– Bob, tu sierżant Shepherd z policji. Wybacz, że dzwonię tak późno. Mam do ciebie pytanie, które nie powinno ci nastręczyć trudności.

Bob się roześmiał.

– Ósma wieczorem to dla nas świt, detektywie. W czym mogę pomóc?

– Właśnie przeglądam twój końcowy raport w sprawie Maksa Hanssona. Jak rozumiem, prometazyna ma działanie uspokajające. Czy to nie dziwne, że ojciec podał ją chłopcu rano, zanim wysłał go do żłobka?

– Nie. Jeśli dziecko ma zaostrzenie objawów rano, sensowne jest podanie leku właśnie wtedy.

Shep zadarł rękaw nad łokieć.

– Ale ten lek wywołuje senność.

– Owszem. Większość rodziców jednak, mając do wyboru wrzeszczące dziecko albo senne dziecko, wybierze to drugie.

Shep rozważył to w myślach.

– Ale mamy pewność, że żaden alergen, na który ten chłopiec był uczulony, nie mógł spowodować śmierci?

Po drugiej stronie zapadła na chwilę cisza.

– O co chodzi, Shep? Sądzisz, że coś przeoczyliśmy?

– Nie – odpowiedział zdecydowanie sierżant. – Nie, nie uważam, aby tak było. Ale jest w tej sprawie coś, co mnie męczy.

– Posłuchaj... – Bob zaczął cierpliwie tłumaczyć: – Na pewno nie zabiła go alergia. Ani prometazyna. Zabiło go siedzenie w nagrzanym samochodzie przez trzy godziny. – Zamilkł na moment. – Mogę ci coś poradzić? Idź do domu. Otwórz sobie piwo i zapomnij o tej sprawie.

Shep westchnął.

– Dobra. – Zaraz powtórzył z większym przekonaniem: – Tak zrobię. Dziękuję.

Pożegnał się, lecz zamiast zacząć się pakować, wstał, żeby zaparzyć sobie kawę i przygotować się na kolejny długi wieczór.

Robert Gardner przysiadł na biurku Leili i wziął do ręki jej przycisk do papieru, mosiężny posążek bogini Hestii, który Leila dostała od Willa w początkach ich znajomości. „Odpowiedni prezent dla architektki", powiedział wtedy.

– No więc! Za nami interesujące kilka miesięcy!

– O, tak – zgodziła się Leila.

– Ty i Will znów jesteście razem?

– Dlaczego pytasz?

– Bo Will to dupek i chcę wiedzieć.

Leila karcąco przekrzywiła głowę.

– Wprawdzie to nie twój interes, ale tak. W pewnym sensie jesteśmy znów razem. Wciąż dogrywamy szczegóły.

Robert jęknął.

– Czy to znaczy, że będę go musiał oglądać na imprezie z okazji zdobycia kontraktu w Mercers Bank?

– Właściwie nie jestem nawet pewna, czy sama przyjdę.

Wykrzywił twarz w teatralnym grymasie.

– Leila, zdobyliśmy największy kontrakt w historii naszej firmy, a ty nie jesteś pewna, czy chcesz to uczcić?

– Cóż, po moim przymusowym dobrowolnym urlopie nie mogłam wiedzieć, czy w ogóle będziesz chciał mnie widzieć na tej imprezie.

– Daj spokój, chyba nie chowasz urazy? – Robert odstawił posążek, po czym lekko go przesunął. – To była decyzja stricte biznesowa.

– Wiem. Po prostu... Nie jestem pewna, czy mam siłę stawić czoło wszystkim.

– A co? Przecież nie zrobiłaś nic złego...

Leila drgnęła.

– Zrobiłam coś złego, Robercie. Po prostu nie uznano mnie za winną.

– Wiesz, co miałem na myśli. – Pokręcił ręką w przegubie. – Nie jesteś przestępczynią. Ważne, abyśmy to zademonstrowali publicznie.

Westchnęła.

– Zatem... – przeciągnął ostatnią sylabę tonem perswazji – będę musiał oglądać twojego męża dupka?

Uśmiechnęła się.

– Nie. Chyba przyprowadzę siostrę. Dobrze nam zrobi wspólne wyjście.

– Świetnie, świetnie – ucieszył się Robert. – Niech wszyscy zobaczą, że panuje między wami zgoda. To nawet lepsze niż oświadczenie.

– Boże, ale z ciebie cynik. Nie dlatego chcę zaprosić Yasmin.

Postukał się po skrzydełku nosa, jakby obiecywał, że potrafi dochować tajemnicy.

– Wybywam na trochę. To do zobaczenia na imprezie w przyszły piątek.

Leila odprowadziła go wzrokiem. Odchyliła się na oparcie krzesła i przez chwilę pozwoliła sobie nie robić nic poza oddychaniem. Ostatnie sześć tygodni było bardzo pouczające, ale wszystko powoli wracało do normy. Przestała czuć na sobie spojrzenia wszystkich co rano, gdy przychodziła do pracy. Była w stanie iść ulicą bez towarzyszącego jej przekonania, że wszyscy wiedzą o jej winie. To, co spotkało Maksa, już zawsze będzie jej ciążyć na sumieniu, jednak teraz wiedziała, że nawet po czymś takim zdoła odnaleźć w sobie pokłady spokoju, a nawet szczęścia. Andrew i Yasmin z wolna dochodzili do siebie, ona i Will docierali się od nowa, a firma kwitła. Może z upływem czasu – i sesji terapeutycznych – wszyscy w końcu wyjdą na prostą.

Leila zdjęła żakiet i odwiesiła go na oparcie. Pora zabrać się do pracy. Przerwało jej pukanie do drzwi. Gdy podniosła głowę, zobaczyła w progu nieznajomą kobietę. Była ładna na nijaki sposób, nosiła artystowsko-abnegacką sukienkę, a na nogach miała martensy.

– Katie Borough. – Weszła bez zaproszenia. – Przepraszam, że tak bez zapowiedzi, ale nie odpowiada pani na moje maile, dlatego pomyślałam, że wyjaśnię wszystko osobiście.

– W czym mogę pani pomóc?

– Jestem redaktorką w „Visorze", gdzie pracujemy właśnie nad istotnym cyklem artykułów na temat macierzyństwa. Zastanawiałam się, czy nie byłaby pani zainteresowana napisaniem czegoś dla nas.

Leila wstała nieśpiesznie.

– Nie, dziękuję.

Kobieta wyciągnęła przed siebie obie ręce w obronnym geście.

– Proszę mnie wysłuchać. W zamierzeniu będzie to przedstawiony z wielką wrażliwością portret wszelakich aspektów macierzyństwa. A pani zna je od podszewki. Opiekowała się pani siostrą, cierpi pani na bezpłodność, rozważa pani adopcję, opiekuje się pani dziećmi innych... Mogłaby pani wiele wnieść do tego dyskursu.

Leila ją zignorowała.

– Suki! – krzyknęła, ale asystentki nie było przy biurku.

– Leilo – Katie bezceremonialnie przeszła z nią na ty – kobiety powinny wysłuchać twojej historii.

– Nie – rzuciła Leila ostro. – A teraz proszę opuścić mój gabinet.

Przyłożyła dłoń do pleców intruzki i pokierowała ją w stronę wyjścia.

– Gdyby kobiety mogły...

– Proszę nigdy więcej nie kontaktować się ze mną.

Zatrzasnęła drzwi przed nosem dziennikarki i zaczekała, aż usłyszy jej oddalające się kroki. Strzepnęła dłonie, aby pozbyć się z ciała napięcia. Nakazała sobie spokój i sięgnęła po szklaneczkę whisky, żeby ukoić nerwy. Zainteresowanie ludzi wprawiało ją w roztrzęsienie. Było jak luźna nitka, przez którą – gdy tylko ktoś za nią pociągnie – spruje się całe jej życie.

Piknęła jej komórka. Na wyświetlaczu widniała jedna nowa wiadomość.

Przepraszam, jeśli cię zaskoczyłam.
Porozmawiajmy, proszę. Katie.

Leila natychmiast zablokowała numer dziennikarki. Odkładając telefon na biurko, czuła się wyprowadzona z równowagi. Musiała się zająć porządkami. To najbardziej jej pomagało, kiedy była zdenerwowana.

Zebrała wszystkie leżące luzem dokumenty na jedną kupkę i zaczęła je metodycznie przeglądać. Następnie podeszła do szafy na akta. W międzyczasie wyskoczyła tylko do sekretariatu, aby zwrócić Suki zapodziany zapasowy klucz do swojego gabinetu. Przetarła klawiaturę i ekran, zanim zaczęła porządkować dokumenty na komputerze. Najpierw opróżniła kosz, potem przejrzała skrzynkę odbiorczą poczty elektronicznej, kasując wszystkie dotychczasowe maile. Później jęła przeglądać zakładki w wyszukiwarce. Wyrzucanie folderów okazało się wręcz oczyszczające. Pozbyła się tego zatytułowanego „CVAA", z linkami do różnych agencji adopcyjnych zrzeszonych w tym konsorcjum. Usunęła „CPS" – z dziesiątkami linków prowadzących do informacji na temat aresztowania i postawienia zarzutów. W końcu dotarła do „EB" (skrót pochodził od łacińskiej nazwy schorzenia Toby'ego), gdzie zgromadziła wszystkie dostępne informacje na temat epidermolizy pęcherzowej. Zapisała sobie adresy organizacji dobroczynnej, fundacji i rozmaitych stron medycznych z długimi listami objawów i metod leczenia. Kliknęła teraz prawym przyciskiem myszy i mając pełną świadomość ostateczności tego ruchu, wybrała „usuń".

„Może – pomyślała z nadzieją – zasoby pecha w naszej rodzinie nareszcie się wyczerpały i od tej pory czeka nas wszystko, co dobre".

Yasmin przypatrywała się mężowi, gdy przeglądał ich pocztę. Andrew nabrał zwyczaju otwierania listów, które były zaadresowane do niej. Po śmierci Maksa pozwoliła korespondencji się piętrzyć i Andrew – po uprzednim wierceniu jej dziury w brzuchu tygodniami – w końcu sam się tym zajął. Z jakiegoś powodu nie wyzbył się złego nawyku.

„Powinnam go poprosić, żeby przestał to robić", pomyślała.

W pewnym momencie Andrew zmarszczył brwi nad jednym z listów, potem zmiął go i wyrzucił do kosza.

– Co to było? – zapytała.

– Kolejna reklama – odparł, sięgając po następną kopertę.

Z bezmyślnego zajęcia wyrwało go dopiero pukanie do drzwi. Zostawił pocztę i wyszedł z kuchni.

Yasmin dopadła kosza i wydobyła kulkę papieru. Był to list od wydawcy, który oferował im umowę na książkę. Czy wydawnictwa nie płaciły ludziom grubych tysięcy za napisanie książki? Złożyła starannie kartkę. Andrew nie powinien podejmować takich decyzji sam. Wkładając list do kieszeni, usłyszała znajomy głos, który sprawił, że żołądek jej się ścisnął.

Przeszła do przedpokoju.

– Sierżant Shepherd? Czy coś się stało?

Uśmiechnął się do niej, ale na jego pobrużdżonej twarzy uśmiech przypominał raczej grymas.

– Nie, nic złego. – Z jakiegoś powodu wypowiedział te słowa tonem groźby. A może tylko ona je tak odebrała? – To rutynowa wizyta. Żeby sprawdzić, jak państwo sobie radzą.

– A, rozumiem. – Wskazała mu kuchnię. – Napije się pan herbaty?

– Bardzo chętnie. – Roztarł dłonie niczym kramarz w kiepskim filmie.

– Dwie łyżeczki cukru i mleko, dobrze pamiętam?

Skinął głową, wyraźnie będąc pod wrażeniem.

– Zgadza się. Ma pani świetną pamięć.

– Po prostu robienie herbaty to jeden z moich obowiązków służbowych – rzuciła sardonicznie.

– Aha. – Przez moment panowało niezręczne milczenie. – Czyli wróciła pani do pracy?

Yasmin zaprosiła go gestem do zajęcia miejsca przy stole, po czym sama usiadła.

– Tak, w ubiegłym tygodniu. Powoli się wdrażam.

– Rozumiem.

Zauważyła, że rozgląda się po kuchni.

– Zmieniliśmy nieco wystrój – wyjaśniła. – Chwilami było nam za ciężko.

Owinęła się szczelniej połami rozpinanego swetra, czekając, aż napar naciągnie.

– No tak – bąknął Shep, po czym podziękował za podaną mu herbatę.

W tej samej chwili dołączył do nich Andrew.

– Nie spodziewaliśmy się… jak pan to nazwał… rutynowej wizyty.

Yasmin odnotowała chłodny ton męża.

– Cóż, mogę tylko przeprosić za to najście bez zapowiedzi. Chciałem się upewnić, że nie mają państwo żadnych pytań.

Yasmin położyła ręce na blacie.

– Ja nie mam. – Zerknęła na Andrew. – A ty?

– Nie – odparł krótko.

Spostrzegła, że jej mąż badawczo przygląda się detektywowi.

– Tak bardzo mi przykro z powodu tego, co państwa spotkało. W pracy często mam do czynienia z rodzicami, ale nie ma chyba nic straszniejszego od straty małego dziecka. – Shep urwał i upił łyk herbaty, ale w jego ruchach była jakaś sztuczność. – Maks miał trzy latka, prawda?

Uśmiechnął się ciepło, jakby właśnie wydobył ten fakt z odmętów pamięci.

– Tak – potwierdziła Yasmin.

– To trudny wiek. – Ponownie napił się herbaty. – Zauważyli to państwo? Zmianę w zachowaniu Maksa?

Yasmin zmarszczyła czoło.

– Nie, nie wydaje mi się.

– Przyszło mi to do głowy, bo państwa opiekunka napomknęła, że w miesiącach poprzedzających zgon zrobił się marudny.

Yasmin machnęła lekceważąco ręką.

– Czasami dawał się we znaki nocami. – Popatrzyła na męża. – To dlatego ty przejąłeś ode mnie nocną zmianę, pamiętasz?

Andrew nadal wpatrywał się bacznie w policjanta.

– Pan nie ma dzieci, sierżancie, prawda?

Shep podrapał się po zarośniętej brodzie.

– Niestety nie.

– Och, bo w pierwszej chwili pomyślałem, że mówi pan z doświadczenia, twierdząc, że trzy lata to trudny wiek.

Pod stołem Yasmin położyła mu dłoń na kolanie. Nie miała pojęcia, dlaczego Andrew jest taki niemiły.

– Nie, po prostu tak słyszałem – odparł niezrażony Shep. A potem, pochyliwszy się nad blatem, dodał: – Zatem to pan przejął nocną zmianę. Jak pan myśli, dlaczego Maks stał się marudny? Może przez alergię?

Mężczyźni wpatrywali się w siebie przez pewien czas.

– Jeśli mam być szczery, sierżancie, próbujemy dalej żyć, w czym raczej nie pomoże nam wracanie do śmierci naszego syna, zwłaszcza gdy zostaliśmy zaskoczeni w sobotni ranek.

Yasmin się zdumiała. Jej mąż był zwykle bardzo grzeczny wobec ludzi.

– Przepraszam, nie chciałem państwa niepokoić.

– Nie niepokoi pan nas, ale... – Andrew odchrząknął. – Wspominanie naszego syna bywa dla nas trudne, szczególnie wtedy, gdy nie mieliśmy okazji nastawić się na to psychicznie. – Zapadło niezręczne milczenie, które Andrew przerwał, wstając i klepiąc się po kieszeniach. – Jak już pan skończy herbatę, sierżancie... Żona i ja zamierzaliśmy wyjść.

Yasmin uśmiechnęła się uprzejmie w obliczu tego kłamstwa.

– Dziękujemy za wizytę – powiedziała.

Shep dopił herbatę.

– Dziękuję za poświęcony czas. I jeszcze raz przepraszam, jeśli zakłóciłem państwu spokój.

Podążył za gospodarzem do wyjścia, lecz przystanął jeszcze w progu.

Yasmin słyszała, że rozmawiają, nie potrafiła jednak rozróżnić poszczególnych słów. Gdy wyszła do przedpokoju, Shep zamilkł. Uniósł dłoń na pożegnanie, obrócił się i zniknął za furtką.

Andrew oparł się głową o zamknięte drzwi i zacisnął powieki na chwilę, nie mając pojęcia, że Yasmin to widzi.

– Dobrze się czujesz? – zapytała.

Otworzył oczy.

– Tak, nic mi nie jest. – Twarz miał wyraźnie spiętą. – Ja tylko... Nie powinni w ten sposób nachodzić ludzi.

– Ale dlaczego byłeś dla niego taki niegrzeczny?

– Niegrzeczny? – zapytał z nieobecną miną.

– Czy dzieje się coś, o czym nie wiem?

– Nie.

– W takim razie co to jest? – Wyjęła z kieszeni list z wydawnictwa.

W mgnieniu oka rozpoznał kremowy papier.

– Dlaczego pytasz?

– Oferują nam umowę na książkę. Nie powinniśmy tego chociaż przedyskutować?

Wgapił się w nią.

– Chyba nie mówisz tego poważnie...

– Niby czemu? Mnóstwo ludzi pisze książki.

– Naprawdę chciałabyś napisać o... o tym wszystkim?

– Nie, ale... – Wzruszyła jednym ramieniem. – Rodzice Maddie napisali książkę.

Wyglądał, jakby mu dała w twarz.

– Chcesz być taka jak oni? – Pokonał dzielący ich dystans. – Kochanie, powinniśmy zostawić to za sobą. Dlaczego, na Boga, mielibyśmy pisać o tym książkę? Patrzmy w przyszłość. Możemy zacząć podróżować. Pojedziemy koleją transsyberyjską, o czym zawsze marzyliśmy, będziemy jadać w najlepszych restauracjach z gwiazdkami Michelina, oglądać wyścigi samochodowe w Monako. Nie wolno nam wracać do przeszłości. – Objął Yasmin. – Dobrze?

Wtuliła się w jego pierś.

– Dobrze – odparła, zastanawiając się, dlaczego jego serce wali jak młot.

Leila ogarnęła wzrokiem widok z okna gabinetu: zakole Tamizy za lśniącymi wieżowcami. Mimo że pochwalała kulturę pracy zachowującą równowagę pomiędzy życiem prywatnym i obowiązkami służbowymi, uwielbiała być w biurze w soboty, gdy Londyn zapadał w weekendową drzemkę po szalonym tygodniu. Ubrała się z tej okazji zwyczajnie, w dżinsy i sweter, i miała bose stopy – palcami jednej masowała podbicie drugiej w próbie pozbycia się tępego bólu.

Przyglądała się spacerującym w dole ludziom, których krok był znacznie wolniejszy niż w dzień powszedni. Nikt nie tłoczył się w kawiarniach, desperacko spragniony pierwszej kawy tego dnia. Rozkoszując się spokojem, nagle zauważyła coś kątem oka. Jakaś postać biegła spanikowana – zapewne pracownik z wiszącym nad głową terminem. Gdy jednak skupiła wzrok na poruszającej się szybko sylwetce, uświadomiła sobie, że skądś ją zna. Zmrużyła oczy i niemal natychmiast poczuła w środku chłód. Już wiedziała kto to. Obserwowała, jak mężczyzna przebiega przez jezdnię, nawet się nie rozejrzawszy na boki, po czym wpada do jej budynku. Moment później rozdzwonił się telefon na jej biurku. Terry z recepcji zapowiedziała gościa.

– Przyślij go na górę – rzuciła Leila.

Włożyła z powrotem czółenka i zaczęła się przechadzać tam i z powrotem po gabinecie. Co on tutaj robił? Jakikolwiek był powód jego wizyty, nie mogło to być nic dobrego. Spostrzegła, że wysiada z windy po przeciwnej stronie piętra. Zbyt niecierpliwa, by czekać, wyszła mu naprzeciw.

– Co ty tutaj robisz? – syknęła.

– Wiedzą... – wysapał w panice.

Leila zesztywniała.

– Andrew, oddychaj głęboko. – Popchnęła go w stronę gabinetu.

Pomaszerował prosto do okna i obrzucił spojrzeniem horyzont, wypatrując nieznanych zagrożeń. Długi płócienny płaszcz nadawał mu wygląd nękanego kłopotami rybaka.

– Wiedzą, Leila. On wie.

– Kto?

– Ten sierżant Shepherd. Był u nas rano.

Kwas żołądkowy podniósł się Leili do ust.

– Siadaj – poleciła.

Andrew przejechał dłonią po twarzy i głosem ocierającym się o histerię zawołał:

– O Boże! Jak się dowiedział?

– Do kurwy nędzy, Andrew! Uspokój się! – Wskazując krzesło, powtórzyła: – Siadaj! – Zająwszy miejsce obok niego, chwyciła jego dłonie. Wystarczająco mocno, aby zwrócił na nią uwagę. – Opowiedz wszystko po kolei.

Andrew zaczerpnął drżący oddech i wyrwał się z uścisku jej rąk. Odtworzył poranną rozmowę, podskakując na każdy najlżejszy nawet dźwięk: stuknięcie pszczoły o szybę okienną, chrobot silnika biurowej lodówki. Kończąc, zachłysnął się powietrzem, jakby przed chwilą wydobył się z głębiny.

Leila wpatrywała się w niego.

– I to wszystko?

– Co chcesz przez to powiedzieć? Wypytywał o Maksa, o to, dlaczego był ostatnio marudny, czemu nie mógł spać, czy naprawdę miał alergię. On wie, Leila. On wie, że Maks miał tę samą chorobę co Toby.

– Andrew, przede wszystkim musisz się uspokoić.

– Co będzie, jeśli wie też, że to zaplanowaliśmy? – Przycisnął dłoń do skroni, jakby chciał powstrzymać żyłkę przed pęknięciem.

– Nie może tego wiedzieć.

– Ona by tego nie przeżyła, nie drugi raz. – Pobladł z udręki. – Wystarczył jeden. Godziny owijania bandażami, łzy, wrzaski. Toby krzyczał: „Nienawidzę cię, mamo! Nienawidzę cię!". Yasmin wszystko to przyjmowała, przyjmowała bez końca. Przechodzenie tego samego drugi raz z Maksem zabiłoby ją. Zabiłoby nas oboje.

– Wiem – koiła Leila. – Wiem. – Nachyliwszy się w przód, dodała: – Słuchaj, nie jesteś niczemu winny. Nic nie zrobiłeś.

– Ale to był mój pomysł.

– Ale to ja go zrealizowałam. Ja go zostawiłam.

Andrew potrząsnął wyzywająco głową.

– Ale to ja mu podałem ten lek. Uśpiłem go.

Leila poczuła, że zaczyna jej brakować cierpliwości.

– A ja, kurwa, zostawiłam go w samochodzie! Chłopca, którego kochałam ponad wszystko! – Jej głos nabrał dziwnych, szorstkich nut. – Rzuciłam mu ostatnie spojrzenie i odeszłam, kurwa! Zamknęłam drzwi i odeszłam, słyszysz? Nie masz nawet pojęcia, jakie to było trudne, więc nie maż mi się teraz tutaj!

Patrzył na nią szeroko otwartymi oczami, z których wyzierała uraza.

– Sądziłem, że już jest po wszystkim.

Zaśmiała się okrutnie, nienawidząc go za to, o co ją poprosił.

– Myślisz, że kiedykolwiek będzie po wszystkim, Andrew? Myślisz, że kiedykolwiek uda nam się od tego uciec? Zabiliśmy dziecko.

– Ze współczucia! – krzyknął. – I z miłości!

– I co z tego? Współczucie i miłość… – prychnęła. – Jakie to ma, kurwa, znaczenie?

Nagle uświadomiła sobie, jak potężny gniew ją przepełnia. Przez tyle miesięcy pozwalała mu zaledwie bulgotać, nigdy nie dopuszczając do jego wrzenia, nigdy nie tracąc nad nim kontroli.

– Nic nie zmienia tego, co zrobiliśmy – powiedziała mściwie.

– Oczywiście, że zmienia! – Andrew mrugał wściekle, próbując powstrzymać płynące z oczu łzy. – Pamiętasz, jak wyglądały rączki Toby'ego? Pamiętasz jego krzyki, kiedy rozdzielaliśmy mu paluszki, żeby się nie stopiły? Pamiętasz, przez co on przechodził? Nie mogłem pozwolić na to, by Maksa spotkało to samo. Mój synek odszedł spokojnie.

Obudziły się w niej wyrzuty sumienia. Łatwo jej było winić szwagra jako siłę sprawczą tego, co się stało, w głębi ducha jednak znała prawdę. A prawda była taka, że ta sama choroba u drugiego dziecka zabiłaby Yasmin.

– Co zrobimy? – Andrew wyglądał na zagubionego, ona zresztą też tak się czuła. Jakby jedyna podpora, solidny most pod nimi rozwarł się nagle pod ich stopami.

– Nie powinno cię tu być – powiedziała. – Co będzie, jeśli ktoś cię zobaczył? Trafiłeś na nagrania z kamer przemysłowych.

– Musiałem z tobą porozmawiać. Nie odbierasz telefonu.

Leila usiłowała nad sobą zapanować i nie nawrzeszczeć na niego.

– Nie przejmuj się tym detektywem. Zostałam oczyszczona z zarzutów, a ty i Yasmin wróciliście do swojego życia. – Uciszyła gestem Andrew, który chciał coś wtrącić. – Może faktycznie była to tylko rutynowa wizyta?

– A jeśli nie?

– Jeśli nie, wezmę winę na siebie.

Andrew zacisnął dłonie.

– Nie mogę na to pozwolić.

– Och, przecież już pozwoliłeś.

Wzdrygnął się, ugodzony przez jej słowa.

– To nie fair. Dobrze wiesz, że chciałem wszystko przeprowadzić sam.

Leila opadła plecami na oparcie.

– Wybacz – rzuciła, nie zmieniając tonu. Podniosła się i nalała obojgu whisky. – Obiecaliśmy sobie nie rozmawiać o tym więcej, a ty co? Wpadasz do mojego biura w sobotni ranek jak jakiś paranoik.

– Ty obiecałaś sobie nigdy o tym nie rozmawiać. Ja niczego takiego nie obiecywałem.

Uczyniła w jego stronę gest ręką, w której trzymała szklankę.

– Czego ty właściwie chcesz, Andrew, co? Przejść przez to jeszcze raz? Chcesz, żebyśmy przekonywali się nawzajem, że nie jesteśmy złymi ludźmi? Że nasz uczynek był szlachetny? – Zaśmiała się szyderczo. – Wybacz – powtórzyła – ale ja nie dam rady.

Andrew uderzył w błagalne tony:

– Jesteś jedyną osobą, z którą mogę o tym rozmawiać.

– A czy zostało coś do powiedzenia? – Powiodła po nim spojrzeniem pełnym niesmaku.

– Nie jesteś świadoma całości okropieństwa, Leila. Wiem, że tak myślisz, ale to nieprawda. – Andrew zacisnął wargi, przez co na jego twarzy pojawiły się brzydkie bruzdy. – Tuż po trzecich urodzinach Toby'ego było Halloween. Toby wyszedł z domu przebrany za mumię, cały w bandażach. W trakcie wieczoru krew z jego ran zaczęła się przesączać przez gazę i ci, którzy nie wiedzieli, na co on choruje, zachwycali się, jak realistycznie wyglądają czerwone plamy, a my... my musieliśmy się uśmiechać, bo nie wolno nam było się załamać. – Głos mu drżał. – Maks umarł spokojnie. Otulony swoim ulubionym kocykiem, z pluszowym pingwinkiem obok. W poczuciu bezpieczeństwa i miłości. My mu to daliśmy, Leila. Ty mu to dałaś. Nie mogę o tym nie rozmawiać, ponieważ było to najodważniejszą, najbardziej altruistyczną rzeczą, jaką ktokolwiek uczynił dla mojej rodziny.

Przytłoczona świadomością tego, co zrobili, Leila zwiesiła ramiona. Zrządzeniem losu zauważyli to równocześnie: rankę wielkości paznokcia kciuka na prawym barku Maksa, gdy rozebrał się do kąpieli w jej jacuzzi. Yasmin akurat doprawiała sałatkę ziemniaczaną, od czasu do czasu biorąc łyk białego wina, które tak lubiła. Siedząca pod parasolem Leila spostrzegła, że Andrew patrzy na to samo co ona. Skrzyżowali spojrzenia, wiedząc, co myśli to drugie. Tyle że było to niemożliwe. Maks został przebadany dwukrotnie i za każdym razem wynik był negatywny.

Andrew podbiegł do syna i pod pretekstem poczęstowania go lodami zwabił chłopca do domu. Leila stanęła obok Yasmin, zdeterminowana, by zająć czymś uwagę siostry. To musiała być wysypka. Oczywiście, że to była tylko wysypka.

– Co teraz oglądacie na Netfliksie? – zapytała o pierwszą bzdurną rzecz, jaka jej przyszła do głowy.

Yasmin przez dziesięć minut opowiadała jej o jakimś nowym serialu z Anną Kendrick. Leila nigdy nie lubiła tych mrocznych filmów o mordercach kotów czy porwanych nastolatkach. Słuchała siostry jednym uchem, przez cały czas modląc się w domu. „Proszę, Boże, niech to będzie wysypka. Niech to będzie zwykła wysypka". Miała wrażenie, że wieki trwało, zanim znów wyszli na zewnątrz – Andrew z Maksem przerzuconym przez ramię. Szwagier puścił do niej oko, a pod nią z ulgi aż ugięły się kolana.

Niemal równo miesiąc później Andrew zapukał nerwowo do jej drzwi.

– Co się stało? – zapytała ostro, czując wzbierający w niej strach.

Usiadł na dolnym stopniu, jakby stracił władzę w nogach. Leila przyglądała mu się z rosnącym niepokojem.

– Coś z Yasmin?

Podniósł na nią załamany wzrok.

– Nie. Chodzi o Maksa.

Serce jej załomotało.

– Tak...? – Wiedziała, że jeśli Maks miał wypadek, jej siostra tego nie przeżyje.

– On ją ma, Leila. Tę samą chorobę co Toby.

Nagle coś stało się z przestrzenią, jakby utraciła normalne kąty i wymiary.

– Nie – zaprzeczyła głucho Leila.

– Tak. – Andrew wyrzucał z siebie słowa szybko, jakby chciał uciec przed własnym przerażeniem. – Od pewnego czasu robią mu się na ciele ranki w nocy. Staram się to ukrywać przed Yasmin. Kąpię go sam i przewijam rano, żeby nic nie zauważyła, ale to tylko kwestia czasu.

Leili wydało się, że ściany wokół niej się kołyszą.

– Nie. Przebadaliście go. Wyniki były negatywne. To nie może być to samo, co miał Toby. Byłoby widać zaraz po porodzie – wymyślała coraz to nowe argumenty.

Andrew zacisnął pięści, jakby złapał się liny ratunkowej.

– Nie wiedzą jeszcze wszystkiego o tej chorobie. Jest podstępna, niezwykle podstępna.

Leila rozważyła dostępne opcje.

– Co mówi lekarz?

– Nie byłem z nim u lekarza.

– W taki razie skąd wiesz na pewno? – wykrzyknęła.

– Po prostu wiem! – Także podniósł głos. – Byłem z Tobym przez trzy lata. Wiem, jak wygląda epidermoliza pęcherzowa. Ma nawet swój zapach i... Maks nią pachnie.

– Andrew, musisz go poddać badaniom.

– I co potem?

– Potem... – Dotarło do niej, co potem. Lata cierpienia.

Andrew spojrzał na nią świdrującym wzrokiem, starając się ubrać w słowa to, co chciał powiedzieć.

– Nie wiesz o wszystkim, Leila. Widziałaś tylko bandaże, słyszałaś krzyki, ale nie było cię z nami, gdy trzymaliśmy naszego nowo narodzonego syna i jego skóra zostawała nam na dłoniach ani kiedy lekarz postawił diagnozę i zabronił nam czytać o tej chorobie w internecie, ponieważ jest taka straszna. – Wykonał bezradny gest. – W niektóre dni Toby budził się ślepy. To go przerażało. Kiedy jego gardło zaczęło się sklejać, powiedziano nam, że trzeba będzie umieścić wewnątrz pieprzony balon. Gdyby nawet przetrwał to wszystko, istniało spore ryzyko, że rozwinie się u niego nowotwór skóry. Nasze życie było nieustającym koszmarem. Radziliśmy sobie chyba tylko dlatego, że musieliśmy toczyć ciągłą walkę z chorobą. Nie mieliśmy czasu na myślenie. – Popatrzył na nią tak, jakby błagał o litość. – Żadne z nas nie da rady przejść przez to drugi raz.

– Jaki mamy wybór? Nie zdołasz ukrywać tego przed Yasmin.

Milczał przez chwilę.

– Jest pewna klinika w Holandii...

– Jaka klinika? – Głos zaczął jej niebezpiecznie drżeć.

– Poddano tam eutanazji dwoje niemowląt cierpiących na epidermolizę.

Zamrugała tępo, ogarnięta swego rodzaju paraliżem. Potem jej mózg znowu ożył i uświadomiła sobie implikacje słów szwagra. Odskoczyła od niego, wydając z głębi gardła charkot. Otworzyła usta, aby zacząć krzyczeć na Andrew, lecz jakaś zimna, trzeźwa siła ją przed tym powstrzymała.

– Chcesz... – Nie była w stanie dokończyć zdania.

Pokręcił głową.

– Sprawdziłem. Nie przyjmują pacjentów innego obywatelstwa.

Leila odetchnęła.

– Ale jest inny sposób.

Wpatrzyła się w niego.

– Jaki?

– Czytałem artykuł o mężczyźnie z Florydy, który niechcący zostawił swoje dziecko w samochodzie.

Leila poczuła chłód w piersi.

– Andrew, co ty próbujesz powiedzieć? Nie wierzę, że w ogóle myślisz o czymś takim.

– Opracowałem już plan.

Leila ukucnęła przy nim gwałtownie.

– Andrew, musisz iść z nim do lekarza. Musisz przebadać Maksa i zacząć go leczyć. Terapie z roku na rok są coraz skuteczniejsze.

– Przecież wiesz, że epidermoliza jest nieuleczalna.

– Może ostatnio odkryli coś nowego.

– Potrafią ratować życie pacjentów, tak, ale nie umieją poprawić jego jakości.

– Nie możesz tego wiedzieć.

– To za mało, Leila! – warknął. – Nie chodzi mi o mnie. Ja mógłbym to robić. Mógłbym to robić tygodniami i latami, ale Yasmin… Yasmin nie może znów przez to przechodzić. Nie z Maksem. Toby… Toby się taki urodził, nie znał innego życia, po prostu taki był. Ale dla Maksa byłaby to degradacja. A dla Yasmin oznaczałoby to koniec.

Leila klapnęła na podłogę, nagle potrzebując jakiegoś oparcia.

– Andrew… to, co proponujesz… to morderstwo.

– Z empatii.

Wbiła paznokcie we wnętrze dłoni, aż powstały głębokie białe ślady.

– Przestań, przestań natychmiast – poprosiła.

Jego twarz przybrała dziwny wyraz.

– Wiesz, to takie dziwaczne. Podchodzimy do ludzkiego życia zbyt czułostkowo. Ograniczamy populację jeleni, gdy za bardzo się rozmnożą, ale nie mieści nam się w głowie, że można kogoś zabić w akcie współczucia. Czepiamy się idei świętości ludzkiego życia tak kurczowo, że zapominamy o humanitaryzmie. O humanitarności. Gdyby to zwierzę cierpiało, tak jak cierpiał Toby… jak będzie cierpiał Maks… niezwłocznie skrócilibyśmy jego męki. Człowiek nie ma na to szans.

– Andrew, zastanów się, co ty wygadujesz.

– Już to zrobiłem, Leila. Zastanowiłem się.

– Od jak dawna o tym myślisz?

Grdyka mu skoczyła.

– Od dwóch tygodni.

– Rozważasz zabicie swojego syna od dwóch tygodni?

Andrew zacisnął szczęki.

– Nie mów tak!

– Ale to prawda! – Głos jej zadrżał. – Andrew, to jakieś szaleństwo…

– Mam wszystko przemyślane.

– Dość tego. Zabierzemy Maksa do lekarza, poddamy go badaniom, zastanowimy się, co dalej.

– Coś takiego oznaczałoby dla Yasmin śmierć. Wiesz o tym.

Z pamięci Leili wypłynęło wspomnienie: bieg szpitalnym korytarzem w poszukiwaniu sali, na której leży Yasmin; jej sine wargi.

Co będzie, jeśli tym razem nie zdołamy jej uratować?

Na głos powiedziała:

– Andrew... Jeśli masz takie myśli, jeśli naprawdę bierzesz to pod uwagę, powinieneś moim zdaniem pójść do specjalisty. – Wyciągnęła do niego rękę. – Uważam, że powinieneś...

Odtrącił jej dłoń i obnażył zęby w nagłym grymasie.

– Nie, Leila! Żaden specjalista mi nie pomoże. Żaden lekarz nie pomoże Maksowi. Nie pozwolę, żeby moja rodzina ponownie się rozpadła. Nie mogę na to pozwolić. Zrobię to, a ty, jeśli chcesz, zadzwoń na policję i donieś na mnie. – Wycelował palcem w drzwi. – Te rany są jak oparzenia trzeciego stopnia, Leila. Pojawiają się na jego ciele każdego dnia... – Głos mu się załamał. – Jak miałby żyć w ten sposób?

Leili stanęło przed oczami jeszcze wcześniejsze wspomnienie. Yasmin na podłodze w kuchni, Toby płaczący na piętrze. „Czasami chciałabym, żeby umarł". Poczuła uderzenie adrenaliny.

– Andrew, czy ty tak na poważnie?

– Nie widzę innego rozwiązania – odparł szeptem.

– To nie skończy się dobrze dla ciebie.

Zacisnął dłonie.

– Dużo o tym czytałem. Takie przypadki zdarzają się najczęściej, gdy dochodzi do złamania rutyny. Ojciec zamiast matki odwozi dziecko do żłobka albo rodzic obiera inną trasę niż zwykle. Rzadko stawia się takie osoby przed sądem.

– Nie zdołałbyś tego zrobić, Andrew. Może ci się tak wydawać, ale nie zdołałbyś zostawić Maksa, gdyby przyszło co do czego.

– Mógłbym mu coś podać. Prometazyna wprawiłaby go w niemal śpiączkę, a łatwo na nią dostać receptę, jeśli powiem, że Maks ma alergię.

– Yasmin cię znienawidzi.

– Przebaczy mi. Koniec końców mi przebaczy.

– Nie – oznajmiła Leila i znieruchomiała, gdy w jej umyśle znienacka pojawił się pomysł, który zaczął się rozlewać niczym plama atramentu. Utkwiła ponownie spojrzenie w szwagrze. – To nie możesz być ty.

I tak to się zaczęło.

ROZDZIAŁ 17

Łóżko Leili było zasłane kieckami, wśród których znalazła się burgundowa sukienka od Alexandra McQueena z obcisłą górą bez ramiączek, długa do ziemi biała suknia o asymetrycznym dekolcie, a także kupiona w chwili słabości sukienczyna z czerwonej tafty. Yasmin zdecydowała się na kanarkowo żółtą, opiętą, sięgającą ledwie do pół uda i teraz sprawdzała, jak się prezentuje.

– Bardzo mi się podoba – powiedziała, promieniejąc.

Leila uśmiechnęła się do niej szeroko.

– Wyglądasz w niej zjawiskowo.

Skrzyżowały spojrzenia w lustrze.

– Dziękuję, że mnie zaprosiłaś. – Yasmin poprawiła kosmyk włosów. – Wiem, że ostatnio oddaliłyśmy się od siebie, ale znów będzie jak dawniej, zobaczysz, Leila. Obiecuję ci to. – Wbiła oczy w ziemię, po czym znów podniosła wzrok. – Chyba wiesz, że ci przebaczyłam?

Uśmiech Leili stał się jeszcze szerszy, choć przyszło jej to z trudem.

– Wiem.

Wspaniałomyślność jej siostry niewiele znaczyła, skoro Yasmin nie znała prawdy. Można komuś przebaczyć, że doszło do wypadku, można winić okrutny los, można zakładać, że wszystko ma swój wyższy cel. Leila nie miała szans na rozgrzeszenie, ponieważ wraz ze szwagrem uzgodniła, że zabiorą tajemnicę ze sobą do grobu.

Yasmin wygładziła na sobie sukienkę i wzięła głęboki oddech dla uspokojenia nerwów.

– W porządku, jestem gotowa.

Podszedłszy do szafy, Leila wyjęła beżową torebkę od Celine.

– Weź tę. Będzie pasować do sukienki.

Czasami kupując coś dizajnerskiego, Leila wybierała dwie sztuki, tyle że w różnych kolorach, i jedną pożyczała przy okazji siostrze, by potem machnąć ręką przy próbie zwrotu: „Och, zatrzymaj sobie. Mam drugą, identyczną". W ten sposób mogła zapewnić Yasmin luksusowe rzeczy, nie nadwerężając jej dumy.

Yasmin złapała torebkę i z zachwytem przyłożyła ją do sukienki. Gdy moment później Leila dołączyła do niej naprzeciw lustra, kiwnęła głową z aprobatą na widok ich odbić. Jej własna kreacja, turkusowa, zwężana w pasie, dodatkowo uwydatniała biust.

– Ty też wyglądasz oszałamiająco – powiedziała Yasmin.

– Dziękuję. – Leila pocałowała siostrę we włosy, żeby nie zrujnować jej makijażu. – Wszystko będzie dobrze, mała.

Yasmin skinęła głową, a jej oczy aż się roziskrzyły.

– Wiem.

Uścisnęła dłoń Leili, po czym jedna za drugą skierowały się do wyjścia.

Shep zadzwonił do drzwi, mając nadzieję, że po raz ostatni odwiedza tę rodzinę.

Otworzył mu Andrew. Widząc, kto przyszedł, bezwiednie zrobił nietęgą minę, choć trzeba przyznać, że dzielnie próbował to zatuszować.

– Sierżancie – rzucił zamiast powitania – widzę, że ciągnie pana do nas.

Shep wytarł buty o wycieraczkę.

– Mogę wejść?

Jeden z mięśni na twarzy Andrew drgnął.

– Tak, oczywiście.

Shep udał się za gospodarzem do kuchni, lecz zamiast usiąść przy stole, oparł się o zlew.

– Zastałem pańską żonę?

– Nie, Yasmin jest na... – Andrew urwał. – Wyszła z siostrą.

Policjantowi ulżyło. Będzie miał mniejsze wyrzuty sumienia, jeśli przeprowadzi tę rozmowę sam na sam z ojcem Maksa.

– A zatem? Czemu zawdzięczam tę przyjemność? – zapytał sardonicznie Andrew.

– Jestem panu winien przeprosiny. – Policjant dotknął mostka, jakby mówił mea culpa. – Będę z panem szczery. Przy okazji ostatniej wizyty zapytałem o alergię Maksa, bo nie mogłem znaleźć żadnego dowodu na to, że chłopiec faktycznie był alergikiem. – Zmienił lekko pozycję. – Zastanawiałem się, czy przypadkiem nie faszeruje go pan środkami uspokajającymi w szczególnie ciężkie noce.

Andrew utkwił w detektywie martwe spojrzenie.

– Posądzał mnie pan o narkotyzowanie własnego dziecka?

– Zdziwiłby się pan, wiedząc, czego naoglądałem się w tej pracy – rzucił Shep. – Szybko jednak zaskoczyłem. – Pokazał na ogród. – Przypomniałem sobie, że wasz trawnik był gotowy w czerwcu, czyli dokładnie wtedy, gdy Maks zaczął mieć objawy uczulenia. – Skinął głową w stronę szafki nad zlewem. – Czy mogę? – Nie czekając na pozwolenie, otworzył szafkę i wyjął z niej dużą zieloną butelkę. – Domyślam się, że w czerwcu użył pan też po raz pierwszy pestycydu?

– Tak.

Shep przeczytał etykietę.

– Olejek z modli indyjskiej jest alergenem. Poukładałem to sobie w głowie i zrozumiałem, że byłem dla pana niesprawiedliwy.

Andrew zamrugał.

– Cóż, mam nadzieję, że w końcu jest pan zadowolony, sierżancie.

– Owszem. Raz jeszcze przepraszam. Coś mi cały czas nie pasowało, ale zdarza się, że intuicja zawodzi najlepszego detektywa.

– Tak, cóż... – Andrew popatrzył na niego wyczekująco. – Dziękuję za wizytę.

Jasne było, że chciałby jak najszybciej pożegnać policjanta. Shep zastanowił się, czy w innym życiu mogliby zostać kumplami. Spędzaliby wspólnie wieczory, z żonami albo bez. Wyskakiwaliby na drinka, dzięki czemu nie musiałby wracać prosto z pracy do pustego mieszkania. Udając, że nie złapał aluzji, zwlekał z wyjściem.

– Czyli Leila i Yasmin bawią się razem na mieście, tak? – zapytał.

– Coś w tym stylu – odparł Andrew, myśląc o czymś zupełnie innym.

Shep milczał, zastanawiając się, czy Andrew chce go o coś zapytać. W końcu sam się odezwał:

– Proszę się ze mną skontaktować w razie potrzeby. Ma pan moją wizytówkę. – Poklepał się po kieszeniach. – Naprawdę bardzo mi przykro z powodu tego, co państwa spotkało.

– Dziękuję – powiedział Andrew, nie podnosząc się ze swojego miejsca.

– Wyjdę sam.

Shep zostawił Hanssona w pustym domu i ruszył do siebie.

Leila się cieszyła, że wynajęli lokal w centrum Londynu, z dala od biura. Stąd mogli podziwiać Tamizę wijącą się aż po horyzont. Światła miasta ciągnęły się jak okiem sięgnąć i Leila – po raz pierwszy od miesięcy – poczuła nową nadzieję. Ująwszy siostrę pod łokieć, przedstawiła ją wszystkim współpracownikom. W pewnym momencie skierowała się ku Joshowi, pewnemu siebie Kanadyjczykowi, który jak się domyślała, przypadnie Yasmin do gustu. Przyjęcia takie jak te bywały sztywne, przynajmniej z początku, a ona chciała, aby jej siostra dobrze się bawiła. Zostawiła oboje w swoim towarzystwie i udała się po kolejnego drinka.

Podszedł do niej Robert Gardner.

– No, no. Urocza z niej dziewczyna – powiedział. – Teraz już rozumiem, czemu ją przed nami ukrywałaś przez te wszystkie lata.

Leila się uśmiechnęła.

– Nie ukrywałam jej. Regularnie zaglądała do biura. Może gdybyś sam częściej w nim bywał, tobyś o tym wiedział.

Robert wybuchnął śmiechem.

– Hm, może zacznę bywać w biurze, jeśli ona nadal będzie do nas wpadać. – Upił łyk szampana, po czym wziął Leilę na bok. – Nie chcę dzisiaj rozmawiać o interesach, ale wiem od Eliego z Mercers Bank, że spróbuje umówić spotkanie z kimś z Coutts and Co. – Uniósł kieliszek. – Mówię ci, ten rok będzie dla nas przełomowy.

Wypili za to. Ponad ramieniem Roberta dostrzegła, że Yasmin śmieje się z czegoś, co powiedział Josh, i ogarnęło ją uczucie ukontentowania. Takie powinno być życie. Z Yasmin w pobliżu, szczęśliwą i roześmianą; z Willem u boku, raz jeszcze.

„Wszystko będzie dobrze – pomyślała. – Wszystko na pewno będzie dobrze..."

Nachyliła się i cmoknęła Roberta w policzek, wprawiając go tym w zdumienie.

– Zróbmy sobie dzisiaj wolne od pracy, co? – zaproponowała.

– Jasne! – rzucił i okręciwszy się na pięcie, dołączył do seksbomby, z którą się ostatnio umawiał.

Leila postanowiła się rozluźnić – na tyle, na ile wypada się rozluźnić szefowej. Wiedziała, że jej limit wynosi cztery drinki. Później wpadała w nieprzyjemny stan upojenia, który nie pozwalał jej się utrzymać na własnych nogach. Wliczając drinka, którego wypiła jeszcze w domu, ten był trzeci. Powinna się pilnować.

Zrobiła obchód, po drodze zahaczając o Yasmin, aby sprawdzić, czy nie trzeba jej uratować przed wianuszkiem otaczających ją mężczyzn, ale jej siostra najwyraźniej świetnie się bawiła, odzyskując dawne nawyki wyrobione w ciągu całego życia nadskakiwania jej. Leila zostawiła ją więc na pastwę admiratorów i wyszła na balkon przez niskie drzwi. Było zimno, choć sucho, ale alkohol ją rozgrzewał. Obserwując barkę płynącą w dół rzeki, w pewnej chwili się skrzywiła, pewna, że kapitan źle wymierzył i nie zmieści się pod łukiem mostu. Kiedy barka wychynęła z drugiej strony nawet nie draśnięta,

Leila przymknęła oczy. Musiała przestać martwić się rzeczami, na które nie miała wpływu.

– Hej.

Odwróciła się i zobaczyła, że jej siostra wychodzi za nią na balkon, schylając głowę.

– Dobrze się bawisz?

Yasmin potaknęła, a następnie usiadła na grubym cementowym występie, który okalał balkon.

– Zmęczona?

– Nie. – Uśmiechnęła się leniwie. Wypiła o jednego za dużo.

Leila przysiadła się do niej i objęła ją w pasie.

– Tak się cieszę, że przyszłaś tu ze mną.

– Ja też. – Yasmin zapatrzyła się na Tamizę. – Och, Boże... Jaki ten marzec będzie dziwny.

Leila ją uścisnęła. W marcu były urodziny Maksa; tego roku skończyłby cztery lata.

Yasmin objęła kieliszek dłońmi, jakby to był tygiel, i skupiła spojrzenie na migającym światełku w oddali.

– Wiesz, czasami mi się zdaje, że zasłużyłam na to, aby go stracić. – Głos miała cichy, ale opanowany.

Leila spojrzała na nią.

– Dlaczego tak mówisz?

– Uważasz mnie za dobrą osobę, ale nie jestem dobrym człowiekiem. – Wykonała gest, przy którym bransoletki zjechały jej z przedramienia. – To, jak czasami traktowałam Toby'ego. Krzyczałam na niego, gdy płakał, zaklinałam, żeby przestał...

Leila zacmokała pocieszająco.

– Yasmin, to zupełnie naturalne. Jestem pewna, że każda matka tak robi.

– Nie tak jak ja. Nie tak. – Zaczęła pocierać nóżkę kieliszka. – Nie jestem dobrym człowiekiem, Leila. Nie mówiłam ci o tym, ale w połowie procesu umówiłam się z Jasonem.

Leila aż się wzdrygnęła.

– Z tym oślizgłym facetem z pracy?

– Tak. Wysłałam mu esemesa, udając, że chodzi tylko o drinka, ale w rzeczywistości... – zgarbiła się jakby w obronie – zamierzałam się z nim przespać.

Leila odwróciła się, aby lepiej widzieć siostrę.

– Proszę, powiedz, że tego nie zrobiłaś.

– Nie, ale miałam taki zamiar. Byłam taka zagubiona, taka zagniewana. – Yasmin nie dała sobie przerwać. – Ale to nie wszystko. – Wzięła głęboki oddech, zbierając się na odwagę. – Kilka lat temu, niedługo po śmierci Toby'ego, musiałam wziąć udział w letniej imprezie firmowej, może pamiętasz? Tej, na którą miałaś pójść ze mną. W dwa tysiące siedemnastym roku.

Leila skinęła głową w poczuciu nawracającej winy. Przyjęcie zaplanowano w budynku Muzeum Wiktorii i Alberta, lecz jej w ostatniej chwili coś wypadło.

– Wciąż byłam bardzo przygnębiona – kontynuowała Yasmin. – Potrzebowałam czegoś. Wypiłam dużo za dużo i...

– Och, nie. Tylko nie to... – Leila wpatrywała się w nią wielkimi oczami.

Pod powiekami Yasmin wezbrały łzy.

– Tak.

– O Boże. Ale sama mówiłaś, że jest oślizgły.

– To nie wszystko.

– Andrew wie?

– Nie. – Yasmin się zaczerwieniła. – Nie chodziło o to, że jest nam ze sobą źle. Byliśmy w sobie nadal zakochani, wciąż jesteśmy, ale tyle się zmieniło po śmierci Toby'ego. Mieliśmy takie wrażenie, jakbyśmy walczyli razem na wojnie. Jak uprawiać seks z kimś, z kim było się w okopach? Gdy widziało się tego kogoś we krwi, w ropie... – Urwała. – Potrzebowałam resetu, potrzebowałam poczuć coś innego niż ciągły gniew. Potrzebowałam czegoś, dzięki czemu znów bym siebie polubiła.

Leila przełknęła niedowierzanie i westchnęła filozoficznie:

– Posłuchaj, wiele osób ma romanse. To jeszcze nie znaczy, że są złymi ludźmi albo zasługują na samo zło.

– Nie rozumiesz. – Yasmin wywinęła się spod jej ręki jak kot, który nie chce, by go głaskać. – Zaszłam wtedy w ciążę.

Znad Tamizy zerwał się wiatr i uderzył w nie z lodowatą mocą.

– Kiedy to było?

– Dziewięć miesięcy przed narodzinami Maksa.

– Niemożliwe – zaprzeczyła Leila, czując zimno na dnie żołądka.

Yasmin wskazała na rzekę, jakby ta mogła poświadczyć jej słowa.

– Ale to prawda. Andrew nie był ojcem Maksa.

Leila bezwiednie upuściła kieliszek i podskoczyła, gdy roztrzaskał się na betonie, sypiąc wokół okruchami szkła. Yasmin mówiła dalej, szybko, żeby wytrącić siostrze argumenty z ręki, ale Leila już nie słuchała. Andrew nie był ojcem Maksa. Maks nie był synem Andrew. To oznaczało, że nie odziedziczył jego genów. Co oznaczało, że nie był chory na epidermolizę. W jej głowie rozległy się syreny, których wycie odbijało się od kości czaszki i potęgowało się z każdą chwilą. „Maks nie był chory na epidermolizę". Nie miała pojęcia, że wymówiła te słowa na głos, dopóki Yasmin nie odpowiedziała:

– Nie, nie był. Dlatego postanowiłam utrzymać ciążę. Kiedy oboje z Andrew zaczęliście mi radzić, żebym rozważyła aborcję ze względu na zagrożenie, odmówiłam. To była moja jedyna szansa, Leila. Nie zaplanowałam tego, wpadłam i dostałam szansę na zdrowe dziecko.

– Maks nie był chory na epidermolizę – powtórzyła Leila. – Ale... – Jej przerażenie było gęste jak melasa. – Ja... – Znalazła się o krok od rozpadu, jak balon, który zaraz pęknie. Poderwała się na nogi, spoconą dłoń opierając na szybie. – Ja... Ja muszę się napić – wyrzuciła z siebie i wróciła do środka.

Przedarła się przez tłum do pustego korytarza. Minęła pierwszą toaletę i zatrzymała się dopiero przy kolejnej. Tam zamknęła się w kabinie, przypadła plecami do rogu i zjechała po przepierzeniu do samej podłogi. Wcisnęła sobie pięść do ust, żeby stłumić rodzący się w niej krzyk. Maks nie był chory. Nie był chory na epidermolizę. Razem ze szwagrem zawiązała spisek, żeby pozbawić życia zdrowe dziecko.

Przez moment jej ciało odmawiało przyjęcia tego faktu do wiadomości w próbie ochrony jej zdrowia psychicznego. W końcu jednak poczuła, jak coś się w niej zapada. Trzymając się obiema rękami za twarz, wydała z siebie cichy wrzask, raczej wydech niż dźwięk. Nie było żadnego aktu łaski. Nie było altruistycznego poświęcenia. Zabiła zdrowe dziecko.

Szloch wyrywał się z niej gwałtownymi zrywami, wprawiając w potężne drżenie całe jej ciało. Przepadła gdzieś jej logiczna część, ta, na której mogła zawsze polegać w chwilach kryzysu. Zgarbiła się nad własnymi kolanami i ze spuszczoną nisko głową zaczęła łkać, pogrążona w szoku i horrorze. Przestrzeń wokół zdawała się wypaczać, eksponując okrutną prawdę. Mijały godziny. Przytomniejąc na moment, przeraziła się, że umysł ją zawodzi. Było nie było, szaleństwo miała we krwi.

ROZDZIAŁ 18

Victoria Park był niemal pusty w mglisty sobotni ranek. W oddali majaczyły niewyraźne kształty: obracające się szprychy jadącego roweru, strzelista czarna latarnia. Leila siedziała na mokrej od deszczu ławce i bez końca patrzyła w horyzont. Powietrze było oblepiające, od czego miała wilgotną skórę, jakby spędziła za dużo czasu w niewyschniętym kostiumie kąpielowym. Oswobodziła włosy spod wełnianego szalika, czując na palcach mrowienie elektrostatyczności. Czekała na Andrew, który poprosił ją o spotkanie. Leila nie mogła się nie zastanawiać, czy jej siostra nie wyznała mu przypadkiem prawdy w przypływie wyrzutów sumienia po wczorajszym przyjęciu.

Wreszcie go dostrzegła; mimo słabej widoczności rozpoznała, że to on, dzięki energicznemu krokowi, którym się poruszał, jakby miał coś ważnego do załatwienia, i ogólnie dzięki kanciastości sylwetki. Gdy podszedł bliżej, zauważyła wielkie sińce pod jego oczami i popielaty odcień skóry. Wydawał się oszołomiony, nieobecny duchem, przez co Leila zaczęła podejrzewać, że faktycznie wszystkiego się dowiedział. Nieomal się rozpłakała – ze strachu, ale też z ulgi, że będzie miała z kim nieść to brzemię. Odruchowo wstała na powitanie, lecz on zatrzymał się kilka kroków przed nią.

Przyjrzała mu się uważnie.

– Andrew?

– Leila. – Złapał zębami dolną wargę, by zapobiec jej drżeniu. Zamknął na moment oczy, zbierając siły, by wreszcie z siebie wyrzucić: – Coś się wydarzyło.

Nie zareagowała w żaden sposób. Wiedziała, że tego, co się stało, nie sposób odwrócić. Nie będzie drugiej szansy, nie będzie powrotu do przeszłości.

– Wczoraj sierżant Shepherd ponownie złożył mi wizytę. – Splótł dłonie na szyi w nagłym zamyśleniu, ale wyglądało to, jakby chciał sam siebie udusić. – On... on powiedział, że to przez pestycyd. Zwykle używamy ekologicznego, ale Yasmin kupiła zły rodzaj. Sprawdziłem nalepkę. Olejek z miodli indyjskiej może powodować wysypkę i owrzodzenia. Nie miałem pojęcia... Skąd mogłem wiedzieć... – paplał spanikowany. – Leila, rozumiesz, co do ciebie mówię?

Dotarło to do niej nagle. Wychodziło na to, że Andrew dowiedział się prawdy nie od Yasmin, lecz od Shepa.

– To mógł być ten pestycyd. Przez niego Maks dostał wysypki. – Zesztywniał, jakby spodziewał się, że go uderzy. – Udawaliśmy, że ma alergię, by ukryć jego epidermolizę, ale co, jeśli faktycznie miał alergię? Która tylko wyglądała jak epidermoliza?

Obserwując jego rozbiegane oczy, poczuła do niego znienacka nienawiść, że tak wszystko przeinaczył. Dobrze pamiętała jego słowa: „Epidermoliza ma nawet swój zapach i... Maks nią pachnie". To przekonało ją, że powinna pomóc szwagrowi. Stąd wyuczona na pamięć rozmowa telefoniczna, awaria serwera, za którą sekretnie stał Andrew, zapodziane plany w Syed & Gardner, które tak naprawdę trafiły do bagażnika Leili, zapasowy klucz do gabinetu zawieruszony w jej szafie na akta, dzięki czemu miała pretekst do błyskawicznej wizyty w biurze. Wszystko zaplanowane co do minuty. Fakt, że pewność Andrew była w rzeczywistości tylko jego projekcją, załamał Leilę. A co było najgorsze? To, że Andrew nadal miał wątpliwości. W przeciwieństwie do niej mógł się ratować niewiedzą.

Zaczął się przechadzać tam i z powrotem, wprawiając w chrzęst cienką warstwę szronu pod stopami.

– To były takie same owrzodzenia, taka sama wysypka, ten sam wściekły sposób, w jaki się drapał. – Spojrzał na Leilę błagalnie, jakby mogła go rozgrzeszyć.

– Dlaczego mi to mówisz? – zapytała.

Zatrzymał się.

– Bo... – Wykonał gest, jak gdyby było to oczywiste, a następnie wypalił: – Bo muszę.

– Dlaczego musisz?

– Potrzebowałem o tym porozmawiać.

– Ty potrzebowałeś – sprecyzowała lodowato.

Przyjrzał się jej uważniej.

– Leila, skąd u ciebie ten ton?

Nagle poczuła okrutną chęć, aby mu powiedzieć; nie bacząc na nic, zasiać chaos. „To wszystko twoja wina! – wykrzyczałaby. – Twierdziłeś, że jesteś pewien. Tymczasem wiesz co? Maks nie był nawet twoim synem!". Rzuciłaby się do przodu i zaczęła tłuc go pięściami w pierś, pchnęłaby go na ziemię, kopała gdzie popadnie.

– Leila?

Miała ochotę splunąć na niego jadem, który zbierał się jej w ustach. Rozchyliła nawet wargi, lecz zamarła, dostrzegłszy jego cierpienie. Cierpienie pogrążonego w rozpaczy ojca. Przełknęła swój gniew i zdobyła się na spokój.

– Andrew, ten marny detektywina z tobą pogrywa.

Nadzieja spłynęła na jego oblicze niczym gorączka.

– Naprawdę tak myślisz?

– Oczywiście. – Mówiła szybko, wyrzucając z siebie słowa na podobieństwo kamyków podskakujących na wodzie jeden za drugim, prędko, jeszcze prędzej, bo wystarczy przestać, zrobić przerwę, a następny zatonie. – Chce namieszać ci w głowie i zmusić cię do przyznania się do rzeczy, których nie zrobiłeś. Nie pomyliłeś się co do Maksa. Wiedziałeś, jak ta choroba pachnie.

Potaknął skinieniem.

– Musisz zaufać sobie, nikomu innemu. – Przemawiała teraz do niego łagodnie. – Andrew, wróć do Yasmin i otocz ją miłością, troską i oddaniem. Musicie odbudować swoje życie. Możecie adoptować dziecko, jeśli zechcecie. Żadne z nas nie zmieni przeszłości. To, co uczyniłeś, decyzja, którą podjąłeś... to był altruizm w czystej postaci. Wynikający z miłości. Nie pozwól, by ktokolwiek to podważył. – Przyłożyła dłoń do własnej piersi. – To, co uczyniliśmy, było aktem łaski. Musisz w to wierzyć.

Andrew zakrył twarz i wydał z siebie coś jakby warknięcie.

– Masz rację. – Wzruszenie łapało go za gardo. – Oczywiście, że masz rację. Wybacz. Boże, jestem w rozsypce...

Uśmiechnęła się wspaniałomyślnie, chociaż serce jej pękało.

– Postaraj się wziąć w garść. Dobrze?

Potaknął.

– Masz rację. Po prostu ogarnął mnie zamęt.

– Wiem. Ale już po wszystkim, Andrew. Pora zacząć patrzeć w przyszłość. – Wskazała ręką. – A teraz wracaj do Yasmin.

– Dziękuję. – Uścisnął jej bark. – Za wszystko.

Przechyliła głowę, przyjmując jego wdzięczność. Później przyglądała się, jak jej szwagier znika w ścielącej się wciąż mgle. Musiała przycisnąć mocno dłoń do ust, aby z jej piersi nie wyrwał się skowyt.

Raptowne pukanie do drzwi przestraszyło Leilę, jednak natychmiast się domyśliła, kto przyszedł. Ledwie otworzyła, do środka wparowała jej siostra.

– Potrafisz być taką zołzą! – zawołała.

Leila westchnęła.

– Nie mam dziś na to siły.

– Tak? Cóż. Ja nie miałam siły szukać cię przez godzinę na twojej własnej imprezie! – krzyczała śmiesznym piskliwym głosem. – „Och, przepraszam, dopadła mnie praca". Serio? To czemu mi nie powiedziałaś? Nie wygłupiłabym się, pytając wszystkich po kolei, czy cię gdzieś nie widzieli. Kurwa, ale z ciebie egoistka!

– Nie teraz, Yasmin.

– Masz się za męczennicę. Uważasz, że poświęcałaś się dla opieki nade mną. Tymczasem wiesz co? Wcale cię nie prosiłam, żebyś się mną zajęła! Mogłaś mnie oddać, ruszyć w świat i zrobić dyplom z tej cholernej architektury, nie żonglując trzema pracami jak jakaś Matka Teresa! W końcu od czego jest państwo.

Leilę zamurowało.

– Chcesz mi powiedzieć, że wolałabyś trafić do domu dziecka, niż zostać ze mną?

– Tak, jeśli to uchroniłoby cię przed zamienieniem się w taką oziębłą, krytyczną sukę!

Leila drgnęła.

– Nigdy cię nie krytykowałam.

– Przestań traktować mnie z góry, Leila. Oczywiście, że wiecznie mnie osądzałaś. Idealna Leila nigdy by nie zdradziła męża, choć założę się, że on ciebie zdradza na okrągło!

– Pierdol się!

Yasmin aż się cofnęła, zszokowana, ale zaraz niemal się uśmiechnęła, uznawszy ten wybuch siostry za przyzwolenie, by wejść na wyższy poziom awantury.

– Zejdź z obłoków na ziemię, Leila. Nie udawaj, że nie widzisz, jak się ogląda za każdą, która ma donice. Naprawdę myślisz, że pozostaje ci wierny na tych wszystkich konferencjach i wyjazdach?

– Dlaczego tak się zachowujesz?

Yasmin nie dała się odwieść od interesującego ją tematu.

– Zawsze był z niego kutas. Może to i dobrze, że nie macie dzieci!

Leilę dosłownie odrzuciło pod ścianę. Miała wrażenie, że całe powietrze zostało wyssane z pomieszczenia, a reszta – lśniące stalowe ostrze nożyka do listów, zużyta bateria wyjęta z czujki przeciwdymnej – to tylko ocalałe z wybuchu śmieci.

Gdy do Yasmin dotarło, co właśnie powiedziała, natychmiast uniosła ręce w obronnym geście.

– Przepraszam. Po prostu… Ustanowiłaś te wszystkie wymagania, niemożliwe do spełnienia, a ja raz za razem daję ciała. Nie cierpię, kiedy mnie tak oceniasz!

Leila zaniemówiła, niezdolna przetrawić okrucieństwa siostry.

– To był tylko jeden raz, byłam pijana i myślałam wyłącznie o sobie. Nie musisz mnie od razu oceniać swoją miarą.

Leila nadal się w nią wpatrywała.

– Nie oceniałam cię.

– Upuściłaś drinka i wybiegłaś jak kura domowa z lat pięćdziesiątych. Chryste, straszna purytanka z ciebie.

– Nie o to chodziło.

– Nie? W takim razie o co?

Mocowały się spojrzeniami. Leila wstrzymała oddech, mimo że z każdą chwilą ciśnienie w jej piersi rosło.

Yasmin straciła cierpliwość.

– No cóż, musi być miło zawsze być tą idealną.

– Nie uważam się za idealną.

– Uważasz się – sarknęła Yasmin. – Jesteś przemądrzała i wiecznie mówisz mi, co mam robić. Dlaczego nie odwalisz się wreszcie ode mnie i nie pozwolisz mi popełniać moich własnych błędów? Ty swój popełniłaś, i to jaki!

I wszystko jasne: Yasmin nadal ją winiła. Od zapadnięcia werdyktu ani razu nie dała Leili wyraźnie odczuć, że ma do niej żal i pretensje o śmierć Maksa. Była smutna, pogrążona w żałobie, zanurzona w koszmarze, ale nigdy nie obwiniała Leili otwarcie. Tak jak teraz. Leila uświadomiła sobie, że faktycznie miała się przez wiele lat za męczennicę, która poświęciła dla siostry coś bardzo dla siebie cennego. Nagle obnażona zrozumiała, że zasłużyła sobie na wszystkie usłyszane zarzuty.

– Masz rację – przyznała. – Przepraszam cię. Jest mi naprawdę przykro.

– Tak, wszystkim nam jest przykro – rzuciła Yasmin z goryczą. – Przez całe życie żyję w twoim cieniu. Muszę patrzeć, jak pniesz się i odnosisz sukcesy, po kryjomu wydzielając mojemu mężowi ochłapy. – Na widok miny, którą zrobiła Leila, prychnęła: – O, tak. Wiem o wszystkim. Może cię to zdziwić, Leila, ale nie jestem idiotką. Widziałam nawet przelewy z twojego konta na jego.

– Chciałam pomóc.

– Tak? To wyobraź sobie, że może już nie potrzebuję twojej pieprzonej pomocy! – Yasmin spoglądała na nią jak na coś obrzydliwego, ropę w ranie, skrzep na tamponie. Zacisnęła wargi w okrutnym grymasie. – Może powinnaś znaleźć sobie coś innego, czym zapełnisz pustkę w swoim życiu. – Wyszczerzyła zęby. – Znajdź sobie pierdolone hobby!

Z przekleństwem na ustach obróciła się gwałtownie i wypadła na zewnątrz, omal nie wyrywając drzwi z futryny.

Leila czuła się tak, jakby powietrze wokół niej nadal wibrowało, tak jak czasem czuje się pod stopami przejeżdżającą daleko ciężarówkę. Osunęła się na dolny stopień – nie opadła na niego, tylko delikatnie na nim przysiadła. Z jakiegoś powodu to przywołało wspomnienie Maksa, który mając dwa latka, usadowił się na jej kolanach. Zadarłszy główkę, obdarzył ją uśmiechem.

– Co tam? – zagaiła.

– Cem się tylko psytulić.

Otoczyła go ramionami i uściskała mocno. Jego nieobecność była namacalna. Leila nigdy nie zobaczy, jak Maks dorasta, jak denerwuje się przed pierwszą randką, jak mężnieje. Wymazała go z tego świata. Świadomość tego uczynku drążyła ją jak robak owoc. Jeśli czegoś z tym nie zrobi, zostanie wyżarta od środka.

Shep zaczekał, aż jego koledzy wyjdą z kuchni, zanim tam wszedł. Nie cierpiał pogaduszek o niczym w poniedziałkowe poranki. Zwykle padały te same pytania i te same banalne odpowiedzi. „Jak minął weekend? Dziękuję, dobrze". „Co robiłeś? Och, niewiele". Shep zawsze odpowiadał tak samo: „Biegałem wokół stawów w Fairlop. O tej porze roku jest tam bardzo pięknie". Kiedy był po trzydziestce, wymyślał wieczorne maratony z fikcyjnymi przyjaciółmi: „Wiecie, jak to jest. Człowiek zaczyna w jakimś modnym barze w Shoreditch, a kończy urżnięty jak świnia na szczycie Sharda". Przewracał przy tym oczami i śmiał się cicho. Latami utrzymywał image singla bez zobowiązań, lecz co do reakcji – początkowa zazdrość dość szybko przeszła we współczucie. Z czasem zdał sobie sprawę, że jego wymysły brzmią żałośnie, i postanowił przestać się obracać wśród innych policjantów. Zwłaszcza że prawda była nudniejsza, niż można by przypuszczać. Wieczory spędzał na oglądaniu Netfliksa. Najgorsze były jednak pory posiłków. Puste miejsca wokół stołu podkreślały, jaki jest samotny. Mimo to odmawiał jedzenia na kanapie; czepiał się tych resztek uspołecznienia.

Teraz opróżnił dzbanek z kawą i nastawił nowy, dla następnych chętnych. Potem wrócił do swojego biurka i aż jęknął na widok zapchanej skrzynki odbiorczej. Pięćdziesiąt trzy maile. Cud, że w ogóle udaje mu się cokolwiek zrobić. Ledwie kliknął na pierwszą wiadomość, na jego ekran padł cień.

– Dopiero przyszedłeś? – zapytała go Heather Witter z recepcji. Żartowano o niej, że jest największą nudziarą w komisariacie.

– Tak. A co?

– Nie widziałeś gościa? – Widząc jego zagubioną minę, sapnęła. – Steve miał cię złapać przy wejściu. Ta kobieta czeka od godziny. Twierdzi, że musi z tobą porozmawiać.

Shep zmarszczył brwi.

– Jak wygląda?

– Chuda, niebrzydka, naburmuszona.

Sięgnął po kawę.

– Azjatka – dodała Heather.

Zamarł z palcami dotykającymi ucha kubka. Leila Syed. Zerwał się z krzesła, czując, jak serce zaczyna mu walić.

– Dlaczego nikt nie zadzwonił do mnie na komórkę?

Heather wzruszyła ramionami.

– Nigdy nie mówiłeś, żeby to robić w razie czego...

On jednak już pędził w stronę recepcji. Było to kanciaste surowe pomieszczenie, któremu koloru przydawała tylko granatowa podłoga. Nie odważyła się jednak lśnić.

– Ktoś na mnie czeka? – zapytał oficera dyżurnego.

– Tak – odparł tamten i wskazał jeden z rogów. – Tam. – Kiedy podniósł głowę i zobaczył puste krzesło, dodał: – O, chyba znudziło ją czekanie.

– Podała nazwisko?

– Tylko twoje.

Shep zaklął. Przeszedł korytarzem, żeby zobaczyć, czy kobieta nie stoi przed tablicą z ogłoszeniami.

– Nie widziałeś, dokąd poszła?

Oficer dyżurny wykrzywił twarz w wyrazie skruchy.

– Niestety nie. Sorki.

– Jaka ci się wydała? Zestresowana, spanikowana, spokojna?

– Była spokojna i uprzejma. Zjawiła się o ósmej. Powiedziałem jej, że zazwyczaj przychodzisz na dziewiątą, ale stwierdziła, że zaczeka.

Shep rzucił okiem na zegar. Było dziesięć po dziewiątej.

– Nie zauważyłeś, kiedy wyszła?

– Nie. Ale za pięć dziewiąta wciąż tu była. Wiem, bo wstała i wyjrzała za drzwi, jakby chciała cię osobiście powitać.

Wyjrzawszy na zewnątrz, Shep stwierdził, że rozpadał się śnieg.

– Wielkie dzięki za pomoc – rzucił do oficera dyżurnego.

Tamten podniósł spojrzenie, wyszczerzył się i postanowił zignorować sarkazm detektywa.

– Do usług – odparł, puszczając oko.

Yasmin przyglądała się padającemu śniegowi w swoim ogrodzie. Miękki biały kobierzec zdążył już pokryć główną alejkę. Zapragnęła tam wyjść i położyć się na nim, zrobić śnieżnego orła, jak nauczyła ją siostra, kiedy miała pięć lat. Leila zawsze zostawiała dla niej dziewiczy kawałek pod jabłonką. W świetle tego, co nastąpiło później, trudno jej było uwierzyć, że kiedykolwiek w ogóle miały własne drzewo. Ich klitka we Frinton Mews ledwie się mogła pochwalić otwierającymi się oknami, co dopiero mówić o ogrodzie. Tę przestrzeń, którą nazywały własną, przepełniały sterty książek kupowanych za grosze w antykwariatach. Leila ubzdurała sobie, że droga do awansu społecznego jest wybrukowana książkami, i przy każdej okazji wciskała je Yasmin w ręce.

To wspomnienie wywołało uśmiech na jej twarzy. Jakże odmienne gusta czytelnicze miały. Ona dawała się pochłonąć powieściom Danielle Steel i Jackie Collins, podczas gdy Leila wolała czytać o biznesie: *Koniec złotej dekady londyńskiego City*; *Dość – prawdziwe miary bogactwa, biznesu i życia*... Nie sposób się dziwić, skoro życie było dla niej jedną wielką rywalizacją.

Yasmin posmutniała na wspomnienie ich ostatniej konfrontacji. Powiedziała okrutne, brzydkie rzeczy, które nie zbledną łatwo z czasem. Ale Leila i tak jej przebaczy. Zawsze to robiła.

Z zamyślenia wyrwał ją dzwonek do drzwi. Jeden długi, jeden krótki. Zerknęła na zegar. To nie mogła być Leila. Było dziesięć po dziewiątej w poniedziałek rano, jej siostra więc siedziała już w pracy. Gdy dzwonek się powtórzył, pośpieszyła do drzwi frontowych.

– Will? – zapytała zdziwiona. – Co ty tutaj robisz?

– Mogę wejść?

Rzuciła spojrzenie przez ramię, po czym otworzyła drzwi szerzej.

– Zaparzyłam właśnie herbatę. – W kuchni rozlała napar do dwóch kubków i wskazała tylne wyjście. – Może popatrzymy na padający śnieg?

Uśmiechnął się do niej.

– Byłoby miło.

Włożyła gruby wełniany sweter i wyszła na dwór pierwsza. Oboje zatrzymali się na skraju tarasu.

– Jak się miewasz? – zapytał.

– Dobrze. – Spojrzała na niego z ukosa. – Chodzi o książkę?

W ubiegłym tygodniu wysłała mu esemesa z prośbą o radę w sprawie umowy wydawniczej.

Will odstawił kubek na stolik ogrodowy.

– Nie całkiem.

– W takim razie o co?

Dotknął czubkiem buta trawy.

– Chciałem z tobą porozmawiać. O tym, co się stało.

Owinęła się szczelniej swetrem.

– Nie mam nic więcej do powiedzenia, Will.

Milczał przez chwilę.

– To może ja będę mówił, a ty będziesz słuchała? – Skrzywił się lekko na proszalny ton własnego głosu.

Yasmin westchnęła.

– Nie jestem twoim terapeutą, Will.

Popatrzył na nią.

– Nie chcę, żebyś była moim terapeutą, Yasmin. Potrzebuję rozmowy.

Przechyliła głowę.

– Raczej specjalisty. Przecież cię stać. – Sądziła, że wybaczyła mu tamten artykuł o Maksie, wyglądało jednak na to, że wciąż żywi do niego urazę.

– Czemu się tak zachowujesz?

– Jak?

– Słuchaj, rozumiem, że nie chcesz ze mną rozmawiać, ale mogłabyś przynajmniej odpowiadać na moje esemesy.

– Dlaczego? Powiedziałam ci, żebyś przestał je wysyłać.

– Wiesz co, Yasmin? Nie ty jedna go straciłaś. – Will przyszpilił ją wzrokiem. – Maks był także moim synem.

– Tak. I może oboje zasłużyliśmy na to, co się stało.

– Nie mów tak. Proszę.

– Prawie że powiedziałam Leili prawdę wczoraj wieczorem. – Użyła tej informacji jak broni.

Wgapił się w nią z rozdziawionymi ustami.

– Chyba wiesz, że nie możesz tego zrobić?

– Tak, wiem – sarknęła.

– W takim razie przestań ze mną pogrywać. – Jego cierpliwość się wyczerpała. – Co jej nagadałaś?

– Myśli, że przespałam się z Jasonem. Wciąż nie wie, że przyszedłeś na tamto przyjęcie.

Yasmin dobrze pamiętała tę noc. Leila wycofała się w ostatniej chwili, ale Will nie dostał jej wiadomości w porę. Przyszedł wystrojony w smoking i zaczął przeczesywać tłum. Zanim odczytał esemesa od żony, Yasmin uwiesiła się na jego ramieniu, rozgoryczona i podpita. Emanowała z niej niezaspokojona seksualność. Nie mówiąc ani słowa, zupełnie jakby było im to pisane, poszli do hotelu naprzeciwko na brutalny, katarktyczny seks.

– To, co wtedy zrobiliśmy, jest niewybaczalne – stwierdziła teraz.

– Byliśmy pijani – rzucił odruchowo.

– I twoim zdaniem to nas tłumaczy?

– Oczywiście, że nie, ale to był tylko jeden raz. Byliśmy pijani, źli i...

– Och, daruj sobie, Will. Oboje jesteśmy egoistami. Dlatego to zrobiliśmy. „Jeden raz", powiadasz? Może dla ciebie. Ja później miałam to przed oczami dzień w dzień. Może tego nie zauważyłeś, ale Maks stawał się coraz bardziej podobny do ciebie: te same kości policzkowe, ten sam uśmiech. Bałam się, że Leila to w końcu dostrzeże. – Wygięła wargi w pozbawionym wesołości uśmiechu. – Wiesz, co pomyślałam, kiedy usłyszałam, że Maks nie żyje? Jakąś obrzydliwą częścią siebie pomyślałam: „No to Leila jest znów na prowadzeniu". Jakim trzeba być człowiekiem, żeby mieć takie myśli w takiej chwili?

Will się skrzywił.

– Cała ty. Twoje poczucie niepewności. Twoja paranoja. Leila nigdy z tobą nie rywalizowała. Zawsze stawiała cię na pierwszym miejscu. Dawała ci wygrać.

– Jezu! Przychodzisz tu porozmawiać o Maksie, a zaczynasz piać z zachwytu nad Leilą...

– Chcę jej oddać sprawiedliwość. Leila uczyniłaby dla ciebie wszystko.

Yasmin zesztywniała.

– Nigdy jej o to nie prosiłam.

– I co? Wolałabyś trafić do domu dziecka? Przechodzić z rąk do rąk? Wydaje mi się, że ty wciąż nie rozumiesz, ile dla ciebie zrobiła. Spójrz na nią, Yasmin. Spójrz, ile osiągnęła. I zastanów się, co mogłaby osiągnąć, gdyby jako osiemnastolatka nie miała kłody u nogi w postaci jedenastoletniego dziecka. – Umilkł, jakby spodziewał się usłyszeć odpowiedź. – Musimy żyć dalej. Pewnie nigdy nie pogodzimy się ze stratą, ale nawet przez moment nie podawaj w wątpliwość tego, ile znaczysz dla Leili.

Yasmin milczała, skruszona przez prawdę. Gdy się odezwała, głos jej drżał:

– Jestem dla niej taka niedobra.

Will uśmiechnął się smutno.

– Zadośćuczynimy jej za to. – Schwycił płatek śniegu w otwartą dłoń. – Jeśli czegoś nam nie brakuje, to czasu.

Leila obserwowała go patrzącego na padający śnieg. Miał przy tym taką nieobecną minę. Odwrócił się i rzucił coś uszczypliwym tonem do oficera dyżurnego, który odpowiedział w podobny sposób. Przez chwilę miała wrażenie, że poruszają się obaj w zwolnionym tempie. Nawet dźwięki były jakieś dziwne, zniekształcone: ciurkanie topniejącego śniegu na parapecie, sapanie przestarzałego systemu grzewczego, stukot jego trzewików na epoksydowej podłodze, jakiej Leila nigdy by nie umieściła w żadnym swoim projekcie. Tak łatwo byłoby pozwolić mu odejść.

– Sierżancie! – zawołała nie swoim głosem.

Shep okręcił się na pięcie i spojrzał na nią błękitnymi oczami.

– Pani Syed – powiedział, tymi dwoma słowami przywracając normalne brzmienie wszystkiemu innemu. Poprawił krawat i zbliżył się do niej. – W czym mogę pomóc?

Wyobrażała sobie tę chwilę dziesiątki razy. Obawiała się, że stchórzy, znajdzie jakąś wymówkę. W jednym ze scenariuszy spanikowała i rzuciła: „Chciałabym zaprosić pana na kolację". W innym zwyczajnie się obróciła i uciekła, przytłoczona perspektywą wyznania prawdy. Przerażało ją to, co się stanie. Tłum dziennikarzy nieodstępujących jej na krok. Nagłówki brukowców utrzymane w podobnym tonie – bezdzietna, sierota, jałowa. Ogół społeczeństwa odwracający się od niej plecami i potępiający ją. Grozą napawała ją myśl o więzieniu, zimnym, zawilgłym, ciasnym, cuchnącym.

Rozważała wszystkie za i przeciw przyznania się, wiedząc, że Andrew również ucierpi, wiedziała jednak, że nie zdoła dźwigać poczucia winy przez resztę życia. Gdyby tylko Yasmin powiedziała jej prawdę po narodzinach Maksa – albo gdyby zachowała ją dla siebie na zawsze. Wtedy mogłaby żyć iluzją, że postąpiła właściwie.

„Było to najodważniejszą, najbardziej altruistyczną rzeczą, jaką ktokolwiek uczynił dla mojej rodziny" – powiedział jej Andrew. Tylko że oboje byli w błędzie. Leila zabiła Maksa i jedynym, co mogła zrobić, aby móc z tym żyć, było przyznanie się do winy.

Nie spuściła wzroku pod spojrzeniem detektywa.

– Mam coś na sumieniu – powiedziała, zmuszając swój głos do posłuszeństwa.

Shep przyglądał się jej przez chwilę ze szczerym smutkiem w oczach. Skinął raz, ze znużeniem, jakby cały czas spodziewał się to od niej usłyszeć.

– Proszę za mną – rzekł. Jego ojcowski ton przyniósł jej nieoczekiwaną pociechę.

Przełknęła ciężko i podążyła jego śladem na wskroś epoksydowej podłogi, zmierzając prosto w otchłań.

PODZIĘKOWANIA

Dziękuję moim własnym najpierwszym superkobietom, Jessice Faust i Manpreet Grewal za uczynienie wszystkiego możliwym. Bez was nie zrobiłabym kariery.

Dziękuję Lisie Milton oraz całemu genialnemu zespołowi HQ, do którego zaliczają się: Janet Aspey, Sian Baldwin, Claire Brett, Dawn Burnett, Sophie Calder, Lily Capewell, Laura Daley, Rebecca Fortuin, Georgina Green, Melanie Hayes, Becca Joyce, Melissa Kelly, Imie Kent-Muller, Fliss Porter, Lucy Richardson, Joanna Rose, Darren Shoffren, Katrina Smedley, Isabel Smith, Joe Thomas, Angela Thomson, Georgina Ugen, Kelly Webster, Harriet Williams, a także oczywiście wspaniała ekipa grafików i ludzi od produkcji. Dziękuję też Peterowi Borcsokowi i zespołowi HarperCollins Canada, którzy wspierają mnie od samego początku.

Dziękuję Mary Alice Kier za jej pracę przy supertajnych projektach i Jamesowi McGowanowi z zespołu BooEnds.

Dziękuję wszystkim tym, którzy tak hojnie dzielili się ze mną swoją wiedzą. Są to: Matthew Butt, dr Richard Shepherd,

Graham Bartlett, Nadine Matheson, Melissa Jaquez, dr Claire Windeatt, dr Daniel Wilbor, Kevin Wong, Amit Dhand, Sara Crofts, Dina Begum, Hawa Choudhury, Hiren Joshi i Lee Adams. Jak zawsze liczę, że wybaczycie mi popełnione przeze mnie błędy, jak i literacką dowolność, z jaką potraktowałam informacje od was.

Dziękuję Society of Authors, Author's Foundation i wszystkim znajomym autorom, którzy mi kibicują. Bardzo doceniam waszą wspaniałomyślność.

Specjalne podziękowania składam księgarzom, bibliotekarzom, recenzentom i blogerom, dzięki którym moje książki (tak, teraz już w liczbie mnogiej!) trafiają do rąk czytelników. Stanowicie system krwionośny tej branży i jestem wam wszystkim ogromnie wdzięczna.

Dziękuję swoim siostrom. Reena, Jay, Shiri, Forida i Shafia, jestem szczęściarą, mając taką pięcioosobową armię, do której zawsze mogę się zwrócić o pomoc.

Peter, chyba do tej pory już się przyzwyczaiłeś, co?

BIOGRAFIA

Kia Abdullah pisze przewodniki turystyczne i powieści. Jej teksty ukazują się na łamach „New York Timesa", „Guardiana" i „The Telegraph". Ma na koncie dwa thrillery – *Truth Be Told* (2020) oraz *Take It Back* (2019) – z których oba znalazły się na liście najlepszych książek w tym gatunku według „Guardiana" i „The Telegraph".

Występuje w BBC, komentując różnorakie sprawy dotyczące społeczności azjatyckiej w Wielkiej Brytanii. Założyła stronę internetową Asian Booklist, dzięki której czytelnicy mogą odkrywać nowości książkowe autorstwa Azjatów. Prowadzi także bloga Atlas & Boots o tematyce podróżniczej, który jest czytany przez 250 000 osób miesięcznie.

Więcej informacji o autorce można znaleźć na jej stronie internetowej: kiaabdullah.com oraz na Instagramie i Twitterze, gdzie występuje jako @KiaAbdullah.